Inteligência visual

Amy E. Herman

Inteligência visual

Aprenda a arte da percepção e transforme sua vida

Tradução:
George Schlesinger

4ª reimpressão

Para Ian. Tudo. Sempre.

Tradução autorizada da primeira edição norte-americana, publicada em 2016
por Houghton Mifflin Harcourt Publishing Company, de Nova York, Estados Unidos

Grafia atualizada segundo o Acordo Ortográfico da Língua Portuguesa de 1990, que entrou em vigor no Brasil em 2009.

Título original
Visual Intelligence: Sharpen Your Perception, Change Your Life

Capa
Estúdio Insólito

Preparação
Diogo Henriques

Indexação
Gabriella Russano

Revisão
Carolina Sampaio
Eduardo Farias

CIP-Brasil. Catalogação na fonte
Sindicato Nacional dos Editores de Livros, RJ

H473i

Herman, Amy E.
Inteligência visual: aprenda a arte da percepção e transforme sua vida / Amy E. Herman; tradução George Schlesinger. — 1ª ed. — Rio de Janeiro: Zahar, 2016.

Tradução de: Visual Intelligence: Sharpen Your Perception, Change Your Life.
Inclui índice
ISBN 978-85-378-1599-1

1. Percepção visual. 2. Inteligência. 3. Informação, Teoria (Psicologia). I. Schlesinger, George. II. Título.

16-35947

CDD: 152.14
CDU: 159.931

[2021]

EDITORA SCHWARCZ S.A.
Praça Floriano, 19, sala 3001 – Cinelândia
20031-050 – Rio de Janeiro – RJ
Telefone: (21) 3993-7510
www.companhiadasletras.com.br
www.blogdacompanhia.com.br
facebook.com/editorazahar
instagram.com/editorazahar
twitter.com/editorazahar

O mundo está cheio de coisas mágicas, esperando pacientemente que os nossos sentidos fiquem mais aguçados.

AUTOR DESCONHECIDO

Sumário

Nota da autora

Tem sido um grande privilégio para mim lecionar A Arte da Percepção nos últimos catorze anos. Durante esse tempo, conversei e escrevi a milhares de pessoas do mundo inteiro sobre suas experiências com arte, observação, percepção e comunicação. Uma vez que algumas dessas conversas aconteceram anos antes que este livro sequer fosse uma ideia; que os maravilhosos participantes do meu programa não planejavam fazer parte deste livro quando se inscreveram para minhas aulas; e que muitos dos meus entrevistados têm empregos e cargos estratégicos, troquei os nomes e os detalhes de identificação da maioria das pessoas cujas histórias aparecem no livro, para proteger sua privacidade. Quaisquer semelhanças com pessoas vivas ou mortas são mera coincidência, não intencionais. *Inteligência visual* é uma obra de não ficção. Todas as histórias são narradas conforme aconteceram ou me foram contadas, sujeitas às limitações da memória. Não pude fazer a checagem factual de todas elas; incluí apenas as que acreditei serem verdadeiras.

Introdução

Enquanto eu aguardava no saguão do lado de fora do apartamento, tudo assumiu um aspecto enevoado, em câmera lenta. Gritos ecoavam atrás da porta. Partículas de poeira dançavam na luz fluorescente. Um gato miou de algum lugar à minha esquerda. O policial à minha frente ergueu o punho para bater, ao passo que seu parceiro – tenso, armado, pronto para agir – dava-lhe cobertura. À medida que a briga doméstica ressoava atrás da porta, o cano da arma do segundo policial abria sua boca negra como num grito silencioso. Como é que eu tinha ido parar ali?

Desde pequena, eu via arte em tudo: na bela assimetria dos raios de sol penetrando pelas árvores e nos padrões únicos de pedras e conchas que se formavam quando a maré baixava. Eu mesma nunca fui uma pessoa particularmente criativa, mas isso não me impediu de estudar história da arte. Depois da faculdade, porém, o fato de ter sido criada por um pai cientista e uma mãe extremamente prática, e o desejo de ser útil, acabaram me levando à escola de Direito. E a este acompanhamento policial particularmente intenso.

Para me desligar da preocupação que borbulhava nas minhas entranhas, estudei os arredores como faria com uma pintura, analisando cada nuance, fazendo um balanço do primeiro plano e do fundo, tentando achar significado em pequenos detalhes, aparentemente sem importância. Eu sabia que era um jeito inusitado de pensar – já tinham me dito isso muitas vezes –, mas sempre achei o meu background em arte útil na prática do Direito, onde a necessidade de ser um observador objetivo é essencial.

E então tive um pensamento terrível: e se os policiais com quem eu estava não tivessem tais habilidades? O que o primeiro policial veria quando a porta se abrisse – fosse um bebê chorando, uma senhora idosa confusa ou um maluco empunhando uma arma – e como o transmitiria ao parceiro naquela fração de segundo afetaria o resultado para cada um de nós. A minha vida estava nas mãos de um completo estranho e de sua habilidade de ver e transmitir acuradamente o que visse.

Felizmente a polícia foi capaz de neutralizar a situação e a minha experiência não acabou em desastre, mas – como geralmente acontece quando estamos frente a frente com uma arma pela primeira vez, ou somos forçados a encarar a nossa própria mortalidade – a situação me atormentou durante os anos seguintes. Quantas vezes as nossas vidas dependem das habilidades de observação de outra pessoa? Para a maioria de nós, são vezes demais para se contar: sempre que pegamos um avião ou um trem, ou entramos num táxi, ou vamos para uma mesa de operação. Nem sempre é caso de vida ou morte; às vezes é simplesmente algo que altera nossa vida. A atenção das outras pessoas ao detalhe e ao acompanhamento da situação também pode afetar nosso emprego, nossa reputação, nossa segurança e o nosso sucesso. E nós podemos afetar tudo isso nos outros. É uma responsabilidade que não devemos assumir levianamente, pois pode significar a diferença entre uma promoção e um afastamento, entre um triunfo e uma tragédia, entre uma terça-feira comum e o 11 de Setembro.

Enxergar com mais clareza e comunicar mais efetivamente não são uma ciência complicada; são habilidades simples e diretas. Nós nascemos equipados para ambas. Porém, com mais frequência do que queremos admitir, fracassamos no uso dessas habilidades. Aparecemos no portão de embarque errado e tentamos embarcar num avião que não é o nosso, mandamos um e-mail para o destinatário errado dizendo algo que nunca deveríamos ter dito, perdemos uma peça-chave de evidência que estava bem na nossa cara. Por quê? Porque também somos equipados para cometer esses erros.

Nossos cérebros só podem ver até certo ponto, e conseguem processar ainda menos. Eu sabia disso depois de anos praticando o Direito e presenciando em primeira mão a pouca confiabilidade de testemunhas oculares, além da falibilidade de relatos na primeira pessoa, mas foi só quando segui meu coração de volta ao mundo da arte que de fato comecei a investigar ativamente os mistérios da percepção. Como chefe de educação da Frick Collection em Nova York, ajudei a trazer para as escolas de medicina da cidade um curso criado por um professor de dermatologia em Yale, ensinando os estudantes a analisar obras de arte para aperfeiçoar suas habilidades de observação. O curso foi um sucesso[1] – um estudo clínico concluiu que os estudantes que o fizeram mostravam habilidades de diagnóstico 56% melhores que os colegas que não o haviam feito –, e eu queria entender a ciência por trás daquilo. Queria saber mais sobre a mecânica de como vemos e de que modo olhar arte poderia melhorar nossa capacidade.

Tornei-me fanática por neurociência, lendo qualquer pesquisa que pudesse encontrar e entrevistando os pesquisadores que as conduziam. Cheguei até a me inscrever num "video game" on-line da comunidade neurocientífica. E descobri que, enquanto as minhas próprias percepções sobre como vemos estavam equivocadas em muitos aspectos – aparentemente a retina é parte do cérebro, não do olho –, elas estavam corretas nos mais importantes: ainda que não entendamos plenamente o cérebro humano, podemos modificá-lo. Podemos treinar o nosso cérebro para ver mais, e para observar mais acuradamente.

E, como frequentemente faço quando aprendo algo fantástico, eu quis dividir isso com todo mundo, não só com estudantes de medicina. Durante um jantar com amigos, eu estava contando a eles algumas coisas que tinha aprendido certa noite, pouco depois do 11 de Setembro, quando a cidade ainda revivia os ataques terroristas e as histórias de heroísmo e comoção que se seguiram. Um dos meus amigos perguntou se eu havia considerado treinar pessoal dos serviços de emergência e primeiros-socorros. Isso não tinha passado pela minha cabeça, mas, quando recordei o meu medo naquele saguão de edifício na época em que estudava Direito, sem saber como os policiais com quem eu estava veriam ou reagiriam ao que vissem, tudo fez perfeito sentido. Apaixonei-me pela ideia de juntar tiras com Rembrandt; eu só precisava convencer a comunidade responsável pela aplicação da lei. Na segunda-feira seguinte liguei na caradura para o Departamento de Polícia de Nova York.

"Eu gostaria de trazer os seus policiais ao nosso museu para olhar um pouco de arte", disse ao atordoado vice-comissário. Eu meio que esperava que ele desligasse na minha cara, mas ele concordou em fazer uma tentativa. Dentro de algumas semanas, tínhamos gente armada na Frick pela primeira vez na história, e assim nascia A Arte da Percepção.

Já faz catorze anos que venho dando esse curso, treinando policiais de treze divisões do Departamento de Polícia de Nova York, bem como dos departamentos de polícia em Washington, DC, Chicago e Filadélfia, a Polícia do Estado da Virgínia e a Associação dos Chefes de Polícia de Ohio. O comentário de que o programa era eficaz espalhou-se rapidamente, e a minha lista de clientes cresceu, passando a incluir: nos Estados Unidos, o FBI, o Departamento de Segurança Interna, o Exército, a Marinha, a Guarda Nacional, o Serviço Secreto, a Polícia Civil Federal, o Banco Central, o Departamento de Justiça, o Departamento de Estado e o Serviço Nacional de Parques; além da Scotland Yard.

O *Wall Street Journal*[2] logo fez uma matéria descrevendo o meu curso e seus efeitos positivos sobre entidades encarregadas de fazer vigorar as leis, setores legais e militares, numa história sobre um agente infiltrado do FBI que creditou às minhas aulas o aguçamento de suas habilidades de observação. Depois de fazer o curso,[3] o agente foi capaz de coletar provas incriminadoras contra um sindicato de coleta de lixo controlado pela máfia, o que resultou em 34 condenações e na apropriação pelo governo de 60 a 100 milhões de dólares em bens. Quase imediatamente, comecei a receber telefonemas de empresas privadas, instituições educacionais e até mesmo de sindicatos de trabalhadores. Porque na verdade todos nós – pais, professores, comissários de bordo, banqueiros de investimentos, porteiros – somos, em algum nível, responsáveis por enfrentar emergências.

A pedagogia única da Arte da Percepção foi chamada de "inestimável" pelo Departamento de Defesa e reconhecida pelo chefe de operações navais por "estimular o pensamento inovador necessário para gerar futuros conceitos bélicos viáveis". Depois de participar do meu seminário em um programa da Academia Nacional do FBI, o inspetor Benjamin Naish providenciou para que eu o apresentasse ao Departamento de Polícia da Filadélfia, declarando: "Senti que meus olhos se abriram mais ... Será o treinamento mais inusitado que eles terão oportunidade de ver na vida."[4]

E o que há de tão inusitado nele? Eu mostro figuras de mulheres nuas com os seios caídos sobre a barriga e esculturas feitas de penicos para ensinar a fina arte da observação acurada e da comunicação efetiva.

E funciona.

Tenho ajudado milhares de pessoas de diversas áreas da vida – escritórios de advocacia, bibliotecas, casas de leilão, hospitais, universidades, grandes corporações na lista das quinhentas maiores da *Fortune*, empresas de entretenimento, bancos, sindicatos e até mesmo igrejas – a fortalecer e aguçar suas habilidades de análise visual e pensamento crítico. E posso ensinar isso a você.

Todos nós precisamos saber como identificar informação pertinente, priorizá-la, tirar conclusões a partir dela e comunicá-la – não apenas os profissionais das áreas médica e legal. Todos nós precisamos disso. Um único detalhe perdido ou palavra mal comunicada pode facilmente estragar o pedido de um cappuccino, um contrato de 1 milhão de dólares ou uma investigação de assassinato. Sei disso porque toda semana estou diante dos melhores e mais brilhantes e observo como eles perdem informação essencial... repetidas e repetidas vezes. Ninguém está imune a este fracasso em ver, nem presidentes nem carteiros, nem babás nem neurocirurgiões.

E aí observo como eles vão melhorando. Não importa se estou ensinando profissionais de atendimento a clientes ou tecnologia da informação, artistas ou arquivistas, estudantes ou peritos em vigilância – pessoas que já são boas no que fazem *invariavelmente* ficam ainda melhores. Assisto essa transformação a cada sessão, e estou muito feliz de ter a oportunidade de ajudar você também a se transformar.

Esta fotografia é um autorretrato do artista JR – ou pelo menos uma perspectiva dele no olho de alguma outra pessoa. Por conta de seus retratos fotográficos, ampliados até o tamanho de outdoors e pregados aos topos e

JR, Women Are Heroes, Quênia, 2009: *Self-Portrait in a Woman's Eye.*
[Mulheres são heroínas: Autorretrato num olho de mulher]

laterais de edifícios em todo o mundo – para "dar uma face humana às áreas mais pobres do mundo"[5] –, JR foi ganhando cada vez mais notoriedade. Isso acabou se tornando um problema porque, como nunca obteve permissão das autoridades para expôr as fotos, foram expedidos contra ele mandados de prisão em diversos países. Então, quando lhe pediram que criasse um autorretrato, ele hesitou em mostrar o rosto por medo de que isso pudesse facilitar sua prisão. Sua solução: *Self-Portrait in a Woman's Eye*. Adoro essa fotografia porque ela sintetiza perfeitamente a ideia por trás da Arte da Percepção: mudar a nossa perspectiva e as nossas expectativas mais do que jamais imaginamos ser possível.

Pense neste livro como o seu novo autorretrato. Você pode usá-lo para recuar um passo e ver a si mesmo por meio de novos olhos. Qual é a sua aparência para o mundo? Você se comunica bem? É bom observador? O que está atrás de você, ao seu redor, e dentro de você?

Com este livro, você aprenderá como aguçar seu processo inerente de coleta de informações, seu pensamento crítico e estratégico, sua tomada de decisões e sua formulação de habilidades de investigação, usando para isso o impressionante computador que temos apoiado no pescoço. No entanto, ao contrário de outros livros escritos por psicólogos ou jornalistas, este que você tem em mãos não lhe *dirá* apenas o que o seu cérebro pode fazer ou como as pessoas usam seus próprios cérebros até o limite: ele *mostrará* isso a você.

Vamos usar o mesmo treinamento interativo que utilizo para trabalhar com líderes ao redor do mundo. Vamos praticar a conciliação de conceitos mais amplos com detalhes mais específicos, a articulação de informação visual e sensorial, bem como sua transmissão de maneira precisa e objetiva, com o auxílio de nenúfares, mulheres de espartilho e um ou dois nus.

Dê uma olhada na próxima fotografia. Ela não foi retocada nem alterada digitalmente; o que você vê realmente existia dessa maneira. O que você acha que está ocorrendo na foto, e onde ela foi tirada?

A resposta mais comum que recebo é que são flores num velho prédio abandonado para algum tipo de instalação artística. E isso está parcialmente correto. Trata-se de um velho prédio, as flores são reais, e foram colocadas ali intencionalmente por uma artista. Que tipo de prédio você pensa que é? Vemos um corredor com muitas portas, e uma janela no final desse corredor. As pessoas tentam adivinhar que é um prédio de escritórios ou alguma

Anna Schuleit Haber, *Bloom: A Site-Specific Installation*, 2003

escola, mas não é. É algo que a maioria das pessoas nunca considera: um hospital psiquiátrico.

Quando o Centro de Saúde Mental de Massachusetts foi condenado à demolição após noventa anos de funcionamento para abrir espaço para instalações mais modernas, a artista Anna Schuleit Haber comemorou seu fechamento enchendo-o de algo de que ele sempre carecera. (É triste saber que sua inspiração nasceu da observação de que pacientes em hospitais psiquiátricos raramente recebem flores, uma vez que não há o desejo de uma recuperação rápida.) Seu trabalho, *Bloom: A Site-Specific Installation* [Floração: uma instalação *site-specific*], vira de cabeça para baixo a nossa ideia sobre serviços de saúde mental. Nós não associamos cor vibrante a um edifício em deterioração nem esperamos ver vida brotando das alas de uma instituição psiquiátrica. Do mesmo modo, este livro vai alterar a maneira como você observa o mundo. Você verá cor e luz e detalhe e oportunidade onde jurava que não havia nada disso. Verá vida e possibilidade e verdade nos espaços mais vazios. Verá ordem e achará respostas nos lugares mais caóticos e bagunçados. Nunca mais verá as coisas da mesma maneira.

Todas as minhas solicitações para apresentações ao vivo da Arte da Percepção provêm de recomendações entusiásticas, porque, uma vez que os olhos das pessoas se abrem, elas não conseguem se calar sobre isso. Querem que todos vivenciem a mesma revelação e gratificação. Participantes de cursos passados inundam minha caixa de e-mails com histórias de como o treinamento lhes deu mais confiança em seus empregos, ajudando-os a obter promoções, melhorando seu atendimento a clientes, duplicando ou triplicando os resultados de suas arrecadações de fundos, aumentando suas notas em testes-padrão e até mesmo mantendo seus filhos longe de desnecessárias classes de educação especial.

Aprender a ver o que importa pode mudar também o seu mundo. Convido-o a abrir os olhos e ver como. Aposto que você descobrirá que nem sabia que eles estavam fechados.

PARTE I

Avaliar

Só encontramos o mundo que procuramos.
Henry David Thoreau

1. Leonardo da Vinci e perder a cabeça

O valor de ver o que importa

QUANDO DERRECK KAYONGO ENTROU no chuveiro do seu quarto de hotel na Filadélfia, notou algo que milhões de viajantes de negócios e famílias de férias antes dele tinham visto, sem prestar muita atenção: o minúsculo sabonete na prateleira do canto. Ele era diferente. Em vez da barrinha verde que usara na noite anterior, havia uma pequena caixa de papelão no lugar. Dentro dela, um sabonete novinho em folha.

O nativo de Uganda, que quando criança deixara tudo para trás ao fugir com a família da ditadura assassina de Idi Amin, era recém-graduado numa faculdade americana, e vivia com um orçamento apertado. Ele desligou a água, vestiu-se e levou o sabonete não usado para o balcão da recepção.

"Quero ter certeza de que não vou ser cobrado por isto aqui",[1] disse ao funcionário. "Eu não usei, e não preciso dele."

"Ah, não se preocupe, é cortesia", respondeu o recepcionista.

"Obrigado, mas já recebi um ontem quando cheguei", Kayongo explicou. "Onde está aquele?"

"Nós substituímos o sabonete dos hóspedes todos os dias", assegurou-lhe o recepcionista. "Não cobramos nada."

Kayongo ficou chocado. Todo quarto, todo dia? Em todo hotel? No país inteiro?

"E o que vocês fazem com os sabonetes velhos?", indagou. Ao contrário das lascas de sabão usadas nos campos de refugiados em que ele crescera, o sabonete do hotel era bastante substancial; parecia quase novo mesmo depois de ele tê-lo usado.

"O serviço de limpeza joga fora", disse o recepcionista, dando de ombros.

"Onde?"

"No lixo comum."

"Eu não sou um grande matemático",[2] Kayongo me diz, "mas rapidamente percebi que, se só metade dos hotéis fizesse isso, era uma incrível quantidade de sabonete – centenas de milhões de sabonetes simplesmente sendo jogados em aterros sanitários. Não consegui tirar isso da cabeça."

Kayongo ligou para o pai, um ex-fabricante de sabão, na África e contou-lhe a novidade.

"Você não vai acreditar. Nos Estados Unidos, eles jogam fora o sabonete depois de terem usado apenas uma vez!"

"As pessoas aí podem se dar ao luxo de desperdiçar sabão", o pai lhe disse.

Mas, na cabeça de Kayongo, era um desperdício a que ninguém podia se dar o luxo, não quando ele sabia que mais de 2 milhões de pessoas, a maioria crianças pequenas e bebês, ainda morriam todo ano de doenças diarreicas, que podiam ser facilmente prevenidas pelo simples ato de lavar as mãos com sabão. O sabão era um item de luxo que muitos na África não podiam se permitir, e, mesmo assim, nos Estados Unidos, ele era simplesmente jogado fora. Kayongo decidiu tentar fazer alguma coisa com o lixo do seu novo país para ajudar o antigo.

Depois de voltar para casa, em Atlanta, ele pegou o carro e percorreu os hotéis locais, perguntando se podia ficar com os sabonetes usados.

"Primeiro acharam que eu estava maluco", recorda ele, um sorriso transparecendo pela sua voz ao telefone. "Por que você quer esses sabonetes? São sujos. Sim, esse era um problema. Mas podemos limpá-los. Podemos limpar sabão!"

Kayongo encontrou uma instalação de reciclagem para esfregar, derreter e desinfetar os sabonetes que juntava, e assim nasceu o Global Soap Project [Projeto Sabão Global]. Desde então ele já reciclou toneladas de sabão e distribuiu sabonetes com novos propósitos, salvando vidas. Além disso, divulgou também um programa de educação higiênica junto a pessoas de 32 países em quatro continentes. Em 2011, Kayongo foi merecidamente nomeado um dos "Heróis" da CNN.[3]

À diferença dos heróis dos velhos filmes e das fábulas gloriosas, não precisamos ser os mais fortes, velozes, espertos, ricos, simpáticos ou sortudos para fazer diferença no mundo. As pessoas de maior sucesso nos tempos modernos – gente como Bill Gates, Richard Branson, Oprah Winfrey e Derreck Kayongo – provam que não importam os atributos físicos que temos ou não, nosso nível de educação, nossa profissão, nossa posição na vida ou onde moramos.

Hoje, podemos sobreviver e prosperar se soubermos como ver.

Ver o que está aí que os outros não veem. Ver o que não está aí e deveria estar. Ver a oportunidade, a solução, os sinais de advertência, a forma mais rápida, a saída, a vitória. Ver o que importa.

Mesmo que não tenhamos como objetivo elogios na primeira página, a observação aguçada e acurada produz grandes e pequenas recompensas em todos os aspectos da vida. Quando uma funcionária da limpeza de um hotel de Minneapolis notou uma moça jovem sozinha num quarto, sem fazer contato visual, sem estar vestida para o clima frio e sem bagagem, informou a gerência e ajudou a revelar uma rede internacional de tráfico sexual. Quando um astuto garçom num café israelense lotado notou que o pequeno estudante que pedira um copo de água suava profusamente e vestia um sobretudo num dia quente, olhou mais intensamente e viu um fiozinho saindo da grande sacola de pano preta do garoto. Sua observação impediu que o menino detonasse um explosivo que o chefe de polícia local disse que teria causado "um enorme desastre".[4]

A habilidade de ver, prestar atenção naquilo que frequentemente está de pronto acessível bem na nossa frente, não é somente um meio de evitar desastres, mas também o pré-requisito para grandes descobertas.

Enquanto milhões de pessoas curtiam o prazer de usar um sabonete novo no hotel diariamente, só Kayongo viu o potencial para um programa de reciclagem capaz de salvar vidas. O que fez com que ele visse exatamente a mesma coisa que os outros, mas de maneira diferente?[5] A mesma coisa que permitiu ao montanhista amador suíço George de Mestral olhar para baixo, para as suas meias cobertas de carrapichos, e ver um novo tipo de aderência; a descoberta de Mestral do que ele chamou de velcro revolucionou a forma como astronautas e esquiadores se vestem, livrou uma geração inteira de crianças de ter de aprender a amarrar os sapatos e ainda rende US$ 260 milhões por ano em vendas. O mesmo aconteceu com Betsy Ravreby Kaufman, uma mãe de Houston, que viu em ovos de Páscoa de plástico um jeito de cozinhar ovos duros sem a casca. Cansada de perder comida e tempo com o processo de descascar ovos, que além disso provocava uma enorme sujeira, Kaufman concebeu uma maneira de ferver os ovos em recipientes em forma de ovo desde o começo, eliminando assim a necessidade das cascas. A sua invenção, os Eggies,[6] recipientes plásticos com tampa em formato de ovo, venderam mais de 5 milhões de unidades apenas em 2012. Foi também a habilidade de ver que ajudou a propulsionar Steve Jobs, o ícone da Apple, para o topo da pirâmide tecnológica. Segundo Jobs, "quando você pergunta a pessoas criativas como elas fizeram determinada coisa, elas se sentem um pouco culpadas porque na realidade não a fizeram; simplesmente viram algo".[7]

Leonardo da Vinci atribuía todas as suas realizações científicas e artísticas ao mesmo conceito, que ele chamava de *saper vedere* – "saber ver".[8] Podemos chamar essa aptidão de "inteligência visual".

Parece fácil, não? Basta simplesmente ver. Nós nascemos com essa habilidade; na verdade, queiramos ou não, o nosso corpo vê. Se os seus olhos estão abertos, você está vendo. Mas há mais no processo neurobiológico do que apenas manter as pálpebras erguidas.

Uma breve biologia da visão

Não sou cientista, mas fui criada por um – meu pai é parasitologista –, então eu sabia que a melhor maneira de investigar por que vemos do modo como vemos não era simplesmente lendo os estudos de ponta sobre visão e percepção humanas, mas saindo e conhecendo as pessoas que conduziam esses estudos. Minha primeira parada: o dr. Sebastian Seung.

Graças a sua cativante palestra do TED* e ao EyeWire, o visionário projeto de mapeamento da retina que ele dirige, o dr. Seung é uma espécie de astro do rock da neurociência. Ao entrar em seu laboratório no novo Instituto de Neurociência de Princeton, um complexo labiríntico de vidro e alumínio, posso sentir minha pressão sanguínea subir. O edifício é intimidante desde o primeiro passo. Não há recepcionista nem quadro de informações, apenas um elevador aberto, sem qualquer referência. Entro no elevador e rapidamente determino que talvez não seja inteligente o bastante para o edifício. Não consigo fazer o elevador andar; por mais que aperte e segure os botões, eles não se mantêm acesos. Não há painel indicativo, nem entrada para cartão.

O socorro chega na forma de um jovem e afável estudante vestindo uma camiseta com a inscrição ÁLGEBRA LINEAR É MINHA PARCEIRA. Ele pressiona

---

* As palestras do TED (Tecnologia, Entretenimento, Design) ou TED Talks são conferências sobre temas inovadores promovidas pela fundação norte-americana Sapling. (N.T.)

sua carteira de identidade contra um pequeno painel de vidro, e nós subimos. Digo-lhe quem eu vim ver.

"Boa sorte", ele diz com um sorriso. Espero não precisar.

Retornar a Princeton é para mim mais ou menos como fechar um ciclo, pois foi lá que consegui meu primeiro emprego depois do curso de Direito. Morei pertinho da rua Nassau por cinco anos. Para manter a sanidade, durante os fins de semana fazia trabalho voluntário como docente no Museu de Arte da Universidade de Princeton.

Quando encontro o dr. Seung e vejo que ele está usando uma camiseta do Mickey, relaxo na mesma hora. Seung exala um charme fácil e tem o talento de fazer com que coisas extraordinariamente complexas não pareçam tão complexas assim. Conforme ele me explica, ver não tem tanta relação com os nossos olhos, como um dia já pensei.

Enquanto o nosso sentido da visão é mais frequentemente associado com os órgãos esféricos que ocupam as órbitas do crânio, na verdade é o cérebro que faz o trabalho pesado do sistema de processamento visual. Processar o que vemos não só envolve 25% do nosso cérebro e mais de 65% de todos os nossos circuitos cerebrais – mais do que qualquer outro dos nossos sentidos –, mas esse processamento começa numa parte do olho que na realidade é cérebro.[9]

O processo começa quando a luz passa através da pupila e é convertida em padrões elétricos por células neurais numa membrana no fundo do olho chamada retina. Quando digo a Seung que me lembro de ter aprendido no colégio que a retina é como o filme de uma câmera, ele sacode a cabeça para essa concepção errônea comum.

"Definitivamente não é um filme",[10] diz ele. "A retina é uma estrutura tão complicada que não é nem mesmo uma câmera. É mais como um computador."

A retina não é um circuito passivo, mas parte do próprio cérebro, formada no útero a partir de tecido neural.[11]

"Estudar a retina é o jeito mais fácil de entrar no cérebro", ele explica, "porque ela é o cérebro."

Para lhe agradecer por me apresentar à beleza e à complexidade da retina, e por me encaminhar a dezenas de outros cientistas, eu lhe trouxe um presente: um dos primeiríssimos neurônios impressos em 3D.

Impressão de um neurônio em 3D

Eu tinha baixado o arquivo para impressão, uma célula J chamada IFLS mapeada para o EyeWire por cidadãos cientistas do Intercâmbio de Impressões em 3D dos Institutos Nacionais de Saúde (NIH, na sigla em inglês), e então fui a uma loja local que tinha a tecnologia para imprimir uma réplica do neurônio bastante ampliada. A delicada escultura parecia uma semente grumosa, reminiscente ela mesma de um minúsculo cérebro, fazendo brotar um sistema serpentino de delicados galhos, os dendritos que conduzem as mensagens elétricas entre as células.

Eu já tinha visto a rede de neurônios retinais entrelaçados[12] – chamados por Seung de "a selva" – no EyeWire, cada neurônio com uma cor diferente para deixar os circuitos mais visíveis, mas, ao segurá-la na mão, a importância de cada conexão foi ampliada. Com 100 milhões de receptores retinais, a retina não só faz o grosso do processamento, mas deve também codificar espacialmente ou comprimir a imagem antes de enviá-la pelo 1,2 milhão de axônios no nervo óptico até o cérebro.[13]

"Alguns dos primeiros passos da percepção estão na verdade ocorrendo dentro da própria retina, mesmo antes que a informação alcance o cérebro",[14] afirma Seung.

Isto explica por que é mais fácil transplantar ou criar artificialmente outros órgãos do que elaborar próteses oculares, uma vez que os olhos estão intricadamente entrelaçados com o cérebro.

Tudo isto acaba se reduzindo a um fato: nós não "vemos" com os olhos, mas com o cérebro.

Use ou perca

A nossa capacidade de ver, de dar sentido ao que vemos, e de agir conforme essa informação reside no incrível poder de processamento do cérebro, um poder que depende inteiramente das nossas conexões neurais. Admitindo que todos os nossos circuitos físicos estejam saudáveis e intactos, transformar dados visuais em imagens significativas leva tempo, tempo que aumenta com a idade ou com a falta de uso.

Cientistas descobriram[15] que à medida que desaceleramos ou paramos de exercitar os nossos músculos mentais, a velocidade da transmissão neural se reduz drasticamente, o que por sua vez leva a um decréscimo da velocidade do processamento visual, a capacidade de detectar mudança e movimento e de conduzir uma busca visual. Uma vez que o cérebro controla cada função do corpo, qualquer atraso no processamento neural causará igualmente um atraso em outros sistemas, inclusive no que vemos e em como reagimos ao que vemos. Reflexos e memória mais lentos não são causados apenas pelo envelhecimento físico. Pode ser que simplesmente não tenhamos exercitado nossos cérebros o suficiente ou da maneira correta.

Felizmente para todos nós, ao longo de nossas vidas, o cérebro está criando continuamente conexões novas e reforçando as velhas com base em experiências de aprendizagem… contanto que continuemos aprendendo.[16] Pesquisadores descobriram que promover o estímulo ambiental – como estudar algo novo, ler sobre um conceito que nos faça pensar ou jogar algum tipo de "jogo cerebral" – aumentará o crescimento cortical em *qualquer* idade, até mesmo entre os seres humanos mais velhos. Assim como o condicionamento cognitivo pode ser usado para impedir a demência, pode ser usado também para aguçar a nossa capacidade de observar, perceber e comunicar. Se mantivermos rápidos nossos sentidos e percepções, nossas reações os acompanharão, fazendo de nós melhores funcionários, melhores motoristas, mais capazes de cuidar de nós mesmos e de outros por mais tempo na vida.

Para estimular nossos sentidos e disparar nossos neurônios empregaremos as mesmas técnicas que uso diariamente em minhas aulas com o FBI, os analistas de inteligência e as grandes empresas: vamos estudar arte.

Jan Steen, *Enquanto os velhos cantam, os jovens fumam*, 1668-70

Carel Fabritius, *O pintassilgo*, 1654

Por que arte?

Olhar antigas pinturas e esculturas não é a primeira coisa em que a maioria das pessoas pensa quando lhes digo que vamos disparar seus neurônios e aumentar sua velocidade de processamento cerebral. Elas se imaginam fazendo treinamento computadorizado 3D de ponta ou pelo menos usando óculos da Google enquanto caminham por uma rua movimentada, e não passeando por um museu e observando objetos que permanecem estáticos há centenas de anos. Mas esse é exatamente o ponto: a arte não vai embora. Se você quer estudar o comportamento humano, pode ficar parado em algum lugar público e observar as pessoas: adivinhar quem são, por que estão vestidas daquele modo, aonde estão indo... até elas irem embora. E você nunca saberá se estava certo ou não. Ou pode analisar obras de arte para as quais temos as respostas: quem, o quê, onde, quando e por quê. O historiador da arte David Joselit a descreve como "exorbitantes estoques de experiência e informação".[17] Ela contém tudo de que precisamos para afiar nossa perícia de observação, percepção e comunicação.

Se você pode falar sobre o que está acontecendo numa obra de arte, pode falar sobre cenas da vida cotidiana; pode falar sobre internatos e salas de aula, cenas de crime e chão de fábricas. O Exército me chamou para trabalhar com oficiais antes que eles fossem enviados para o Oriente Médio. Por quê? Porque quando eles partem para o além-mar, encontram o inesperado e o desconhecido. O Exército lhes ensina diferenças culturais e comportamento adequado, mas eu lhes ensino como serem comunicadores efetivos em situações não familiares. Descrever o que você vê na pintura de uma mulher usando uma gola engomada de trinta centímetros com quatro camadas exige o mesmo conjunto de habilidades para descrever o que você vê num mercado estrangeiro ou num aeroporto internacional. Eu ensino as mesmas técnicas a gerentes de RH para que possam descrever melhor os candidatos entrevistados, e a diretores de escolas primárias para que tenham ferramentas mais efetivas para avaliar sua equipe docente.

A arte nos dá uma miríade de oportunidades para analisar situações complexas bem como situações aparentemente mais comuns. Por ironia, com frequência são as situações mais simples, cotidianas e familiares que temos mais dificuldade em descrever, porque cessamos de notar o que as torna interessantes ou inusitadas. Como adultos, ficamos tão habituados à complexidade do mundo que apenas o novo, o inovador e o exigente capturam a nossa atenção e dominam o nosso campo de visão. Apoiamo-nos na experiência e na intuição em vez de buscar nuances e detalhes que possam fazer diferença no nosso sucesso. No entanto, são às coisas que vemos e negociamos regularmente que devemos estar especialmente atentos.

Para sermos heróis para nossos chefes, nossas famílias e nós mesmos, precisamos sacudir nossa visão de mundo e alterar nossa perspectiva. A arte nos permite fazer isso porque está em muitos lugares, manifesta temas da natureza humana em toda a sua complexidade e muitas vezes nos deixa desconfortáveis. E, surpreendentemente, desconforto e incerteza provocam o melhor nos nossos cérebros.

Quando somos forçados a usar nossas habilidades pessoais e profissionais num local não familiar – como é a análise artística para a maioria das pessoas –, envolvemo-nos num processo de pensamento inteiramente novo. Em 1908,[18] psicólogos de Harvard descobriram que o cérebro é mais eficaz em aprender coisas novas quando os hormônios da tensão são ligeiramente elevados por uma experiência nova, teoria verificada pelas modernas técnicas de imagens cerebrais. Portanto, a melhor maneira de repensar algo que temos feito durante anos – o jeito como fazemos nosso trabalho, como interagimos com os outros, como vemos o mundo – é sair de dentro de nós mesmos, da nossa zona de conforto.

A arte nos transporta para longe da nossa vida cotidiana, levando-nos a repensar como vemos, percebemos e comunicamos. A arte inspira conversas, especialmente quando nos provoca surpresas e dúvidas. Há mulheres com narizes no lugar onde deveria haver olhos, homens de bobes no cabelo e com manicures, relógios escorrendo de árvores, elefantes com pés de aranha e montes de gente gritando.

Parte da beleza da arte, sobretudo das peças mais inquietantes, é que qualquer um pode discuti-la. Você não precisa ser historiador da arte para falar sobre o que vê; na verdade, prefiro que a maioria dos meus participantes tenha pouco ou nenhum conhecimento de arte, porque ele é completamente desnecessário para fortalecer nossas habilidades de observação e comunicação, e poderia deturpar sua capacidade de encarar obras de arte objetivamente. Não estamos estudando pinceladas ou paletas, nem períodos históricos. Estamos simplesmente usando a arte como um conjunto de dados visuais confirmáveis, conversando sobre o que vemos – ou sobre o que pensamos que vemos.

Gerrit van Honthorst, *Moça sorrindo, uma cortesã, segurando uma imagem obscena*, 1625

Ao longo deste livro, usaremos imagens de pintura, escultura e fotografia – algumas é possível que você tenha visto, e algumas você talvez não consiga imaginar que sejam reais – como ferramentas para reconsiderar o modo como olhávamos anteriormente para o mundo. Tomemos por exemplo este retrato de uma jovem mulher. Você não precisa saber quem o pintou ou a que época histórica ele pertence para investigá-lo e discuti-lo. Como você descreveria a moça? Bonita ou pouco atraente? Conforme vamos aprendendo, ambas as descrições são subjetivas, baseadas no olho do observador, então nenhuma delas é útil num contexto profissional onde a objetividade é tudo. E quanto ao termo "caucasiana"? Será que é objetivo? Sim, mas é acurado? "Caucasiana" pode ser referir de forma ampla a pessoas com tom de pele branco ou mais especificamente àquelas que vêm da área das montanhas do Cáucaso, que se estende entre a Europa e a Ásia. Onde fica nessa definição uma pessoa de pele clara da Austrália ou uma pessoa de pele escura da Turquia? Você notou a enorme pluma na cabeça dela, a covinha na bochecha esquerda, o anel no dedo, ou que ela está segurando uma pintura das costas nuas de uma pessoa? E quanto ao enorme decote da mulher? Será que é um detalhe objetivo ou mesmo apropriado para ser comentado?

Você saberá as respostas para essas perguntas e muito mais quando tivermos dominado a essência do programa da Arte da Percepção – eu os chamo de "os quatro *As*": como avaliar, analisar, articular e adaptar. Começaremos pela maneira de *avaliar* uma situação nova estudando a mecânica da visão e a nossa cegueira embutida, e eu lhe darei um processo ordenado para uma observação eficiente, objetiva. Uma vez que tenhamos descoberto como reunir toda a informação, aprenderemos o que fazer com ela: como *analisar* o que descobrimos, inclusive priorizar, reconhecer padrões e a importante diferença entre percepção e inferência. No entanto, descobrir o que descobrimos e saber o que sabemos de nada adianta se não o comunicarmos a outra pessoa, por isso trabalharemos a seguir maneiras de *articular* nossas descobertas para nós mesmos e para os outros. E, finalmente, examinaremos formas de *adaptar* o nosso comportamento com base nos três primeiros elementos.

Mas, antes de começar, tenho mais uma letra muito importante para você: desta vez é o *P*, de *piloto automático*. Desligue-o.

Piloto automático

Alexander Graham Bell tinha 64 anos quando subiu ao palco da Sidwell Friends School em Washington, DC, para fazer o discurso de formatura da turma de 1914. Com uma barba branca como a neve com a ponta virada para cima, o pioneiro das comunicações era agora avô e aproximava-se do fim da sua ilustre carreira. Embora fosse mais conhecido por ter inventado o telefone, detinha trinta patentes e previra progressos modernos como o ar-condicionado, o pulmão de aço, detectores de metal e o uso de painéis solares para aquecer uma casa. Então a plateia ficou surpresa quando ele confessou ser pouco atento.

Conforme contou ao público, Bell recentemente dera um passeio pela antiga propriedade da família na Nova Escócia, uma terra com a qual acreditava ter íntima familiaridade. Ele ficou chocado ao descobrir um vale coberto de musgo que levava ao mar.

"Nós somos propensos demais", disse ele, "a caminhar pela vida com os olhos fechados. Há coisas à nossa volta e bem a nossos pés que nunca vimos, porque na realidade nunca olhamos."[19]

Hábito, tédio, preguiça, superestimulação – há muitos motivos para nos desligarmos. E, ao fazê-lo, perdemos alguma coisa. Podemos desconsiderar algo simples como a maneira como carrapichos grudam nas meias e perder a oportunidade de ficarmos ricos. Podemos negligenciar algo banal como um sabonete tamanho viagem e perder a chance de melhorar o mundo. Que inovação surpreendente Bell perdeu por não estar sempre antenado? O que nós mesmos perdemos?

Desligar-se leva a mais consequências do que apenas oportunidades perdidas. A tendência de "se fechar", perder-se "na névoa" ao fazer coisas que já fizemos um milhão de vezes antes, como dirigir, ou quando estamos em ambientes movimentados, cheios de gente, como uma estação de trem, pode nos colocar em perigo físico.

Eu estava recentemente numa estação de metrô em Washington, DC, estudando as pessoas ao meu redor como agora sei fazer. Vi profissionais e amigos conversando, crianças segurando a mão dos pais, estudantes carregando mochilas pesadas. E então notei um homem sentado na escada; ele tinha uma barba rala e suja, vestia roupas esfarrapadas e xingava enquanto raspava a parede com algo pontiagudo. Ninguém em volta lhe dava atenção. Quando o trem entrou na estação, ele se levantou, enfiou o objeto no bolso e tropeçou para dentro de um vagao com dezenas de outras pessoas. Quantas delas teriam escolhido outro vagão se o tivessem visto cinco minutos antes? Esse alheamento as colocou num vagão fechado com um homem perturbado escondendo um objeto afiado no bolso. Como é possível que uma pessoa escape assim da visão de tantas outras? Porque não só falhamos em olhar, mas frequentemente também usamos antolhos eletrônicos na forma de fones de ouvido ou smartphones.

Quando andamos pelo mundo no piloto automático, os nossos olhos podem parecer estar absorvendo tudo, mas na realidade estamos vendo menos do que poderíamos se estivéssemos prestando mais atenção. Como veremos nos capítulos a seguir, a atenção é um recurso finito que o nosso cérebro precisa delegar. Nós prestamos um grande desserviço a nós mesmos e ao alcance da nossa atenção quando não estamos plenamente envolvidos.

A era da distração

Graças a uma rede sem fio com constante fluxo de informação acessível a qualquer momento, em qualquer lugar, há mais coisas competindo pela nossa atenção atualmente do que em qualquer outra época anterior. Hoje, mais gente tem acesso a telefones celulares do que a banheiros que funcionam, e em média uma pessoa checa o celular *110 vezes por dia* e quase uma vez a cada seis segundos à noite.[20] As nossas perpétuas interações em nível de bytes não agem apenas em detrimento da nossa concentração, foco, produtividade e segurança pessoal, mas também prejudicam a nossa inteligência. Um estudo de 2005[21] do Kings's College da Universidade de Londres descobriu que, quando distraídos, trabalhadores sofriam uma perda de dez a quinze pontos no QI[22] – um emburrecimento maior do que o experimentado ao se fumar maconha. Uma deficiência de quinze pontos é significativa, pois reduz o QI de um homem adulto ao de uma criança de oito anos.

O córtex pré-frontal[23] do cérebro é responsável por analisar tarefas, priorizá-las e destinar a elas os nossos recursos mentais. Quando o inundamos com informação em excesso ou o obrigamos a mudar de foco depressa demais, ele simplesmente desacelera. Quanto? O *Journal of Experimental Psychology* relata que alunos distraídos enquanto trabalhavam em complicados problemas matemáticos levavam 40% mais tempo para resolvê-los.[24]

Ironicamente, a composição do problema incluía a nossa necessidade de rapidez. O caráter imediato da transmissão da informação no mundo de hoje também criou uma cultura que prioriza velocidade, espontaneidade e eficiência, mas essas ideias nos chegam com um custo. No ramo hoteleiro,[25] o desejo de uma rotatividade mais rápido dos quartos afeta negativamente tanto a segurança do empregado quanto a satisfação do cliente. Da mesma forma que a cota diária de limpeza de quartos para funcionárias de hotéis aumentou de catorze quartos por turno em 1999 para vinte quartos em 2010, aumentou também a taxa de risco de acidentes, de 47% para 71%. Enquanto as mudanças[26] significaram que a companhias administradoras economizaram dinheiro nas equipes, os custos de saúde para funcionários acidentados subiram, e a limpeza dos aposentos – um dos motivos que fazem com que hóspedes não voltem ao hotel – ficou comprometida. Em 2012, cientistas descobriram que o nível de unidades formadoras de colônias de bactérias em superfícies de quartos de hotel era 24 vezes mais alto do que os hospitais consideram "o limite máximo aceitável".[27]

De maneira similar, na administração dos serviços de saúde, onde se recompensa examinar o maior número de pacientes no menor tempo possível, os profissionais podem ser tentados a sacrificar a qualidade dos serviços pela quantidade, e ir direto para o prontuário do paciente num esforço de agilizar a consulta, confiando no que o profissional anterior escreveu antes de avaliar um paciente e fazer observações próprias.

Felizmente, há um amortecedor fácil e natural contra deixar a tensão da rapidez e o fluxo constante de distração nos dominar: simplesmente ir mais devagar. Num discurso de formatura no Sarah Lawson College, o designer e "caçador de mitos" Adam Savage lembrou aos formandos de 2012 que eles não precisavam estar em constante pressa, que na verdade tinham tempo à vontade: "Vocês têm tempo para falhar. Vocês têm tempo para estragar as coisas. Vocês têm tempo para tentar de novo, e, quando estragarem tudo outra vez, ainda terão tempo."[28] Savage também nos lembra da irônica cilada da impaciência: "Apressar-se conduz a erros, e erros o retardam muito mais do que ir mais devagar."[29]

Em 2013, pesquisadores da Universidade de Princeton e da Universidade da Califórnia em Los Angeles[30] descobriram que estudantes que anotavam aulas à mão em vez de digitá-las retinham mais informação precisamente porque iam mais devagar. Uma transcrição rápida por meio do teclado não requer pensamento crítico. O processo mais lento de escrever à mão significa que nem tudo será captado ao pé da letra; em vez disso, o cérebro é forçado a exercer mais esforço para captar a essência do que é importante, comprometendo assim a informação mais efetivamente com a memória.

Ir mais devagar não significa ser lento, significa apenas dedicar alguns minutos para absorver o que estamos vendo. Detalhes, padrões e relações levam tempo para ser registrados. Nuances e informações novas podem ser perdidas se passarmos correndo por elas.

Confie em si mesmo

Em julho de 2013, Beyoncé interrompeu seu show em Duluth, Geórgia, para lembrar a um fã que ele estava perdendo a oportunidade de uma vida. Na parte do show que ela própria considera sua favorita, ela ofereceu o microfone a poucas pessoas selecionadas na plateia para que cantassem "Irreplaceable" com ela. No entanto, um sujeito sortudo que ela escolheu não conseguiu parar de gravá-la com a câmera do celular tempo o bastante para acertar a letra.

"Você não consegue cantar porque está ocupado demais gravando",[31] ela o repreendeu. "Estou bem aqui na sua frente, cara. Você tem que agarrar este momento. Deixe a maldita câmera de lado!"

A tecnologia portátil não é só uma distração sensorial; nós permitimos que ela seja uma substituição sensorial. Sempre fico confusa quando vejo pessoas tirando fotos de quadros icônicos em museus, especialmente quando abrem espaço, batem a foto e vão embora. A imagem resultante, mediada pela lente da câmera, não é a mesma produzida por uma observação cuidadosa, próxima, da obra. É mais como ler uma placa na parede perto de uma obra de arte e aí deixar de examinar o objeto que ela descreve. A escritora Daphne Merkin expressou o mesmo sentimento recentemente, recordando sua impossibilidade de apreciar as obras-primas de Vermeer no Rijksmuseum de Amsterdã porque estavam "bloqueadas por uma multidão de telefones".[32] Ela escreveu: "Pergunto-me que parte da experiência é perdida nesse tumulto. Em vez de a sua própria lente ser suficiente, tudo fica destilado através de uma segunda tela de LCD. Você acaba vivendo uma vida removida, dissociada das suas próprias sensações, percepções e sentimentos."

Uma das primeiras coisas que encorajo os participantes no meu curso a fazer é deixar de lado seus telefones celulares. Prefiro que não gravem a informação eletronicamente nem tirem fotos por uma simples razão: quero que confiem em si mesmos, no seu inerente senso de observação, na sua intuição e na sua habilidade de apreender e reter informação.

Em geral, no começo, todo mundo fica muito nervoso, especialmente se trabalha em empregos que exigem relatórios. Mas eu garanto a eles, como garanto a você também, que, ao engajar todos os seus sentidos, eles lhe darão tudo de que você precisa e mais. O cérebro é mais poderoso do que qualquer engenhoca. Basta voltar a ligá-lo.

O dr. Sebastian Seung[33] transformou sua pesquisa da retina num projeto de ciência coletivo porque computadores não conseguiam dar conta. Quando ele e sua equipe tentaram mapear imagens dos neurônios retinais tiradas com um microscópio eletrônico, aplicando algoritmos de inteligência artificial, descobriram que isso não podia ser feito sem auxílio humano. Acredite ou não, computadores não conseguem reconhecer padrões ou transformar imagens 2D em objetos 3D com a mesma eficiência que o cérebro humano. Essencialmente, Seung precisou de neurônios para mapear neurônios.

Da mesma maneira, as primeiras iterações do programa A Arte da Percepção evoluíram em escolas de medicina porque instrutores como o dr. Glenn McDonald notaram que seus alunos novos se apoiavam demais em tecnologia avançada e não o bastante em seus próprios poderes de observação. "Os alunos precisam perceber que não importa o quanto a tecnologia se tornou útil, ela não é páreo para um bom conjunto de olhos e cérebro",[34] diz ele.

Para fazer com que nosso próprio cérebro e olhos fiquem engajados e focados, vamos olhar uma obra de arte bastante conhecida, uma obra que você pode ter visto antes. Mas vamos observá-la mais devagar do que a maioria das pessoas observaria. Se possível, fique numa área onde não seja distraído ou perturbado. Se puder sair do seu ambiente normal, melhor ainda. Agora olhe a pintura seguinte. Aqui não há nenhuma tarefa específica; quero apenas que você olhe. O que está vendo? Faça uma lista de tudo, na cabeça ou no papel.

Olhe a figura durante quanto tempo quiser. O visitante médio de um museu passa dezessete segundos olhando cada obra de arte, o que eu considero muito pouco. A professora Jennifer L. Roberts, que leciona história da arte em Harvard, requer que seus alunos fiquem sentados diante de um quadro durante três horas inteiras, um exercício que ela diz ser "explicitamente planejado para parecer excessivo",[35] de modo que eles possam realmente dedicar o tempo para escavar a riqueza de informações fornecidas. Encontre algum tempo entre dezessete segundos e três horas que lhe seja confortável mas também permita que você realmente absorva o que está vendo.

Para deflagrar as suas habilidades de observação, faça a si mesmo as seguintes perguntas enquanto olha o quadro: o que você acha que está acontecendo? Que relação você vê – entre pessoas e objetos? Que perguntas o quadro suscita?

O objetivo deste exercício é ficar confortável desacelerando e estudando obras de arte. Com uma rápida olhada podemos ver que há duas pessoas no quadro, uma de pé e outra sentada. Leva mais tempo para descobrir detalhes e perceber relações.

Durante o tempo que você olhou para o quadro, notou a faixa laranja no colo da mulher sentada? Que ela estava segurando uma caneta de pena na mão direita? Que a toalha de mesa azul estava amontoada na extremidade esquerda da cena?

Dê a si mesmo mais um ou dois minutos inteiros para realmente absorver detalhes.

Você olhou por tempo suficiente? Talvez, se tiver notado a fita branca amarrando as pérolas da mulher sentada na nuca ou que há escrita cobrindo a metade superior do papel sobre a mesa. Se não, olhe mais tempo.

Você pode dizer com certeza de que direção vem a luz? Se não, olhe de novo.

Se você viu que a luz entra pela esquerda, como é evidenciado pela sombra sobre as pernas da mulher sentada, provavelmente também observou as cores básicas do quadro – o amarelo do manto forrado de pele da mulher sentada, o azul forte do avental da mulher em pé –, mas e as texturas? Você viu as profundas pregas no alto da manga esquerda da mulher sentada? As dobras de cor âmbar que se estendem ao fundo? O reflexo de janelas no tinteiro e no vidro?

Agora que avaliamos a cena, o que podemos tirar da informação que reunimos? Que relações podemos detectar ou desconsiderar? A mulher que está de pé é uma criada, amiga ou mãe? Sua tez lisa, semelhante à da mulher sentada, sugere que elas são suficientemente próximas em termos de idade para não serem mãe e filha. A análise da roupa simples, sem enfeites, da mulher em pé, a ausência de joias e o cabelo bem puxado para trás, em vez da ostentação de cachos como ornamento, apoia ainda mais a noção de que elas não pertencem ao mesmo círculo social ou de relações. Se você olhar de modo ainda mais meticuloso, verá uma linha abaixo do punho direito dessa mulher que distingue suas mãos vermelhas de trabalhadora da pele mais suave do antebraço, em geral mais protegido. Tal distinção está claramente ausente no braço uniformemente pálido da mulher sentada. Pela postura e boca aberta da primeira, parece que ela está entregando uma carta para a mulher sentada, cujos próprios gestos sugerem que está recebendo e não simplesmente entregando a carta. Com base nos fatos apresentados, podemos determinar que provavelmente as mulheres não são gêmeas nem irmãs, mãe e filha, ou estranhas. Nosso melhor palpite é que sejam serva e senhora, suposição confirmada pelo título do quadro: *Senhora e criada*.

Estudar esta pintura de Vermeer nos mostra na prática que quanto mais demorada e atentamente olhamos, mais descobrimos. George de Mestral, Betsy Kaufman, Steve Jobs e Leonardo da Vinci, todos acreditavam que a invenção diz menos respeito à criação e mais à descoberta. E a descoberta é possibilitada simplesmente abrindo os olhos, ligando nossos cérebros, ficando antenados e prestando atenção. Sir Isaac Newton concordava, afirmando: "Se algum dia fiz descobertas valiosas, isto se deve mais à atenção paciente do que a qualquer outro talento".[36]

Todos nós temos o talento de observar e fazer descobertas que levarão a coisas maiores em um grande número de campos, mas primeiro devemos estar preparados para ver.

Quando Derreck Kayongo retornou da recepção para seu quarto com o conhecimento de que os hotéis americanos costumam descartar diariamente sabonetes quase não usados, ajoelhou-se em sua cama e chorou. Quando criança, vivendo num miserável campo de refugiados, ele ajudava o pai a fazer sabão, e agora estava vivendo num país onde o sabão era simplesmente jogado no lixo. Ele não sabia o que fazer com essa informação, mas estava decidido a não deixá-la passar em branco até achar meios de, como ele diz, "ligar os pontos". Essa ligação voltou ao sabonete no seu chuveiro do hotel, o sabonete que ele sabia poder encontrar um jeito de partilhar com o mundo.

Preparando nossas mentes para observar e absorver tudo, e para descobrir as possibilidades em torno e dentro de nós, abrimo-nos para o sucesso em nossas vidas. Já começamos[37] por reconhecer que a observação não é apenas assistir passivamente a alguma coisa, mas um processo mental ativamente engajado. Antes de podermos efetivamente dominá-lo, precisamos conhecer os nossos pontos cegos.

2. Habilidades elementares

Dominar a fina arte da observação

René Magritte, *O retrato*, 1935

Em 1877,[1] um estudante de dezoito anos esgueirou-se para um dos duzentos assentos dispostos num inclinado semicírculo no Anfiteatro de Aulas de Anatomia, com seu revestimento em madeira escura, uma nova e belíssima sala de aula na Escola de Medicina da Universidade de Edimburgo. Os ocupantes da sala riam baixinho com a expectativa da chegada do orador indicado, uma lenda local conhecida pelo seu profundo domínio de uma ampla gama de temas, bem como pela sua dinâmica transmissão desse conhecimento. Ele ensinaria aos jovens estudantes aquilo que chamava de "o Método", uma disciplinada abordagem do diagnóstico baseada acima de tudo em habilidades de observação.

Com um floreio, o homem – alto e esguio, de nariz aquilino e olhos penetrantes – adentrou o salão de palestras, arrancou seu casaco longo e chapéu de feltro e ordenou que o primeiro sujeito fosse trazido para dentro. Uma fila de pacientes ambulatoriais que o homem nunca tinha visto antes esperava no corredor para ser apresentada ao vivo a seus alunos.

Entrou uma mulher idosa vestida de preto.

"Onde está o seu cachimbo?",[2] ele indagou.

A mulher levou um susto. Como é que ele podia saber que ela tinha um cachimbo? Chocada, ela tirou da bolsa um pequeno cachimbo de barro.

"Eu sabia que ela tinha um cachimbo não porque o vi, mas porque a observei",[3] explicou ele a sua extasiada plateia. "Notei a pequena ferida no seu lábio inferior e uma mancha lustrosa na bochecha, sinais seguros do uso habitual de um cachimbo de haste curta que fica perto da bochecha ao se fumar."

Outro paciente entrou mancando. O professor chamou um dos alunos.

"O que há com este homem, senhor?",[4] perguntou ele. "Desça, senhor, e olhe para ele! Não! Não é para tocá-lo! Use os olhos, senhor! Use os ouvidos, use o cérebro, o seu impulso de percepção, e use os seus poderes de dedução."

O estudante, nervoso, respondeu com um palpite que parecia confiante: "Enfermidade na articulação do quadril, senhor!"[5]

"Articulação coisa nenhuma!",[6] exclamou o professor. Sem olhar para trás, ele anunciou: "O coxear desse homem não se deve ao quadril, mas ao pé, ou melhor, aos pés. Se o senhor observasse com cuidado, veria que há fendas, cortadas a faca, nas partes dos sapatos onde a pressão é maior sobre o pé. O homem sofre de calos, senhores, e não tem problema nenhum no quadril."

O orador continuou a adivinhar com entusiasmo cada vez maior a profissão, os vícios pessoais e as viagens pelo mundo de pessoas que nunca tinha visto.

"Cavalheiros, temos aqui um homem que é ou cortador de cortiça ou assentador de placas de ardósia. Se os senhores usarem os olhos por um momento, poderão notar um ligeiro endurecimento – um calo comum, cavalheiros – de um lado do seu dedo indicador, e um aumento de espessura na parte externa do polegar, sinal seguro de que ele exerce uma ocupação ou outra. A tonalidade bronzeada de sua face mostra que ele é um marinheiro costeiro, e não de águas profundas – um marinheiro que viaja para países estrangeiros. Seu bronzeado é produzido por um clima só, é um 'bronzeado local', por assim dizer."[7]

Quando outro aluno fez um diagnóstico incorreto, o professor admoestou: "O cavalheiro tem ouvidos e não ouve, tem olhos e não vê!"[8] Na sua concepção, nada era mais importante para a descoberta – em medicina, em Direito criminal, ou na vida em geral – do que habilidades de observação finamente sintonizadas. Ele não deixava nenhum fato, por menor que fosse, escapar de ser notado, frequentemente apontando o que os outros deixavam de observar: tatuagens, sotaques, marcas cutâneas, cicatrizes, roupas, até mesmo a cor da terra nos sapatos da pessoa.

"Olhe um homem de relance e vocês verão sua nacionalidade estampada no rosto", instruía ele, "seu meio de subsistência nas mãos e o resto da sua história no andar, nos maneirismos, nos enfeites na corrente do relógio e nas fibras grudadas nas roupas."[9]

Se os aguçados sentidos do orador, e o gatilho rápido na transmissão de suas deduções, lembram Sherlock Holmes, é por uma boa razão: ele foi a inspiração da vida real para o detetive da ficção. O dr. Joseph Bell, professor de cirurgia, prolífico escritor e parente de Alexander Graham Bell, cativou seu jovem aluno Arthur Conan Doyle com seus misteriosos e incomuns, porém – nas suas palavras – "elementares"[10] talentos. Segundo Bell, que frequentemente entoava nas suas aulas o bordão "Usem os olhos, usem os olhos",[11] a habilidade mais importante era uma simples diferenciação entre visão passiva e avaliação ativa.

A síntese sherlockiana de Bell: "A maioria das pessoas vê, mas não observa."[12]

Qual é a diferença? Conan Doyle fez o próprio Sherlock explicá-la em um dos seus primeiros contos, "Escândalo na Boêmia", quando o dr. Watson alega que seus olhos são tão bons quanto os de Holmes.

Holmes refuta: "Você vê, mas não observa. A distinção é clara. Por exemplo, você viu muitas vezes os degraus que trazem do vestíbulo a esta sala."[13]

"Muitas."

"Quantas?"

"Ora, algumas centenas de vezes."

"Então quantos degraus são?"

"Quantos? Não sei."

"É claro! Você não observou. Apesar de ter visto. Este é o xis da questão. Pois bem, eu sei que há dezessete degraus porque tanto vi quanto observei"

Embora frequentemente usemos os termos de forma intercambiável, ver pode ser pensado como o registro de imagens automático, involuntário. Observar é ver, mas com consciência, cuidado e consideração.

O que você vê?

Para ajudar todo mundo a fazer um inventário pessoal, em cada aula da Arte da Percepção mostro a foto a seguir, que retrata uma moça andando numa área externa, e faço a simples pergunta: o que você vê? Em apenas uma frase, diga-me o que você vê.

Vá em frente e faça um teste já. Que frase você usaria para descrever completa e acuradamente esta cena?

Já venho fazendo isso há mais de uma década com profissionais de todas as áreas da vida. As pessoas me falam da moça; os mais astutos notam o que ela está vestindo, para onde está olhando, que ela parece estar segurando algo, e que perna está na frente. Também me falam da árvore grande à esquerda e da ausência de folhas; algumas chegam a ponto de estimar sua altura com base na comparação com a mulher, mas, fiel à asserção de Sherlock, ninguém nunca me fala o número de galhos. Ouço falar dos arbustos junto à cerca, e da própria cerca, do banco, das folhas caídas e das sombras em primeiro plano.

Mas talvez o mais chocante seja que mais ou menos metade das pessoas que olham esta fotografia não mencione a enorme letra *C* ao fundo.

Você a está vendo? Você a viu originalmente? Você a incluiu na sua sentença descritiva? Ela não é uma ilusão nem um truque fotográfico de pós-processamento. O *C* realmente existe. Ele é parte importante da fotografia? Digno de ser mencionado? É sim, por muitas razões. Ele coloca a foto numa localização única, pois um pouco de pesquisa revelaria que o *C* está pintado num paredão de rocha com mais de trinta metros de altura no lado do Bronx do rio Harlem, em Nova York, em frente à Universidade Columbia. Ele ajuda a estabelecer o intervalo de tempo no qual a foto foi tirada, pois o *C* apareceu inicialmente em 1955 todo branco e foi repintado de azul-claro com contorno branco em 1986.[14] E como o *C* tem impressionantes vinte metros de altura por vinte de largura – possivelmente o maior grafite de Nova York –, notar um objeto desses, que ocupa grande parte da fotografia, é um testemunho das habilidades elementares de observação.

Aqueles que deixam de ver esse *C* são pessoas normais com visão normal que simplesmente não aguçaram suas habilidades de observação. E se os 50% que não o viram incluíssem um detetive encarregado de investigar um assalto, ou o seu cirurgião, seu chefe, seu namorado, ou o motorista do ônibus do seu filho? E se você não viu o *C*? Perder um detalhe tão grande pode não parecer tão crítico neste momento enquanto você lê um livro, mas e se você estivesse tomando conta de uma criança, ou ao volante, ou simplesmente atravessando a rua?

Antes de podermos de fato afiar nossas habilidades de observação, porém, precisamos compreender o mecanismo biológico embutido que torna todos nós, num ou noutro momento, "cegos" a objetos, mesmo quando são enormes, estão em movimento ou deveriam ser dignos de atenção. E podemos fazer isso com a ajudinha de um orangotango chamado Kevin.

A gorila na sala

A primeira coisa que você precisa saber é que Kevin não é consciente. Eu diria que ele não é "real", mas seu dono, o dr. Michael Graziano, questionaria essa semântica, já que Kevin realmente existe, ainda que em forma de fibra acrílica. Kevin é um boneco.

Dr. Michael Graziano

O dr. Graziano, neurocientista de Princeton e autor de *Consciousness and the Social Brain* [Consciência e o cérebro social], usa Kevin em suas palestras como uma singular demonstração ventríloqua do poder da percepção. Enquanto seus alunos, no começo, dão risadinhas nervosas quando Graziano, um homem alto com barba salpicada de branco e preto e olhos cintilantes, põe

Kevin na mão, apenas alguns minutos depois eles se descobrem atribuindo involuntariamente uma personalidade ao primata simulado.

Assistir à performance com os olhos bem abertos,[15] sabendo muito bem que se trata de uma ilusão social, é uma experiência fascinante. Por mais que eu tivesse me preparado ceticamente – um boneco macaco na Ivy League*? Sério? –, ainda assim me vi envolvida. Kevin faz piadas grosseiras, alega ser Darth Vader e olha ao redor da sala de maneira aparentemente independente de seu dono. Não pude deixar de sorrir quando Kevin guinchou em agonia quando Graziano finalmente soltou sua mão. Mesmo sabendo que era um boneco, Kevin parecia às vezes ter uma mente "própria".

Graziano atribui este fenômeno àquilo que chama de "teoria do esquema de atenção".[16] Quando nos sentamos no seu escritório – deliciosamente dominado por um mural colorido de um dinossauro chamado Ciência comendo um cientista, que ele, sorridente, confessa ser ele mesmo –, Graziano explica os fundamentos. Como os seres humanos são bombardeados de estímulos, tanto externos – na forma de visões, sons e outras informações sensoriais – como internos – na forma de pensamentos, emoções e memórias – o cérebro não consegue processar cada fração de informação que encontra. Em vez disso, precisa focar algumas coisas à custa de outras. Como os neurônios no cérebro humano decidem com o que lidar é chamado de atenção.

"Nós não nos tornamos magicamente conscientes de alguma coisa",[17] diz Graziano. "É um ato do cérebro processando dados."

Fazendo-nos passear através da experiência de atribuir consciência social a um boneco orangotango, Graziano nos permite sentir o processo, que de outra maneira é automático.

Ele não perde tempo para ressaltar que a atenção, ainda que difícil de capturar, também é finita. Não temos uma capacidade ilimitada de decodificar todo estímulo individual, tanto externo quanto interno, que encontramos.

"É em parte uma análise de fonte", diz ele. "Sob muitos aspectos, é a sua atenção que focaliza você. Você fica atento a uma coisa, e efetivamente o cérebro suprime ou filtra todo o resto."

---

* Grupo de oito universidades de elite no nordeste dos Estados Unidos, também conhecidas como as Oito Antigas (N.T.)

É difícil acreditar no que o cérebro às vezes filtra e exclui, como é evidenciado por outro experimento com um símio, este envolvendo uma mulher fantasiada de gorila.

Em 1999, os psicólogos de Harvard Daniel Simons e Christopher Chabris propuseram-se a provar que mesmo que os nossos olhos possam estar abertos e olhando diretamente alguma coisa no nosso campo de visão, nem sempre a vemos – uma anomalia conhecida como "cegueira por desatenção". Eles recriaram[18] um famoso experimento em vídeo da década de 1970 no qual uma mulher com uma sombrinha atravessa uma cena de estudantes passando bolas de basquete uns aos outros; pedia-se aos sujeitos do teste que contassem quantos passes eram completados, e, ao fazê-lo, muitos absolutamente não viam a mulher e a sombrinha. A nova versão de Simons e Chabris tornava a intromissão inesperada ainda mais dramática, tirando a sombrinha da mulher e vestindo-a com uma fantasia de gorila. Assim como no caso do experimento da letra *C*, metade dos participantes do estudo falhava em notar a gorila, mesmo quando ela ficava na tela o dobro do tempo que a mulher de sombrinha, olhava diretamente para a câmera e batia no peito em vez de simplesmente atravessar no meio da bagunça.

Quinze anos depois, experimentos com cegueira por desatenção continuam a provar que a percepção consciente requer atenção, e que a atenção é seletiva. Se a nossa atenção é absorvida por alguma coisa, mesmo uma tarefa corriqueira como contar, podemos deixar de ver algo enorme (e peludo) bem na nossa frente.

A cegueira por desatenção pode afetar os melhores profissionais em todos os campos, mesmo aqueles cujos serviços exigem procurar detalhes. Pesquisadores da atenção na Escola de Medicina de Harvard fizeram sua própria versão do experimento da "gorila invisível", superpondo um gorila de cinco centímetros em radiografias de pulmões e pedindo a radiologistas que as examinassem em busca de nódulos cancerosos. *Oitenta e três por cento* dos radiologistas não perceberam o gorila agitando o punho para eles de dentro da radiografia.[19]

Às vezes a cegueira por desatenção tem efeitos fatais. Kenneth Conley, um policial de Boston, estava perseguindo a pé um suspeito de tiroteio quando passou correndo por um grupo de colegas da polícia surrando um homem de forma tão descontrolada que a vítima acabou ficando com severos danos na cabeça e nos rins. Quando as autoridades federais investigaram a agressão, nenhum dos policiais admitiu ter participado ou sequer ter visto o incidente. Conley foi chamado para testemunhar e reconheceu que havia estado bem ali mas não tinha visto a surra. Os investigadores não acreditaram que fosse possível deixar de ver tal acontecimento,[20] e Conley foi condenado por obstrução da justiça e perjúrio, afastado da força policial e condenado a três anos de prisão.

Enquanto Conley só podia atribuir sua incapacidade de ver a briga pela qual passara a algum tipo de "visão em túnel", uma alegação que nem mesmo a Suprema Corte engoliu, os psicólogos Simons e Chabris do experimento mulher-vestida-de-gorila acreditaram que o policial estava sofrendo de cegueira por desatenção. Para provar que a história de Conley era possível, recriaram a situação com voluntários, pedindo-lhes que corressem atrás de um homem e contassem quantas vezes ele tocava o chapéu. Os corredores passavam direto pela encenação de uma briga; 67% deles não viram a briga. Simons e Chabris publicaram os resultados num artigo científico intitulado "Você não fala de um clube de luta se não nota um clube de luta".[21]

Nós somos todos tão suscetíveis à cegueira por desatenção que frequentemente perdemos informação importante. Podemos, no entanto, trabalhar para superar essa tendência inata, ensinando nossos cérebros a ter melhor atenção e habilidade de observação. Samuel Renshaw, um psicólogo americano cuja pesquisa sobre visão ajudou as forças armadas a reconhecerem rapidamente aviões inimigos na Segunda Guerra Mundial, acreditava que "ver de forma apropriada é uma habilidade que precisa ser aprendida. É como tocar piano, falar francês ou jogar golfe bem".[22] Ele alegava que, assim como os dedos de um pianista, os olhos podiam ser treinados para um desempenho melhor. Da mesma maneira, múltiplos estudos publicados no *Journal of Vision* confirmaram que podemos aumentar dramaticamente a nossa capacidade de atenção com tarefas desafiadoras de concentração visual.[23] Estudar arte provocativa, intricada, multidimensional e até mesmo desconcertante permite-nos exatamente essa oportunidade.

Observando arte

O sucesso no uso da arte[24] para aperfeiçoar a habilidade de observação entre estudantes de medicina foi provado em 2001 por pesquisadores em Yale. Um estudo de dois anos[25] publicado no *Journal of the American Medical Association* descobriu que aqueles que estudavam obras de arte melhoravam consideravelmente suas habilidades de diagnóstico e de observação efetivas, em especial "sua detecção de detalhes", também aumentavam em 10%. O dr. Irwin Braverman, professor de dermatologia na Escola de Medicina de Yale, considerou esse aumento de 10% "estatisticamente significativo"[26] porque mostrava que "é possível treinar uma pessoa visualmente para ser uma observadora melhor".

Allison West é uma prova viva. Quando a conheci, ela estudava medicina na Universidade de Nova York, recém-chegada de uma pequena cidade na Geórgia. Um de seus passatempos favoritos era frequentar museus, e Manhattan os tinha de sobra. Porém, ela não era graduada em arte, então não tinha um modo experiente de olhar as pinturas; simplesmente apreciava cada uma delas por alguns instantes antes de passar para a seguinte. Portanto, ficou empolgada ao descobrir que sua faculdade de medicina oferecia um curso de Arte da Percepção e se matriculou.

"Eu não tinha ideia do quanto estava perdendo",[27] recorda ela. "Gosto de pensar em mim como uma pessoa muito observadora, e não vi o *C* da Universidade Columbia bem na minha cara! Eu me senti como se estivesse andando por aí com lentes embaçadas deturpando tudo, e eu nem sabia que as estava usando!"

Depois de aprender a observar em vez de apenas ver, West notou que a maneira de atender e documentar seus pacientes mudou drasticamente.

"Num relatório típico, eu costumava escrever algo assim: 'Homem branco de meia-idade reclinado na cama. Tem os olhos cansados, tez pálida, expressão sombria, e está vestindo a roupa do hospital. O ambiente é simples: paredes nuas, lençóis brancos com uma mancha de sangue do lado direito da cama.' Descritivo, mas muito clínico", ela me conta. "Depois do curso, comecei a anotar: 'Ele tem um jogo de palavras cruzadas na mão, um jornal local em espanhol ao lado, um cartão no quadro do boletim médico dizendo 'Sare logo, vovô'. Se antes eu via flores no quarto como mero sinal de um paciente enfermo, agora presto atenção para ver que flores são e se estão murchando, quem as mandou e quando."

Agora West também repara em que bichos de pelúcia podem estar no peitoril da janela, a quais programas de TV o paciente assiste e que livros estão na cabeceira da cama.

"Esses detalhes novos que eu nunca tinha notado antes podem não me dar um diagnóstico", explica ela, "mas me dão algo igualmente importante: informação sobre o que motiva o paciente a viver, como ele pode viver melhor com sua doença, e que tipo de tratamentos alternativos ele poderia considerar para mitigar seu sofrimento."

Como um dr. Bell moderno, West usa o que observa inicialmente para desvendar ainda mais. A visão do jornal em espanhol ao lado do paciente a estimula a investigar sua dieta em casa: é rica em comida hispânica de modo que possa piorar sua condição? O que ele faz para ganhar a vida? Ele pode voltar a um trabalho que envolva sua mente e ajude a sua recuperação como um todo? Quais são seus passatempos e hobbies favoritos? Será ele capaz de voltar a dedicar-se a eles durante sua recuperação?

"Saber que ele gosta de construir trens em miniatura pode parecer um detalhe insignificante para um médico", diz ela, "mas a qualidade de vida é a chave para a recuperação, e saber que ele é capaz de voltar a fazer uma atividade que adora pode significar toda a diferença para um paciente."

E fez toda a diferença também para West. Ela agora é médica[28] e está fazendo uma especialização em medicina interna no Centro Médico da Universidade de Chicago, além de ter tido seu perfil descrito na edição de 2012 de "Melhores Médicos" da revista *New York*.

Como qualquer outra habilidade, a observação pode ser dominada com a prática. Em seu livro de 1950, *Arte da investigação científica*, o cientista de Cambridge William Ian Beardmore Beveridge dá as seguintes instruções: "Poderes de observação podem ser desenvolvidos cultivando-se o hábito de observar as coisas com mente ativa, inquiridora. O treinamento em observação segue os mesmos princípios do treinamento de qualquer atividade. No começo, deve-se fazer as coisas consciente e laboriosamente, mas com a prática as atividades pouco a pouco tornam-se automáticas e inconscientes e o hábito é estabelecido."[29] A prática também se torna permanente, pois os neurocientistas acreditam que praticar novas habilidades rearranja as conexões internas do cérebro. Portanto, tecnicamente, biologicamente, podemos conectar nossos cérebros para ver melhor.

Podemos fazer isto com exercícios que melhorem a nossa atenção e memória, já que ambas são parte integral das habilidades de observação. E começaremos com arte.

Sem olhar as páginas passadas, tente se lembrar do quadro na página de abertura deste capítulo, na p.41. Você consegue visualizá-lo? Vou lhe dar uma dica: é uma natureza-morta disposta sobre o que parece ser uma mesa.

Se você não consegue se lembrar direito do quadro, está em boa companhia. No meu curso, eu mostro o mesmo quadro rapidamente quando me apresento, e muita gente não presta atenção. Se você não tem ideia do que estou falando – *um quadro? Que quadro?* – porque passou correndo pela página, ainda assim você está em boa companhia. Muitos de nós aprenderam a pular ou passar de modo superficial pelo começo de algo para chegar logo "à essência" das coisas, mas quando fazemos isso possivelmente estamos pulando alguma informação valiosa, vital. Vamos aprender, a partir deste momento, a não fazer isso.

Volte para o quadro na página de abertura do capítulo. Eu adoro esta obra peculiar, porque você não precisa entender nada sobre arte ou sobre quem pintou o quadro, quando ou por quê para apreciar essa surpreendente cena visual: um local aparentemente comum destacando um olho aberto, imóvel, no mais estranho dos lugares. Estude a imagem por alguns minutos, e depois volte para cá.

BEM-VINDO DE VOLTA! E aí, o que você viu? Comecemos pelo básico: quantos objetos havia sobre a mesa, e o que são? Tente se lembrar do máximo que puder.

Se conseguir lembrar que havia cinco objetos – um copo, uma garrafa, uma faca, um garfo e um prato com uma fatia de alguma coisa com um olho no meio –, então que bom para você! Se puder me dizer que o copo estava vazio, a garrafa cheia, que estavam acima do prato e dos talheres, que o garfo estava à direita do prato e a faca de cabo verde à direita do garfo, e o olho era de um azul acinzentado, melhor ainda!

Que comida havia no prato? Tenho ouvido com frequência "uma panqueca", mas, se você olhar com cuidado, poderá ver finas manchas brancas de gordura sobre toda a superfície, ficando mais espessas nas bordas; na realidade é um pedaço de presunto. Pontos extra como prêmio se você tiver notado a mancha vermelho-escura no copo.

Agora vamos observar de verdade. Volte e olhe novamente o quadro, mas com um cuidado ainda maior, mais devagar desta vez. Curta a mancha na lateral do copo. Pergunte-se se tudo está realmente sobre a mesa ou não. Note a luz se refletindo na superfície da garrafa, do copo e da prataria. Calcule em que direção estão apontando as sombras dos objetos. O que poderia estar causando o reflexo e as sombras, e onde procuraríamos tal objeto? Aprecie como uma imagem que poderia parecer simples à primeira vista é na realidade uma série complexa de relações – por que a garrafa está cheia se o copo já está manchado? O fato de continuarmos descobrindo mais perguntas e mais detalhes quanto mais olhamos é o que nos faz saber que não estamos apenas vendo, mas observando.

Agora, sem voltar lá atrás, desenhe você mesmo esse quadro, capturando o máximo de detalhes que puder. Quando tiver acabado, volte e compare com o original, notando qualquer coisa que possa ter esquecido. Acrescente esses detalhes ao seu desenho.

Para acentuar ainda mais sua habilidade de retenção, espere uma hora e aí desenhe o quadro novamente. Mais uma vez, volte e corrija o desenho, adicionando quaisquer informações que faltem.

Você também pode praticar com um objeto do seu dia a dia: seu relógio, sua bolsa, ou uma garrafa de água. Escolha alguma coisa com muitos detalhes e estude bem o objeto por um minuto. Depois, ponha-o de lado ou cubra-o, e anote o máximo de detalhes que puder – formas, cores, texturas, palavras, medidas. Pegue de novo o objeto, mas, em vez de diminuir o tempo, aumente. Observe o mesmo objeto pelo triplo do tempo, isto é, três minutos, e veja quanto mais você consegue achar. Faça isto com um item diferente a cada dia por uma semana, e no fim você perceberá como a prática aumentou a sua capacidade de focalizar e lembrar o que viu.

Quanto mais você exercitar sua habilidade de memória, melhor se sairá nessa área, não só nessas tarefas específicas mas na sua observação geral da vida. Uma das minhas alunas me disse que costumava dar uma volta pelo bairro todo dia como exercício, escutando música, sem notar nada, só tentando fazer passar seus trinta minutos. Depois de frequentar minhas aulas, ela resolveu reengajar seus sentidos exatamente no mesmo trajeto, e a diferença foi impressionante. Ela notou as rachaduras na calçada, marcas de mãos no cimento em que nunca tinha reparado, uma trilha secreta de bicicleta. Disse que era como se estivesse "vendo com novos olhos".

Da mesma maneira, quanto mais você observa seu ambiente conscientemente, mais natural o processo vai se tornando. Para engajar seu senso de consciência, saia à rua na hora do almoço, escolha um ponto para ficar parado e pratique observar cada coisa específica que cruza o seu campo visual. Fazer isto ajudará você a treinar os olhos para ver além do que está bem na sua frente ou o que você está acostumado a ver.

A inspiração da vida real para Arthur Conan Doyle, o dr. Joseph Bell, não tinha poderes extrassensoriais nem visão de raios X. Não tinha a capacidade de ver mais por ter nascido com algum poder super-humano. Ele simplesmente havia praticado, usando seus poderes de observação diariamente. Todos nós temos as mesmas habilidades, só que nem sempre sabemos disso.

No começo dos anos 1980, um físico da Filadélfia, Arthur Lintgen, recebeu atenção internacional quando demonstrou sua misteriosa habilidade de "ler" discos de vinil num programa de televisão. Apelidado de "homem que vê o que os outros ouvem",[30] Lintgen era capaz de olhar um registro fonográfico com o rótulo totalmente tampado e detectar rápida e corretamente que peça clássica era tocada simplesmente estudando as ranhuras. Vários peritos testaram a veracidade de sua alegação, e todos chegaram à mesma conclusão: a habilidade de Lintgen era legítima.

Lintgen era capaz não só de identificar os títulos e compositores das gravações mas também de especificar quantos movimentos tinha cada peça, qual a duração de cada movimento, o volume e percussividade de cada movimento, e às vezes até mesmo a orquestra que a tinha gravado. Ele fazia isso não lendo a música no disco, mas examinando os menores detalhes físicos. Olhava o espaçamento, a coloração e o contorno das ranhuras e então correlacionava isso com seu conhecimento dos padrões da música clássica; por exemplo, ele sabia que uma sinfonia de Beethoven tem um primeiro movimento mais longo em relação ao segundo, e conseguia reconhecer os padrões.

Lintgen não tinha olhos especiais; na verdade era extremamente míope e usava óculos grossos. Ele simplesmente olhava um disco atenta e conscientemente, e praticava olhar até que o processo de identificar a peça se tornasse mais rápido e mais natural. Todos nós podemos fazer o mesmo.

Isto não quer dizer que todos vemos as coisas do mesmo modo. A maneira como nossos cérebros optam entre milhões de bits de informação disponível é exclusiva de cada um de nós, e depende inteiramente dos nossos próprios filtros perceptuais. Para ver como Sherlock Holmes precisamos nos familiarizar com eles, porque, quer percebamos ou não, eles alteram nossas observações.

3. O ornitorrinco e o Ladrão de Casaca

Por que duas pessoas nunca veem as coisas da mesma maneira

Por quase uma década o Rubin Museum of Art em Nova York abrigou uma série de eventos chamados Brainwave [Onda cerebral]. O programa reúne artistas, escritores e músicos com neurocientistas para explicar ao público leigo o que está acontecendo no cérebro quando eles vivenciam alguma coisa. Tive bastante sorte por participar de uma sessão com a dra. Marisa Carrasco, cientista cognitiva da Universidade de Nova York, e o especialista em ilusão Apollo Robbins, um homem baixo com brinco na orelha esquerda e um pequeno tufo de pelos sob os lábios.

Durante a apresentação a seguinte fotografia foi mostrada na tela. "O que vocês veem?", Robbins perguntou à audiência.

Eu na verdade não vi nada, então primeiro achei que a imagem não fosse uma fotografia. Imaginei que fosse algum tipo de mancha de tinta, como no teste de Rorschach, para revelar algum segredo sobre a nossa psique.

Além de orador profissional, Robbins é um charmoso gatuno teatral que se autodenomina "o Ladrão de Casaca". Ele conseguiu tirar o bracelete do meu pulso e os óculos da minha cabeça sem eu nem sequer perceber. Antes do show, enquanto bancava o porteiro, ele fizera exatamente o mesmo com muitos convidados, apertando a mão da pessoa e roubando-a sem ela ver. (Ele devolve tudo.) Depois de bater as carteiras do destacamento do Serviço Secreto encarregado do ex-presidente Jimmy Carter, Robbins tornou-se assessor de segurança e agora treina agentes da lei em consciência sensorial.[1]

Agora Robbins nos garantia que estávamos de fato vendo uma fotografia genuína inalterada. Ele até deu uma dica: "É um mamífero de quatro patas."

Ainda assim eu não via nada.

A pessoa sentada ao meu lado reconheceu decididamente um animal quase de imediato. Recostou-se na cadeira, satisfeita. Eu continuei a olhar. Com mais intensidade. Olhei de cabeça para baixo. Envesguei os olhos.

A mulher ao meu lado sussurrou: "Não posso acreditar que você não esteja vendo isso."

Eu ganho a vida com isso! Como era possível que não visse nada? Finalmente, tive de adivinhar. Era um ornitorrinco, concluí. Antes de você olhar a foto abaixo, dê outra olhada na figura anterior. O que você vê?

É a foto de uma vaca. Está vendo agora?

A vaca de Renshaw, com o rosto delineado

Sem os contornos delineados, eu jamais teria visto a vaca. Um gato, talvez. Um ornitorrinco, com certeza. Mas não uma vaca.

Enquanto a aula de Robbins era dedicada à "confusão da ilusão" e como o nosso cérebro pode nos pregar peças, eu uso a mesma fotografia no meu curso com um propósito diferente: provar que duas pessoas nunca veem coisas, até mesmo fatos, da mesma maneira.

Já mostrei a foto da vaca a milhares de pessoas ao longo dos anos e tenho recebido uma igual quantidade de respostas diferentes sobre o que a foto mostra – desde um dragão passando pelo dirigível *Hindenburg* até uma mulher comprando sutiã. Mesmo que a maioria das pessoas possa ver, nem todo mundo vê as mesmas coisas. Esta premissa fica mais complicada quando estamos olhando coisas que não são do mesmo preto e branco de uma fotografia em preto e branco, estando sujeitas a muitas interpretações.

Eve Oosterman

Por exemplo, uma mãe em Toronto, Ruth Oosterman, postou esta imagem da filha de dois anos e da sua última criação, e formulou a mesma pergunta simples aos seus leitores na internet: o que você vê? As respostas que choveram do mundo inteiro foram tão variadas quanto as pessoas que as enviaram: orelhas de coelho, flores silvestres à beira-mar, um salgueiro-chorão, um pônei Shetland empinando, um baile de robôs.

"Quase todo mundo viu algo diferente nas formas e traços",[2] recorda Ruth.

A habilidade da própria Ruth em interpretar os desenhos da criança levou a uma colaboração mãe-filha anos antes de ela pensar que tal empreitada conjunta fosse possível. Ruth, artista profissional, atava a bebezinha Eve com um sling junto ao peito e pintava furiosamente em seu estúdio.

À medida que a coordenação de Eve crescia, a pequena criança passou a fazer estágio ao lado da mãe, primeiro brincando com a tinta só para curtir a textura, porém mais tarde acabando por pintar suas próprias telas. Ruth mal podia esperar que Eve tivesse idade suficiente para colaborar com ela... até perceber que a menina já estava fazendo isso.

"Frequentemente ela 'fazia acréscimos' às minhas peças, e um dia olhei um de seus desenhos", conta Ruth, "e nos rabiscos vi duas pessoas paradas numa margem."

Ruth usou aquarela para preencher a visão de Eve, e o primeiro quadro delas, *The Red Boat* [O bote vermelho], ganhou vida. O par veio a se tornar uma sensação internacional celebrada da Áustria até a Coreia do Sul por suas pinturas extravagantes. Eve começa cada esboço sozinha, geralmente com uma caneta, e sua mãe preenche os detalhes e as cores com base nas histórias, canções e atividades diárias da menina.

O desenho de Eve, e o resultado da colaboração:
The Red Boat, de Ruth e Eve Oosterman

Cada um de nós traz um conjunto similar e único de pincéis para preencher o que vemos. Se alguma outra pessoa tentasse completar os desenhos de Eve, os resultados com certeza seriam diferentes dos de Ruth. Ruth tem familiaridade e traquejo com aquarelas, e isto determina como interpreta os esboços. Alguém como eu, que não tem habilidade artística, provavelmente usaria outros materiais – eu nem sequer tenho aquarelas – e produziria outro tipo de imagem totalmente distinto.

Parece óbvio que todos nós vemos as coisas de forma diferente. Todavia, esquecemos disso constantemente, e agimos como se houvesse apenas um modo correto de ver. Contudo, sabendo agora que somos *todos* suscetíveis a cegueira por desatenção e outros erros perceptuais, não podemos pressupor que outras pessoas veem o que nós vemos, que nós vemos o que elas veem, ou que qualquer um de nós vê com precisão o que de fato está ali, na cena.

Nossos filtros perceptuais

Não há duas pessoas que vejam uma coisa exatamente da mesma maneira. Da nossa herança biológica aos vieses que desenvolvemos, tudo influencia nosso modo de ver e agir no mundo. Como indivíduos, não apenas observamos, notamos e reunimos informação de modo diferente, mas também percebemos aquilo que reunimos de modo diferente.

Percepção é como interpretamos a informação que coletamos durante a observação; pense nela como um filtro interno. Ela pode matizar,[3] nublar ou modificar o que realmente existe para se tornar aquilo que pensamos estar vendo.

Similar ao da visão, o processo de perceber é sutil, automático e difícil de reconhecer se não estivermos ativamente cônscios dele. Quer sentir isto agora? Volte a olhar a foto em preto e branco apresentada por Robbins. Agora tente *não* ver a vaca. É impossível. Você pode desfocar os olhos ou inverter a página, mas agora não será capaz de não ver a vaca. Por quê? O poder do seu conhecimento novo – o fato de ser uma vaca – efetivamente apagou as suas percepções anteriores.

Isto é um indício da experiência que temos toda vez que vemos, não vemos e não podemos "des-ver" alguma coisa. Ter a consciência da facilidade com que nossas percepções podem mudar, recusando-se a "des-mudar", pode nos ajudar a ficar antenados a elas.

Nosso filtro perceptivo é moldado pelas nossas próprias experiências exclusivas no mundo. Todo mundo é diferente de todo mundo, às vezes violentamente diferente.

Claire, uma advogada da Procuradoria Distrital de Manhattan, morava a apenas dois quarteirões do World Trade Center com o marido, Matt, e seus três filhos. Na manhã de 11 de setembro de 2001, eles evacuaram a residência juntos, levando os poucos pertences que puderam, e saltaram dentro de uma van para Nova Jersey, onde ficaram morando nas semanas seguintes. Alguns meses depois, o tio do marido de Claire, um escritor, conversou com ela e o marido separadamente sobre aquele dia e escreveu os dois relatos.

Claire ficou chocada quando os leu. Mesmo que ela e o marido tivessem estado juntos o tempo todo, no mesmo lugar, antes, durante e depois do ataque, tendo deixado Nova York no mesmo momento, você jamais acreditaria, lendo as narrativas, que eles tinham vivido a mesma experiência. Eles não se lembravam das mesmas coisas, e, as coisas de que ambos se lembravam, não tinham visto da mesma maneira. Enquanto Claire recordava ter olhado pela janela do apartamento salpicada de cinzas e visto gente sendo pisoteada na rua e atingida por objetos que caíam, Matt lembrou que a janela estava totalmente enegrecida e não olhou nem quis olhar para fora. Quando resolveram sair para os corredores, Claire disse que as crianças precisavam de comida e agasalhos, enquanto Matt focalizou os moradores idosos que precisavam de cadeiras de rodas. Matt achou que as torres desabando podiam esmagá-los; Claire tinha certeza de que a fumaça os mataria.

Não só o seu relato dos acontecimentos foi diferente, mas também suas reações emocionais. Claire ligou para colegas nas redondezas e rogou, implorou e chorou por socorro. Matt manteve uma "calma mortal". Falou com o tio ao telefone, mas não se lembra da conversa; Claire ainda consegue se lembrar de cada palavra do telefonema de adeus que deu a seu pai no Oregon.

O relato publicado de suas "reflexões sobre terror e perda"[4] ainda ressoa nela como um exemplo de primeira mão de como a nossa percepção de um evento é somente isso – nossa própria percepção – e de que nunca podemos assumir que os outros vivenciam algo da mesma maneira que nós, mesmo que estejamos bem ao lado deles.

Se pai e mãe que têm a mesma idade, mesma etnia, classe socioeconômica e localização física não veem as coisas da mesma forma, pense na diferença que pode haver entre duas pessoas díspares: patrões e empregados, réus e promotores, republicanos e democratas, professores e alunos, médicos e pacientes, babás e crianças. O que vemos pode ser completamente diferente do que o que a pessoa ao nosso lado vê, para não falar da pessoa do outro lado da sala, do outro lado da linha telefônica ou do outro lado do mundo. O que pode ser visível para nós, outra pessoa pode deixar de ver inteiramente.

Quando estou em Washington, DC, há uma obra no Smithsonian American Art Museum que com frequência uso nas minhas aulas. É um quadro de 2,70 m por 1,80 m de uma menina negra sentada no chão no alto de uma escada, ao lado de uma estante de livros. Sobre a cabeça da menina há duas formas nebulosas translúcidas com o mesmo conjunto de três letras em cada: "SOB..."

Enquanto a primeira impressão de muita gente é que *SOB* é um grito de desespero ou tristeza, a boca da menina está fechada, os olhos secos. Eu desafio a turma: será que *SOB* significa alguma outra coisa? Não temos uma resposta definitiva. O título da obra de Kerry James Marshall é simplesmente *SOB, SOB*.

Cada pessoa traz consigo sua experiência particular, sua história, educação, passado e ponto de vista. Profissionais de medicina me disseram que *SOB* significa *shortness of breath* [falta de ar], enquanto equipes de manutenção disseram ser *son of the boss* [filho do chefe]. Para policiais texanos, *SOB* significa *south of the border* [ao sul da fronteira]. Para moradores de Long Island, *SOB* é a Rodovia Estadual 135, a via expressa Seaford-Oyster Bay. A minha interpretação predileta é a da mãe de um adolescente viciado em mensagens de texto que disse que nos seus tempos de juventude *SOB* era acrônimo de *son of a bitch* [filho da puta], referindo-se especialmente aos homens, mas que agora os jovens o utilizam exclusivamente para garotas, querendo dizer *self-obsessed bitch* [piranha narcisista].

Para ter sucesso em qualquer coisa – um caso, uma colaboração, ou um novo cliente –, você não pode confiar em que a outra pessoa veja ou interprete as coisas como você. Se parar de investigar, ficando apenas com sua própria interpretação do que vê, pode estar perdendo alguma informação não explicitada. Se ao ver a figura em preto e branco apresentada por Apollo Robbins eu tivesse me levantado e ido embora depois de concluir que estava vendo um ornitorrinco, talvez jamais ficasse sabendo que a foto na verdade mostrava uma vaca. E se transmitisse a minha experiência aos outros como fato – "e então Apollo Robbins nos mostrou a foto de um ornitorrinco" –, estaria espalhando informação incorreta. Para obter a imagem mais acurada de alguma coisa, precisamos considerar as percepções dos outros e reconhecer outros pontos de vista.

Como descobrimos o que outras pessoas veem ou pensam que veem? Não precisamos ir além da arte pública, especialmente esculturas e instalações contemporâneas, e a própria reação do público a elas.

Quando a exposição Surveys (from the Cape of Good Hope) [Exames (do cabo da Boa Esperança)], da artista sul-africana Jane Alexander, esteve em exibição na Catedral de Saint John the Divine em Nova York, em abril de 2013, fiquei animada para ir vê-la. Meio humanas, meio animais, estátuas praticamente nuas estavam instaladas na frente de altares, na nave, nos pátios e nos peitoris das janelas. Havia um menino com cara de macaco, um homem com cabeça de cachorro, um pássaro de bico longo sem asas e uma mulher com face felina vestindo um manto branco e uma tiara dourada cujos braços terminavam em cotos. Algumas criaturas estavam sentadas sobre caixas de munição; outras estavam vendadas, amarradas e arrastando machetes e caminhões de brinquedo presos nas extremidades de cordas.

Se de um lado a minha experiência de encontrar essas estranhas esculturas num local em geral reservado para preces e tranquilidade espiritual foi decididamente extraordinária, as observações que listei são objetivas. No entanto, nem as de todo mundo foram. A exposição foi recebida com um misto de deleite e repulsa. Enquanto o *New York Times* a elogiou como "maravilhosa"[5] e "inquietantemente magnífica", acreditando que "a catedral não podia ser o local mais perfeito", outros críticos a acharam "subversiva",[6] "perturbadora"[7] e "inadequada, considerando que se tratava de um local de culto".[8]

Infantry with Beast [Infantaria com feras], instalação de Jane Alexander na Catedral de Saint John the Divine, 2008-10

É claro que nem todo mundo vai gostar das mesmas coisas – nós somos todos seres subjetivos –, mas o importante é notar que a nossa subjetividade pode deturpar a "verdade" do que vemos. Ainda que cada visitante olhasse a mesma instalação, todos viram coisas diferentes. Uma foice enferrujada foi vista por alguns como símbolo de fertilidade e por outros como símbolo de destruição. Quem estava certo? Ninguém. A menos que a lâmina curva estivesse marcada como uma coisa ou outra, e não estava, nada pode ser provado. A única resposta objetiva e acurada é que a foice enferrujada é uma foice enferrujada. Chamá-la de qualquer outra coisa é alterar os fatos.

Olhe mais uma vez para a obra de Alexander na página anterior. O que você vê? O que salta aos seus olhos?

Agora pense em como as respostas de várias pessoas poderiam diferir da sua com base em suas experiências, prioridades e até profissões. Um assíduo frequentador da igreja poderia focalizar o relevo decorado ao fundo, enquanto um lojista poderia se concentrar nos calçados das estátuas. Uma estudante de antropologia não olharia para as estátuas do mesmo jeito que uma pessoa que tem medo de cachorros. A percepção também é moldada pelos valores, criação e cultura das pessoas. Nossa inclinação natural de ou notar a nudez das formas com cabeça canina e corpo humano, ou desviar o olhar, pode afetar se vemos ou não que os braços das criaturas são excepcionalmente longos, antinaturais. O que um profissional da medicina teria a dizer sobre as costelas das estátuas? Ou um consultor empresarial sobre os traços retos do grupo? Mais importante, será que cada um notaria o foco do outro? Será que o médico notaria os traços e o consultor as costelas?

Como vivemos e trabalhamos com todo tipo de pessoas, precisamos estar antenados a como outros podem ver alguma coisa. Para testar nossa consciência das percepções de outros, vamos dar uma olhada na foto a seguir, que mostra outra escultura. Como você descreveria a expressão dessa estátua? Como você acha que um oficial de liberdade condicional a descreveria? Como a maioria das violações de liberdade condicional envolve drogas, ele poderia ver os olhos fechados, a boca mole e a cabeça indolentemente caída para trás da escultura como indícios de uso de drogas. E uma vítima de agressão sexual? Ela poderia ver a cabeça da escultura como, em vez de apenas caída,

Tony Matelli, *Sonâmbulo* [*Sleepwalker*], 2014

deliberadamente inclinada, os olhos momentaneamente fechados e a boca aberta como prelúdio de uma situação ameaçadora.

A instalação de Tony Matelli[9] de um homem de cuecas de aspecto realista, em fevereiro de 2014, no campus da Wellesley College, despertou um clamor dividido que recebeu cobertura de todos os lados, desde a revista *Time* até o *International Business Times* da Índia. As reações variaram de uma conta parodística no Twitter até protestos e petições contra a escultura. Enquanto alguns espectadores acharam a estátua cômica e se divertiram abertamente, vestindo-a com chapéus e fantasias, outros a consideraram tão assustadora que exigiram sua remoção. Alguns viram a estátua como uma figura perdida, simpática, outros como um agressor ameaçador.

Esta obra de arte não é uma encenação. É uma estrutura inanimada feita de bronze pintado. Em sua estática expressão facial, alguns veem melancolia, outros ameaça.

O próprio artista é um exemplo involuntário de como nós, mesmo sabendo que as pessoas veem as coisas de maneira diferente, ainda assim nem sempre acreditamos nisso. Enquanto Matelli reconhece que "Cada pessoa chega a uma obra de arte com sua própria história, sua própria política, suas próprias esperanças e medos",[10] ele chega também a supor: "Acho que as pessoas podem estar vendo nessa obra coisas que simplesmente não estão aí."

O artista pode não ter infundido intencionalmente seu trabalho com emoção, política ou insinuações, mas as pessoas ainda assim veem o que veem. Nunca veremos todos do mesmo jeito, mas os desafios que aparecem junto com isso são mitigados quando reconhecemos a nossa disparidade visual em vez de insistir que ela não existe.

O simples fato de saber que muitas coisas moldam a percepção, e que esta molda aquilo que vemos, pode ajudar a aliviar as falhas de comunicação e entendimento, impedindo-nos de ficar aborrecidos com os outros quando eles não veem as coisas como nós. O fato é que efetivamente eles não veem. Não podem ver. Ninguém pode ver as coisas como você, exceto você.

Ver através dos nossos filtros subconscientes

Como todos nós vemos através de filtros perceptuais poderosos, porém quase imperceptíveis, precisamos compensá-los para obter uma imagem mais acurada dos fatos da vida. Podemos fazer isso do mesmo modo como podemos melhorar a nossa observação ativa: com a prática.

Assim como a nossa capacidade de processar conscientemente o que vemos e pensamos depende inteiramente das conexões neurais do cérebro, o mesmo vale para as coisas que habitam o nosso subconsciente. Cada fração mínima de informação, quer percebamos ou não, é passado adiante pelos nossos circuitos neurais, circuitos que podem ser fortalecidos ou ter os trajetos alterados. Essas conexões são tão poderosas, e todavia tão maleáveis, que o simples fato de pensar em alguma coisa como movimento pode promover uma real mudança física.

Pesquisadores na Clínica Cleveland, em Cleveland,[11] Ohio, conduziram um estudo no qual as pessoas aumentaram em 35% a força de seus dedos somente por meio de treinamento mental – imaginando estar exercitando os dedos por quinze minutos diários durante duas semanas –, sem qualquer movimento físico real. O ganho muscular sem movimento foi possível porque o ensaio mental dos movimentos ativa as mesmas áreas corticais do cérebro que o movimento físico. De modo similar, a prática mental pode influenciar processos controlados subconscientemente porque compartilha dos mesmos circuitos neurais. Cientistas da Universidade de Oslo[12] descobriram que, embora as pessoas não possam ajustar voluntariamente a abertura das pupilas dos olhos, estas podiam se constringir até 87% quando as pessoas pensavam numa luz imaginária.

Podemos trabalhar para evitar as nossas armadilhas subconscientes – tais como filtros perceptuais – trazendo-as para o consciente, o que ocorre tão logo passamos a prestar atenção nelas. No momento em que nos tornamos cônscios[13] de um processo em geral subconsciente, ele atravessa para o nosso consciente. Uma vez que esses filtros são expostos à nossa consciência, podemos abordá-los, reconhecê-los e superá-los se necessário. Depois de aperfeiçoar essa nova habilidade, ela mesma se tornará um processo subconsciente; seremos capazes de observar as coisas *através* dos nossos filtros perceptivos e descobrir automaticamente os fatos relevantes. Sabemos que isso é verdade porque todos nós um dia aprendemos a amarrar os sapatos. Primeiro o processo exigia pensamento e concentração ativos, mas após alguma prática tornou-se uma ação que podíamos executar sem pensar, na verdade até mesmo de olhos fechados.

Comecemos por identificar os nossos filtros perceptuais examinando-os mais detidamente. Dedique alguns minutos a pensar sobre o que poderia estar deturpando não intencionalmente as coisas que você vê. Por exemplo, analise a sua própria reação à escultura de Matelli. Como ela faz com que você se sinta? Bem-humorado? Ofendido? Ambivalente? Não há resposta certa ou errada; todos nós sentimos o que sentimos. O que você sentiria se visse alguém desfigurando-a com um spray de tinta? E se visse alguém chorando ao lado dela?

A maneira como nos sentimos intimamente em relação a algo nos é informada pelas nossas experiências pessoais, que por sua vez contribuem para os nossos filtros perceptuais – filtros que distorcem ou realçam a forma como vemos. Para descobrir os seus filtros, à medida que imaginar cada cenário, faça a si mesmo as seguintes perguntas sobre o *Sonâmbulo*, e se a resposta for sim para alguma delas, anote quais poderiam ser as especificidades.

Será que estou sendo influenciado por...

- minhas próprias experiências ou experiências de pessoas próximas a mim?
- minha história, afinidade ou presente localização geográfica?
- meus valores, moral, cultura ou crenças religiosas?
- minha criação ou educação?
- meus desejos, ambições ou fracassos profissionais?
- meus desejos, ambições ou fracassos pessoais?
- meus gostos e aversões inerentes?
- minha experiência ou perspectiva financeira?
- minhas crenças políticas?
- meu estado físico (doença, altura, peso etc.)?
- meu atual estado de espírito?
- grupos com que me identifico e organizações a que pertenço?
- veículos de comunicação que já consumi: livros, televisão, sites?
- informação ou impressão que me foi passada por um amigo ou colega?

Para ajudá-lo a dar o impulso inicial, conto abaixo as minhas próprias respostas ao exercício:

Como a escultura de Matelli fez com que eu me sentisse?
Ligeiramente desconfortável por ter um aspecto tão realista. Não me sinto pessoalmente ameaçada, mas entendo que algumas pessoas se sintam.

Como me sentiria se visse alguém a desfigurando com um spray de tinta?
Ficaria aborrecida porque considero vandalismo desfigurar uma obra de arte e não acho que esse seja um modo aceitável de exprimir diferenças de opinião.

Como eu me sentiria se visse alguém chorando ao lado dela?
Preocupada, mas acharia difícil acreditar que a pessoa chorando estivesse mal por causa da escultura.

Será que estou sendo influenciada por...
...minhas próprias experiências ou experiências de pessoas próximas a mim?
SIM – Estou pensando numa grande amiga minha do colégio que, depois de ter sido deixada em casa pelo namorado após um encontro, deu de cara com

um homem estranho esperando por ela na garagem. Ele tentou estuprá-la, mas ela conseguiu escapar depois de mordê-lo na ponta da língua. Agora estou pensando em outra amiga do colégio cuja irmã mais velha não teve tanta sorte e não conseguiu rechaçar um estuprador que a atacou no emprego, no fundo de uma livraria de livros cristãos. Agora estou pensando numa professora da faculdade que foi estuprada num passeio de bicicleta pela região campestre da França, e na filha de uma amiga querida que foi atacada voltando a pé para seu alojamento estudantil na faculdade. O fato de eu me lembrar tão imediatamente de tantos casos de violência sexual contra mulheres é profundamente perturbador para mim e me faz entender as questões sobre a adequação de colocar essa escultura no campus de uma faculdade feminina. Posso não concordar, mas entendo as questões que foram levantadas.

...minha história, afinidade ou presente localização geográfica?
SIM – Estou no meu escritório, segura e a salvo, bem longe da escultura. É provavelmente por causa disso que é fácil pensar que ela não é ameaçadora para mim, porque não estou diante dela. Se estivesse, e visse que ela tem tamanho real, talvez até mais alta do que eu, talvez eu mudasse a minha percepção da estátua.

...meus valores, moral, cultura ou crenças religiosas?
NÃO

...minha criação ou educação?
SIM – Tenho um diploma em história da arte e venho trabalhando nessa área há muitos anos, então provavelmente tenho mais familiaridade com a escultura do que a média das pessoas. Isto poderia me tornar menos emocional em relação à escultura do que alguém sem um histórico semelhante.

...meus desejos, ambições ou fracassos profissionais?
NÃO

...meus desejos, ambições ou fracassos pessoais?
NÃO

...meus gostos e aversões inerentes?
SIM – Detesto admitir, mas simplesmente não sou grande fã de homens carecas. Pode ser apenas uma questão de gosto e estética pessoal, mas estou admitindo isto para considerar como esse fato poderia afetar a minha percepção da escultura.

...minha experiência ou perspectiva financeira?
NÃO

...minhas crenças políticas?
NÃO

...meu estado físico (doença, altura, peso etc.)?
SIM – Sou uma mulher de altura mediana, e a escultura é de um homem em tamanho real, de altura mediana. Eu poderia ter uma reação bem diferente a ela se fosse homem.

...meu atual estado de espírito?
NÃO

...grupos com que me identifico e organizações a que pertenço?
NÃO

...veículos de comunicação que já consumi: livros, televisão, sites?
SIM – Li um bocado de artigos sobre a polêmica em torno da escultura de Matelli, inclusive a petição original de algumas alunas.

...informação ou impressão que me foi passada por um amigo ou colega?
SIM – Uma amiga me disse que achava que a estátua era "arrepiante", uma palavra que provavelmente eu não usaria para descrevê-la.

QUANTO MAIS FAMILIARIZADOS ESTAMOS com aquilo que possa alterar as nossas observações, mais astutas e acuradas estas serão. Quando você é solicitado a contar alguma coisa objetivamente, pergunte a si mesmo se está relatando dados observacionais puros ou suposições sobre dados observacionais depois de passá-los pelo filtro da sua própria experiência pessoal.

A observação é um estudo dos fatos. Sabemos que temos filtros perceptuais capazes de deturpar ou nublar o que vemos, e sabemos que os outros têm seus próprios filtros, mas o que queremos selecionar são os fatos. Às vezes os nossos filtros perceptuais disfarçam opiniões como fatos, como ocorreu com a escultura do homem seminu de Matelli. Um espectador que tenha vivenciado traumas poderá enxergar as mãos erguidas da estátua como agressivas. Um fã de *Walking Dead* poderia descrevê-la como um zumbi. Nada disso é fato. Uma descrição correta: as mãos da estátua estão erguidas, os braços esticados. Será que a estátua está perdida ou cheia de luxúria? Nenhum dos dois. É um homem careca de cuecas. Dizer que você o acha arrepiante é subjetivo. Explicar as razões objetivas de *por que* você o acha arrepiante revelaria fatos úteis para alguém que achou a estátua meramente engraçada.

Ao buscar fatos, precisamos separar as descobertas subjetivas das objetivas, e estudaremos o conceito de subjetivo versus objetivo mais detalhadamente no próximo capítulo. Aqui eu quero enfatizar que filtros subjetivos e seus achados subjetivos não são necessariamente inúteis. Não precisamos jogá-los fora automaticamente. Em vez disso, use a maneira como outras pessoas olham para as coisas para conduzi-lo a fatos novos que você possa ter deixado de observar. Se persuadida, talvez eu revelasse que fiquei incomodada pelo comprimento das unhas da estátua. Outra observadora poderia usar a minha revelação para examinar uma parte da escultura que talvez não tivesse percebido. Um dono de academia poderia ressaltar a barriga distendida da estátua, ao passo que um podólogo ou alguém com dores nos pés poderia apontar a postura esquisita do homem. Uma criança de seis anos focalizaria aspectos diferentes da estátua se comparada ao dono de uma loja de roupas. Para garimpar o máximo de informação possível, não feche os olhos para nada, nem mesmo para a subjetividade dos outros.

Filtros perceptuais mais comuns

Ao mesmo tempo que estamos propensos à subjetividade na nossa inspeção inicial de algo, ficamos especialmente vulneráveis quando precisamos colher informação específica para atender aos nossos desejos pessoais ou profissionais. Quer você esteja pesquisando porque é esse o seu trabalho, ou simplesmente estudando uma ocorrência especial, certifique-se de que não está vendo algo apenas porque quer vê-lo ou porque é sua tarefa encontrá-lo.

Ver o que queremos ver

Este filtro muito comum tem vários nomes diferentes: viés cognitivo, viés de confirmação,[14] viés de engano, visão desejosa e visão em túnel. Ele nos põe em risco de reunir informação de maneira seletiva, buscando inconscientemente dados que sustentem as nossas expectativas e ignorando aqueles que não as sustentam. É uma armadilha comum em muitos campos. Pode-se constatá-la quando policiais fazem perfis raciais, quando jornalistas entrevistam apenas especialistas que apoiam sua opinião inicial sobre um determinado tópico, quando acadêmicos constroem estudos de caso para sustentar suas hipóteses e quando gerentes responsáveis pela avaliação de empregados se concentram somente em fatos de desempenho que correspondam à sua opinião preexistente de um funcionário. Pais fazem a mesma coisa, procurando avaliar acuradamente um comportamento extravagante do filho.

Encontramos prova pessoal de que a visão desejosa[15] molda a nossa experiência perceptual na "ilusão de frequência", que ocorre quando ficamos sabendo de algo novo e de repente o vemos por toda parte – por exemplo, quando você compra um carro novo e aí vê o mesmo carro em todo lugar. Não é que esse veículo em particular tenha de uma hora para outra inundado as ruas; você simplesmente não o notava antes. Ao final do livro, o mesmo provavelmente ocorrerá em termos de arte. Depois de solicitado a prestar atenção detalhada a obras de arte, é possível que você comece a ver imagens artísticas em todo lugar: em anúncios de cereal, em guarda-chuvas ou capas de laptop. Não foi a frequência dos seus contatos com obras de arte que cresceu misteriosamente; essas imagens sempre estiveram aí. Você só começou a notá-las porque elas se alinham com o aprimoramento das suas habilidades de observação, uma vez que você parou de bloqueá-las e deixá-las de fora.

Se por um lado o viés de confirmação é relativamente fácil de compreender a partir do largo ângulo da realização de desejos – ela queria desesperadamente que fosse verdade, então via as coisas dessa maneira –, um fato menos conhecido[16] é que as nossas preferências também podem mudar a forma como vemos minúcias da qualidade material das coisas, especialmente em relação a tamanho, comprimento ou distância. Em experimentos pelo mundo, pesquisadores descobriram que os nossos desejos fazem as coisas parecer fisicamente maiores ou mais próximas do que realmente são ou estão. Na Holanda,[17] pediu-se aos participantes de uma pesquisa que adivinhassem o tamanho de uma rosquinha de chocolate; pessoas em dieta estimaram que a rosca era muito maior do que pessoas que não estavam em dieta, porque era algo que os contadores de calorias estavam desejando. Em Nova York,[18] uma garrafa de água foi mostrada aos participantes e em seguida perguntou-se a eles a que distância ela estava; aqueles com sede avaliaram que a bebida estava mais próxima do que os demais.

Mesmo que a tendência de ver aquilo em que acreditamos seja largamente inconsciente, podemos reduzir seu efeito quando sabemos que a expectativa de certo resultado nos predispõe a procurar mais intensamente evidências que apoiem essa expectativa. O viés de confirmação prevalece sobretudo com dados que nos dão um sentido de autoverificação ou autoaprimoramento. Para se assegurar de que você não está confundindo seus desejos com fatos, faça a si mesmo duas perguntas: "Esta informação é consistente com o que eu achava no começo?" e "Esta informação me traz benefícios pessoais ou profissionais?". Os seus achados poderão ainda assim ser factuais mesmo que você responda positivamente a uma das perguntas; mas, ao levar suas expectativas em consideração já de início, você pode acrescentar mais transparência ao seu processo de coleta de informação.

Ver o que nos mandam ver

Às vezes outras pessoas podem adicionar filtros perceptuais às suas próprias observações. A integridade de nossa busca de fatos pode ficar comprometida quando procuramos por aquilo que pensamos que devemos achar. Se antes de lhe mostrar a fotografia eu tivesse dito que a exposição de Jane Alexander na Saint John the Divine estava sendo censurada por obscenidade, você provavelmente teria notado a nudez das estátuas canino-humanas muito mais depressa. Se eu lhe contasse uma história sobre um homem que contrabandeou joias ilegais nas roupas de baixo antes de lhe mostrar a fotografia da escultura de Tony Matelli, você teria focado mais rapidamente na sua roupa e em quaisquer saliências lá dentro. Mesmo que não percebamos, muitas vezes vemos o que nos dizem para ver.

Para compensar isto, preste atenção especial a quaisquer sugestões ou restrições externas que possam ser colocadas em suas habilidades de observação. Tive uma aluna na Escola de Enfermagem da Universidade da Virgínia que veio a mim depois de uma apresentação e confessou que achava a prática médica comum de "mapear pela exceção" indevidamente restritiva. Concebido para agilizar os registros médicos e facilitar a análise rápida de tendências, o processo de mapear por exceção instrui o pessoal a documentar apenas achados incomuns ou exceções à norma. Como resultado, médicos e enfermeiras são tentados a limitar o que estão procurando, especialmente se o mapeamento já tiver sido preenchido com "dentro dos limites definidos" por funcionários de turnos anteriores.

Não vá direto ao laudo; vá direto ao paciente. Como está o aspecto dele? Qual é a reação do paciente a *você*? Aplique o mesmo princípio a qualquer formulário ou avaliação ou relatório padronizado em qualquer campo. Tenha o cuidado de não permitir que essa padronização o deixe bitolado. A sua observação inicial deve ser a menos tendenciosa e limitada possível. Se uma gerente está fixada em seguir um formulário para avaliar a pontualidade ou rentabilidade de um funcionário, ela pode perder de vista outras referências significativas, tais como o vestuário, a conduta ou a linguagem corporal do empregado. Vá além da lista. Focar toda a atenção em referências padronizadas e ficar preenchendo quadradinhos inibirá logo de cara uma análise completa e acurada.

Este é um dos motivos por que não permito que os participantes do meu curso leiam as legendas das obras de arte quando estamos num museu, e também por que não menciono imediatamente o nome do artista ou da obra neste livro: porque as legendas moldam opiniões e criam preconceitos. Se eu tivesse dito imediatamente que a fotografia na p.56 chamava-se *A vaca de Renshaw*, você não teria tido a experiência de olhar a imagem livremente e aprender uma lição com a dificuldade de identificar a vaca. Se você soubesse que a escultura de Tony Matelli intitulava-se *Sonâmbulo*, talvez tivesse dificuldade em imaginar o homem como um invasor ou compreender como era possível que outra pessoa o visse dessa forma.

Num grupo de agentes do governo que levei para o Smithsonian American Art Museum, enquanto estávamos parados ao lado de uma escultura feita de bolas lisas e redondas empilhadas numa pirâmide, semipartidas e mostrando rostos em seu interior, uma pessoa disse ter visto vida nova saindo de dentro de ovos, outra viu máscaras mortuárias dentro de balas de canhão, enquanto uma terceira disse que as esferas a faziam lembrar doces *buckeye*, que são porções de manteiga de amendoim semi-imersas em chocolate. Se tivessem sabido de antemão que a peça tinha o título *In Memoriam*, cada observação teria sido tendenciosa no sentido de perda e guerra. Em vez disso, obtivemos uma gama mais honesta de informação e descobrimos que o terceiro observador vinha de Ohio e estava com fome. Esse tipo de informação é relevante ou útil? Com certeza pode ser. Ela abriu uma porta de experiência pessoal num contexto que de outra forma seria impessoal, permitindo que os colegas de trabalho desse homem o vissem de uma maneira que ainda não tinham visto antes – como um garotinho do Meio-Oeste na cozinha da mãe.

Para obter uma imagem completa e acurada de qualquer coisa, precisamos agregar toda informação possível e o máximo de perspectivas, de modo que então possamos selecionar, priorizar e dar sentido a ela. Legendas, relatos anteriores e informação preexistente podem assim ser incluídos na nossa coleta, mas só depois de termos olhado nós mesmos. Então, eis a ordem:

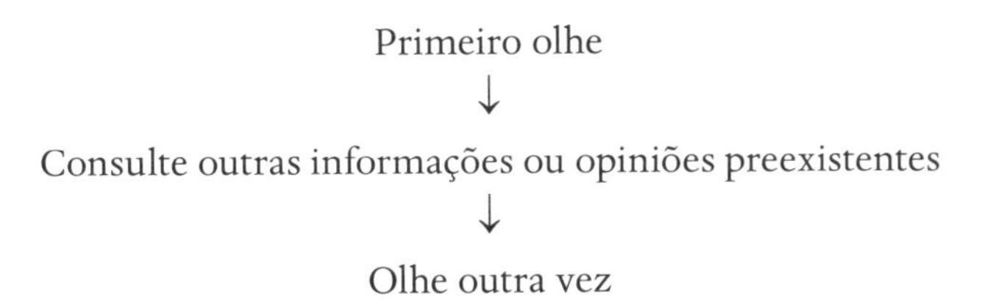

Estamos basicamente olhando as coisas duas vezes: primeiro sem qualquer influência externa, e depois com uma visão informada por dados novos. Primeiro você vivenciou por si mesmo a foto no começo deste capítulo, sem nenhuma influência externa. Agora que você possui mais informação – que o nome da foto é *Vaca de Renshaw* –, volte para a página onde está a fotografia e olhe novamente para ela. O nome significa alguma coisa para você e soa de algum modo familiar? Renshaw é na verdade o mesmo Samuel Renshaw mencionado no capítulo anterior, o perito em visão cujo sistema para reconhecer aviões com um simples olhar foi usado para treinar 285 mil cadetes durante a Segunda Guerra Mundial.

Renshaw costumava mostrar a mal revelada foto do bovino a quem o visitava em seu laboratório na Universidade Estadual de Ohio e pedir-lhes que adivinhassem o que era. Quase todos os adultos erravam a resposta. Um repórter[19] que investigava a contribuição de Renshaw para o esforço de guerra acreditou confiantemente que era um mapa da Europa, expondo assim seu viés de confirmação. Em contraste, cada criança pequena a quem Renshaw mostrava a foto a identificava imediatamente como uma vaca. Por quê? Com menos anos de experiência e uma propensão natural a não escutar, as crianças não têm tantos filtros perceptivos obstruindo sua visão.

Não ver as mudanças

A entrada final na nossa tríade de filtros perceptuais prevalecentes é a cegueira para mudanças, o fracasso em notar flutuações no nosso campo visual. Tanto o psicólogo por trás do experimento da "gorila invisível" quanto o nosso amigo Ladrão de Casaca encenaram exibições públicas, dramáticas, da facilidade com que podemos cair presas desta enfermidade perceptual.

Daniel Simons e seus colegas[20] realizaram um experimento durante o qual alguém se aproximava de pedestres numa universidade e pedia uma orientação. Enquanto falavam, dois homens carregando uma porta opaca cruzavam o espaço entre os dois, e nesse momento a pessoa pedindo orientação era substituída por outra. Apenas 50% das pessoas dando informação notavam a troca. Apollo Robbins participa e dá consultoria para o programa de televisão da National Geographic *Brain Games*,[21] que demonstrou a cegueira para mudanças por meio de um episódio montado num hotel de Las Vegas. Enquanto hóspedes falam com um funcionário do hotel, ele deixa cair a caneta, se abaixa atrás da mesa para pegá-la e é substituído por outra pessoa. Menos da metade dos hóspedes reconheceram o aparecimento de uma pessoa nova.

Considerando que o nosso cérebro se depara com aproximadamente 11 milhões de bits de informação por segundo, e conhecendo a natureza finita daquilo que podemos processar e em que somos capazes de prestar atenção, a cegueira para mudanças não é tão surpreendente assim.[22] Uma forma de combatê-la é reconhecer que tudo muda constantemente, mesmo que essas mudanças sejam pequenas demais para podermos observá-las em tempo real. Pense numa árvore. Você não pode vê-la crescer, mas mesmo assim ela cresce, talvez com a lentidão de poucos centímetros por ano. Você poderia passar pela mesma árvore todo dia e pensar que ela está com a mesma aparência, mas o que acontece se você der uma olhada mais cuidadosa?

Mark Hirsch fez isso. Passou de carro pela mesma árvore em Platteville, Wisconsin, todos os dias, por dezenove anos. Embora fotógrafo profissional, ele nunca tinha considerado tirar uma foto da árvore até comprar um iPhone

Mark Hirsch, *Aquela árvore, 14 de março de 2012*

Mark Hirsch, *Aquela árvore, dia 320: 6 de fevereiro*

Mark Hirsch, *Aquela árvore, dia 51: 13 de maio*

novo. Num fim de tarde de janeiro, ao passar pela árvore, envolta em neve e vento, parou o carro e resolveu estrear a minúscula câmera digital do novo telefone. Ficou tão tomado[23] pela fotografia do enorme carvalho erguendo-se à beira de um campo de milho que documentou a mesma árvore cada dia durante um ano.

Mesmo morando a apenas um quilômetro e meio de distância e tendo visto a árvore milhares de vezes, depois de dedicar tempo a realmente olhá-la, Hirsch descobriu que ela e seu familiar vale eram uma "terra estrangeira cheia de descobertas estranhas e maravilhosas".[24]

Quando entramos em qualquer situação pensando que será a mesma coisa que já vimos ou fizemos antes, estamos colocando o nosso próprio filtro perceptual que fará com que a mudança seja ainda mais difícil de encontrar. Os antolhos resultantes podem fazer com que percamos detalhes importantes, que entremos no piloto automático ou, pior ainda, que nos tornemos presunçosos quanto à nossa perícia, habilidade ou certeza. E é aí que as coisas podem ficar perigosas. Um dos detetives que participaram do meu curso admitiu que muitas vezes pensava "Sei exatamente como vai ser o aspecto da cena deste crime" antes mesmo de chegar para uma investigação. É uma tendência natural depois de anos no serviço, e todos somos tentados a cair nela. Mas não podemos. Quando médicos ou policiais ou professores dizem "Já vi isto antes", estão errados. Eles podem ter visto ou lidado com coisas ou casos ou pessoas similares, mas não aquela nova que está diante deles; essa nunca existiu antes. Pense nas fotografias da árvore de Hirsch: pode ser a mesma árvore, mas o clima, a umidade e a luz nunca serão exatamente os mesmos. A joaninha subindo pelo seu tronco nunca antes percorreu exatamente o mesmo caminho com exatamente os mesmos passos exatamente na mesma hora.

Não há dois trabalhos, salas de aula, cenas de crime, fregueses, alunos, pacientes, pessoas ou problemas iguais. Não existe isso de mesma pneumonia, mesmo estudante do ensino médio, ou mesmo contrato de negócios. Toda pessoa e toda situação são únicas. Tratá-las de outro modo é enganar a elas e a nós mesmos.

A arte da ilusão

Ilusionistas e mágicos se aproveitam de filtros perceptuais tais como a cegueira para mudanças e o viés de confirmação para nos entreter. Vigaristas e trapaceiros fazem o mesmo quando buscam tirar nosso dinheiro. Segundo Apollo Robbins, a melhor defesa contra estes últimos é "saber que você está sempre vulnerável a um ladrão com as habilidades certas".[25]

O mesmo pode ser dito das peças que o nosso cérebro pode nos pregar; nós somos todos vulneráveis ao nosso inconsciente e a filtros que sempre evoluem. Se não formos capazes de reconhecê-los e examiná-los, eles podem nos fazer mal. Para nos armarmos contra eles, devemos conhecê-los. Uma vez conscientes das nossas próprias lentes perceptuais, podemos ver através delas.

4. Os comissários de bordo prestam atenção

O "quem", o "quê", o "quando" e o "onde" da observação objetiva

Como acontecia na maior parte das tardes de sábado, o elegante shopping estava apinhado de compradores. Estudantes, mães com seus bebês, homens e mulheres de negócios, casais, pessoas de todas as idades e etnias passeavam pelo cintilante paraíso de lojas com seus cinco andares. No centro do shopping, brilhantes escadas rolantes cor de cobre cruzavam o ensolarado átrio sob o domo, onde os clientes podiam provar um iogurte, ver um filme ou pesquisar a última moda. Com supermercado, banco, cassino, cinema e mais de oitenta lojas no complexo de 35 mil metros quadrados, havia muito para ver e fazer. Talvez demais.

Em 21 de setembro de 2013, quatro homens se dirigiram à principal entrada de pedestres do shopping e começaram a lançar granadas. Uma vez dentro, receberam a companhia de um número indeterminado de parceiros e começaram a disparar armas automáticas contra toda e qualquer pessoa. Durante quatro dias[1] o pequeno grupo terrorista – talvez no máximo oito pessoas – manteve o Westgate Mall em Nairóbi, Quênia, sitiado, matando 68 pessoas, ferindo 175 e explodindo grande parte do edifício durante o processo.

Como foi que um punhado de homens conseguiu manter centenas de pessoas cativas dentro de um amplo e moderno shopping por tanto tempo? Por causa de um completo colapso de observação e comunicação entre locais, visitantes, lojistas, compradores e agentes da lei.

Depois de receber mensagens de texto de amigos presos no interior do shopping, cidadãos locais chegaram para ajudar e não encontraram nenhuma equipe da Swat, nenhum centro de comando e nenhuma resposta governamental coordenada. A força de segurança do shopping tinha fugido. Os guardas armados do banco no interior do estabelecimento estavam encolhidos num canto. Horas depois do começo do ataque, ainda não havia cerco perimetral organizado, levando muita gente a desconfiar que alguns dos primeiros assaltantes tinham simplesmente ido embora.

Quando polícia e soldados finalmente apareceram, não conseguiram se comunicar entre si porque seus rádios estavam sintonizados em frequências diferentes. Eles não tinham óculos de visão noturna, então havia limites quanto ao que podiam fazer depois de escurecer, e ninguém conseguia achar uma planta do prédio. O único mapa que conseguiram arranjar foi um impresso tirado do próprio site do Westgate – até que este entrou em colapso, inundado pelo resto do mundo em busca de informação.

Durante todo o sítio, um dos maiores desafios enfrentados pelas vítimas e pelas autoridades foi descobrir quem eram os mocinhos. Pessoas armadas na cena incluíam não só os agressores, mas policiais fora de serviço, um clube de armas local, uma guarda do bairro, um oficial britânico do Serviço Aéreo Especial e civis comuns armados. E os uniformes eram tão variados quanto os idiomas. Na metade do período de ataque, os terroristas trocaram de roupa. Quando se divulgou que os captores estavam poupando reféns muçulmanos, os clientes começaram a compartilhar *suas* roupas, para disfarçar sua nacionalidade. Do lado de fora, a polícia local confundiu um de seus próprios homens infiltrados com um terrorista e o matou. A confusão fatal atrasou por dias sua entrada no prédio.[2]

Enquanto as equipes de resgate esperavam e discutiam entre si, os terroristas reabasteceram seu estoque de armas com munição previamente escondida no shopping, e passaram quatro dias caçando, interrogando, torturando e mutilando clientes que tinham conseguido encontrar locais de esconderijo.

E se você estivesse lá dentro? E se alguém que você ama estivesse? O ataque de Westgate é um caso extremo de violência pública, mas não é tão incomum quanto pode parecer. De 2005 a 2012 houve dezesseis tiroteios em shoppings ao redor do mundo, doze deles nos Estados Unidos; e, em 2015, o grupo terrorista somali al-Shabaab incitou seus seguidores a organizar um ataque igual ao do Quênia no Mall of America, em Minnesota.[3]

Perder ou administrar mal dados importantes não é só uma questão de segurança pessoal; afeta também a reputação profissional e a lucratividade, nossa e das nossas empresas. Uma situação mal administrada, do almoxarifado à diretoria, pode erodir múltiplas facetas do valor de uma empresa, de ações e finanças até empregos e a confiança do cliente. Na nossa era digital,[4] a notícia de uma crise se espalha internacionalmente num instante, e segundo um estudo global feito pela Freshfields Bruckhaus Deringer, um ano depois, 53% das empresas ainda não viram os preços de suas ações retornarem ao nível anterior à crise.

Ao passo que são como cadinhos que trazem rapidamente à luz as falhas organizacionais, as crises não são a única situação em que precisamos catalogar e comunicar acuradamente o que vemos. Devemos ser capazes de examinar minuciosamente a cena em que nos encontramos, separar fato de ficção, priorizar informação e disseminá-la com eficiência de todas as maneiras possíveis – seja a nossa vida ou o nosso meio de vida que esteja na balança. Vamos investigar como fazer isso passo a passo para estarmos mais bem preparados.

Fato versus ficção

Os filtros perceptuais que estudamos no capítulo anterior às vezes fazem com que nossos cérebros tratem suposições como fatos. Vamos praticar estabelecer essa diferença do mesmo modo que fazemos ao longo do livro: analisando obras de arte. Para começar, dê uma olhada nestes dois quadros:

Cada uma delas mostra uma mulher com cabelo curto e pernas expostas, sentada e olhando para baixo. As duas figuras parecem similares? Poderiam parecer, porque foram pintadas pelo mesmo artista, Edward Hopper. Mas tenha cuidado para não tirar conclusões precipitadas com base nessa informação.

Dê uma olhada nessas duas mulheres:

Trata-se da mesma mulher? De fato é: Maud Dale, a esposa de um rico patrono das artes que teve o seu retrato pintado por dois artistas diferentes. É o mesmo artista? Não. O quadro da esquerda foi pintado pelo artista francês Fernand Léger, o da direita pelo americano George Bellow, dezesseis anos antes.

Para reunir dados com sucesso a partir do que observamos, não podemos presumir nada – nem mesmo quem é alguém – com base numa sensação, num olhar ou no que podemos ter vivenciado no passado. Da mesma forma, agir cedo ou rápido demais em muitas situações – implantar uma solução para um problema comercial, repreender um empregado, sair de um relacionamento – sem confirmação dos fatos pode ser prejudicial, e por vezes fatal.

Durante o sítio do Westgate Mall em Nairóbi, pessoas cativas que presumiram incorretamente a identidade dos homens armados que encontraram pagaram caro. Polícia, cidadãos prestativos e agressores estavam todos armados e vestidos de maneira semelhante, já que os terroristas muitas vezes usam uniformes de aparência oficial, e muitos policiais infiltrados estavam trajados à paisana. Sobreviventes que se esconderam dentro do supermercado Nakumatt relataram como, após várias horas, um grupo de homens armados chegou ao local onde estavam, proclamaram ser os salvadores e instaram os clientes a sair do esconderijo. Aqueles que saíram, agradecidos, de braços levantados foram baleados pelos traiçoeiros terroristas.[5]

Só porque alguém diz que uma coisa é fato, não quer dizer que seja. As pessoas mentem, e, como acabamos de ver, não podemos confiar nem mesmo que os nossos próprios olhos nos digam sempre a verdade. Para tornar um fato real, é preciso conferi-lo toda vez.

Viajo pelo mundo sozinha dando palestras e acho que sou bastante boa em garantir a minha segurança pessoal, mas aparentemente não boa o suficiente, segundo alguns agentes da lei. Certa vez, quando cheguei a uma estação de trem em Harrisburg, Pensilvânia, para falar num evento de treinamento do FBI, recebi uma mensagem de texto do motorista que tinham arranjado para mim dizendo que o meu transporte estaria à minha espera fora da estação: uma picape cinza Toyota. Achei o veículo facilmente, entreguei a minha bagagem alegremente para um simpático motorista e entrei. Quando as portas se fecharam e começamos a andar, o motorista me surpreendeu.

"Eu esperava mais de você", disse ele.

Mais de mim? Por quê?

"Você não pediu a minha identificação", ele continuou. "Eu podia ser qualquer um."

"Mas eu recebi uma mensagem de texto informando a marca e o modelo do carro", protestei debilmente.

"Esta picape cinza sem qualquer sinal específico?", ele insistiu. "Quantas outras picapes cinza havia estacionadas do lado de fora da estação?"

Eu não sabia. "Mas você mandou uma mensagem", recomecei.

"Como você sabe que fui eu?", ele indagou. "O seu número de telefone é mais fácil de encontrar do que você pensa. Se alguém quisesse sequestrá-la, com toda certeza você teria facilitado bastante."

Ele estava certo, é claro, e eu aprendi a minha lição. Precisamos ser mais atentos. Não podemos baixar a guarda, porque os criminosos – ou nossos concorrentes – não baixam.

Devemos também lembrar que as aparências enganam. Só porque um homem mostra um braço estendido e um sorriso pronto isto não faz dele um sujeito bonzinho, ou alguém que você deva conhecer. Trabalhando com policiais especializados em detecção comportamental na Diretoria Nacional de Segurança no Transporte, aprendi que um homem bem-vestido num terminal de aeroporto pode não ser rico; em vez disso, pode ser um traficante de drogas disfarçado para dissipar suposições com base na aparência. Da mesma forma, a velhinha modestamente vestida pode ser tremendamente rica. Os fatos do traje de uma mulher idosa podem incluir "um suéter puído, sapatos de lona surrados, um pequeno anel de ouro no dedo da mão esquerda", mas não "classe média" nem "viúva". O anel de ouro não indica automaticamente que ela seja casada.

Só os fatos (madame)

Para encontrar apenas o que é comprovado no palheiro de informações que frequentemente temos à nossa frente, devemos estabelecer como primeira meta ao avaliar uma cena ou ambiente novo a coleção de *todos* os fatos. Por definição, um fato é "uma verdade conhecida por experiência ou observação real". Tenha sempre a mente aberta e veja além do óbvio, mas focalize aquilo que pode observar como verdadeiro, não o que você presume que seja.

Ao olhar para qualquer coisa – um quadro, o quarto de um paciente, nossos colegas numa festa, uma praça pública ou uma fila de pessoas no aeroporto –, devemos estudá-la usando o mesmo modelo básico de coleta de informação empregado por jornalistas, agentes da lei e pesquisadores científicos: quem, o quê, quando e onde. Quem está envolvido nesta cena? O que aconteceu? Quando aconteceu? Onde a ação teve lugar? (O "por quê" virá depois, no capítulo 7, quando olharmos o conteúdo.)

Comecemos estudando o quadro de Edward Hopper que vimos há pouco para ver quantos fatos conseguimos coletar. Lembre-se, estamos usando a peça não como objeto de arte, e sim como uma coleção de dados. Você pode achar o nível de análise deste quadro de Hopper nas próximas páginas ridiculamente detalhado, mas esse é exatamente o ponto. Não passe por cima de nada. Dedique tempo para realmente absorver o processo.

Quem?

Quem é o sujeito desta cena? Uma mulher solitária. Você tem certeza? Olhe outra vez. Há mais alguém no recinto? No reflexo da janela? Não, ela parece estar sozinha.

O que mais sabemos sobre a pessoa? Ela é casada ou solteira? Não dá para saber. Sabemos seu nome? Não. Como podemos descrevê-la de forma definida? Ela parece ser branca e na casa dos vinte ou trinta anos, embora não jovem demais para estar só. Não tem nenhuma ruga na face, então isto faria com que sua idade caísse entre o fim da adolescência e o começo da casa dos quarenta anos. Não temos uma idade real como fato, mas eliminamos outras possibilidades: ela não tem dez nem sessenta anos.

E quanto à sua altura? Você consegue dizer a altura dela? Sim, já que, segundo as proporções da sala, ela está sentada a uma mesa que parece ser de tamanho padrão, numa cadeira de tamanho padrão. Poderíamos fazer alguns cálculos com uma outra pessoa sentada a uma mesa tamanho padrão ou até mesmo medir a mulher em relação às maçanetas da porta à esquerda e chegar a uma aproximação bastante satisfatória de sua altura.

E quanto ao seu peso? Ela está vestindo um casaco grosso que esconde a parte superior do tronco, mas podemos vez um pescoço esguio, dedos finos, pernas finas e um peito bastante plano. Podemos concluir que tem um peso mediano ou ligeiramente abaixo da média, mas não excesso de peso.

O que ela está vestindo? Um casaco e um chapéu. Seja mais específico. Se você tivesse que descrevê-la a outra pessoa, diferenciando-a de outra mulher de casaco e chapéu, como o faria? Ela está trajando um casaco verde de mangas compridas com detalhes de pele na gola e nos punhos. O casaco chega até os joelhos quando ela está sentada, o que significa que é mais longo quando ela está de pé.

O que mais podemos observar sobre o seu traje? Ela está usando um chapéu amarelo com um pequeno ramo de cerejas artificiais do lado direito. O chapéu tem uma aba caída que tampa o seu rosto. Saber o tipo de chapéu que escolheu usar pode nos dizer muita coisa a seu respeito. Então, que tipo de chapéu é? A menos que você seja especialista em chapéus, o que não é o meu caso, vamos ter de nos informar sobre ele. Podemos descobrir facilmente pesquisando na internet, mas precisaremos de uma boa descrição factual dele para obter bons resultados. Quando procurei "chapéus femininos" no Google obtive 69 milhões de resultados. Quando procurei "chapéu feminino bem-ajustado com aba caída", os resultados se reduziram para 3 milhões, e os três primeiros sites listados me deram imediatamente a resposta: é um chapéu cloche. Depois de outra pesquisa rápida descobri que o cloche é um chapéu bem-ajustado, em formato de sino, inventado em 1908, que foi muito popular na década de 1920.

Não podemos ver seus sapatos, mas você notou que ela só está usando uma luva? Onde está a outra? Não podemos vê-la. A esta altura, você pode estar dizendo: "E daí? Quem se importa?" Mas os segredos da vida são muitas vezes revelados por meio de pequenos detalhes. Pequenos detalhes podem solucionar crimes. Pequenos detalhes podem levar a diagnósticos importantes. Pequenos detalhes revelam grandes coisas.

O fato de estar usando somente uma luva poderia indicar seu estado de espírito. Ela está distraída? Com pressa? O fato de estar sentada com xícara e pires diante de um prato vazio poderia sugerir que ela já está sentada à mesa há algum tempo. Será que está usando a luva para esconder alguma coisa na mão esquerda? Uma deformidade? Uma mancha? Um anel de casamento? Não temos as respostas para essas perguntas, mas catalogar os fatos nos leva a fazer as perguntas certas.

E quanto às joias? Será que aquilo na orelha esquerda é um brinco vermelho ou uma mecha de cabelo? Parece que poderia ser um brinco, mas, se estudarmos a posição em que a orelha deveria estar em relação à base do nariz, o círculo vermelho prova estar alto demais para ser um brinco.

Há um brilho no seu dedo anelar direito que poderia ser um anel, ou talvez o quarto e o quinto dedos estejam apenas ligeiramente separados, permitindo que a mesa branca fique um pouquinho exposta. Um exame mais meticuloso da localização de sua mão revela que, se seus dedos estivessem separados, o que apareceria naquele ponto específico seria o punho do casaco, e não o tampo da mesa.

Não dá para saber se ela está usando alguma pulseira, mas ela não parece estar usando um colar.

E quanto à sua linguagem corporal? Seus lábios estão contraídos, e ela não está envolvida com ninguém. O casaco ainda está vestido. E ela olha para baixo, para dentro da xícara que segura na mão direita sem luva.

O que há dentro da xícara? Café? Como você pode ter certeza? A presença de uma xícara em vez de um copo sugere uma bebida quente, não fria. As alternativas mais prováveis de bebida quente são café, chá e chocolate quente. Não é possível discernir nenhuma cobertura de creme ou resíduo marrom que geralmente acompanha o chocolate quente. Não há nenhum saquinho de chá ou colher que normalmente acompanha o chá quente. Então, o café é um bom palpite, mas não um fato.

Um método similar de avaliar objetivamente o vestuário, o comportamento e as interações com objetos de uma pessoa pode nos ajudar a descobrir a identidade ou intenção de gente desconhecida em qualquer situação, desde um viajante no aeroporto que poderia ser um terrorista até um motorista esperando na calçada que poderia ser um sequestrador. Notar se os sapatos combinavam com o uniforme oficial, que tipo de armas eles carregavam e como caminhavam poderia ter informado àqueles que estavam dentro do shopping no Quênia muita coisa acerca de quem poderia salvá-los e quem poderia assassiná-los.

O quê?

A segunda pergunta no nosso modelo investigativo é *o que* aconteceu ou está acontecendo. Qual é a ação principal? Na pintura de Hopper não há muita ação: uma mulher sozinha sentada à mesa segurando uma xícara. Não há mais ninguém na figura, nem um indício sequer de outra pessoa. A mulher está olhando para baixo, de boca fechada. Há um prato vazio diante dela, além da xícara e do pires, o que indica que ela está à mesa há tempo suficiente para ter acabado de comer alguma coisa.

Tal simplicidade, porém, nem sempre é o caso. Muitos quadros, como muitas cenas da vida real, são complexos. Vamos olhar mais de perto uma pintura que mostramos no capítulo 1. O que se passa aqui?

Jan Steen, *Enquanto os velhos cantam, os jovens fumam*, 1668-70

Três mulheres e um homem de barba estão sentados em volta de uma mesinha repleta de comida; uma das mulheres segura um papel, uma segura um bebê e a outra uma taça de bebida na mão estendida. Um homem de cabelo comprido posta-se acima da mesa, derramando algum tipo de líquido na taça da mulher sentada. Outro homem, talvez sentado, talvez apenas de baixa estatura, está imediatamente à esquerda do anterior, segurando um longo cachimbo na boca de um jovem garoto. Outro garoto observa. Atrás dele, contra a parede, um homem segurando um instrumento que parece ser uma gaita de foles, com a palheta na boca, olha diretamente para o espectador – a única pessoa que faz isso. O grupo está cercado de animais. Uma ave tropical com uma cauda de longas penas, possivelmente um papagaio, olha para o grupo de cima de um poleiro no canto da sala, perto de duas aves menores numa gaiola pendurada no alto da parede. Um cão malhado, focinho e rabo levantados, olha para fora do quadro para algo que não podemos ver.

O que o grupo está fazendo? Não podemos tirar uma conclusão definitiva, mas podemos juntar fatos que nos auxiliem a eliminar suposições incorretas. Será que estão jantando? Provavelmente não, já que a mesa em torno da qual estão sentados é pequena e não contém lugares definidos. A maioria das pessoas na pintura está sorrindo, alguns não têm expressão nenhuma, e o tocador de gaita pode estar pensativo, mas parece haver uma ausência de tensão ou conflito. Será que as pessoas do grupo têm relação entre si? Não temos fatos a favor ou contra para provar essa premissa, de modo que não vamos assumi-la. Podem ser vizinhos ou hóspedes num albergue.

Podemos não ter um quadro completo do que está se passando, mas descobrimos muitos fatos que podem apontar para o que está ou não acontecendo. O grupo tem comida e bebida, música e companhia. Estão totalmente vestidos e sentados em torno de mobília entalhada. Há crianças presentes. Os animais retratados estão calmos. A partir disso podemos dizer o que não está acontecendo. Não há nenhuma tempestade rugindo lá fora. As pessoas não estão famintas. Com exceção do possivelmente pensativo tocador de gaita, a linguagem corporal do grupo é relaxada e sugere que todos se conhecem.

É importante dedicar algum tempo para analisar o que está acontecendo. No tiroteio do shopping de Nairóbi, muita gente não conseguiu perceber o que estava ocorrendo nas cercanias imediatas, e sofreu por causa disso. Alguns clientes primeiro pensaram que os tiros eram um aquecedor a gás explodindo ou um assalto a banco. Aqueles que fugiram sem primeiro avaliar o que acontecia correram diretamente para a linha de fogo dos atiradores. Aqueles que esperaram, e concluíram que era um ataque terrorista, encontraram esconderijos seguros. Mesmo que pareça óbvio e indigno de investigação, especialmente quando as coisas estão calmas, resista ao impulso de passar correndo pelo *o quê*, ou do contrário você deixará para trás fatos valiosos que de outro modo talvez não possa recuperar.

Quando?

Agora vamos investigar *quando* a ação está ocorrendo. Que fatos podemos descobrir sobre quando ocorreu a cena na pintura de Hopper da mulher sozinha à mesa?

Que época do ano era? As roupas com bordas de pele geralmente nos localizariam no fim do outono ou no inverno, todavia seu chapéu amarelo, adornado de cerejas, parece não combinar com essas estações. Poderia ser início de primavera e ainda haver um frio fora de época? Seja como for, poderíamos eliminar o rigor do inverno, pois seu chapéu parece um pouco leve, e o auge do verão, pois seu casaco parece grosso demais para o tempo quente.

Que hora do dia é? Já escureceu, mas qual é a hora? Como os dias são mais curtos no começo da primavera e no fim do outono, em muitos lugares pode estar totalmente escuro às cinco da tarde, e continuar escuro até as sete da manhã, então temos uma janela de catorze horas. Podemos reduzir esse intervalo de tempo, porém, notando que a cena do lado de fora da janela também carece de luz artificial. O interior claro e limpo sugere que o local não fica numa parte perigosa ou isolada da cidade, então deve haver atividade do lado de fora da janela: luzes de rua ou faróis de automóveis. O fato de não havê-los sugere ou uma hora estranha, tardia, quando a maioria das pessoas não sai nem circula, ou simplesmente uma escolha estética para criar um estado de espírito de isolamento e solidão. Ambas as possibilidades devem ser levadas em conta como observação.

E quanto ao ano ou época? A pesquisa do chapéu da mulher nos colocou na década de 1920. Pesquisa adicional sobre a evolução do chapéu cloche mostra que por volta de 1928 a aba tinha sumido, ou era virada para cima, então provavelmente estamos antes desse ano, já que o chapéu da nossa personagem está com a aba virada para baixo.

Onde?

Finalmente, precisamos avaliar *onde*. Onde está ocorrendo a cena da pintura de Hopper? Sem logo na janela ou qualquer palavra escrita em algum lugar, precisamos fazer um pouco mais no processo de observação.

Com base nas paredes, portas, janelas e luzes elétricas, podemos ver que a cena ocorre no interior. O lugar é limpo, bem conservado e bem iluminado. O aquecedor e as maçanetas douradas não mostram nenhum sinal de deterioração ou desgaste.

Podemos ver uma mesa redonda, de tampo branco, com duas cadeiras de cor marrom-escura. No canto direito inferior aparece o encosto de outra cadeira, sugerindo que há pelo menos mais um conjunto de mesa e cadeiras. Você não deu atenção a esse canto da cadeira? Isso é importante?

Notar os fatos referentes ao seu local – o que está ao seu redor ou o tema de qualquer cena que você esteja estudando – pode ser fundamental, e até mesmo salvar vidas, se acontecer algo inesperado. Saber onde ficam as saídas de emergência num cinema com as luzes apagadas, quais são as filas de poltronas com saídas de emergência num avião ou onde está o abrigo contra catástrofes ou a porta mais resistente no caso de um desastre natural pode fazer toda a diferença. Consciência situacional é imperativa para a tomada de decisão em muitas situações, desde controle de tráfego aéreo e serviços de emergência até dirigir um carro ou manobrar uma bicicleta numa rua movimentada.

Conforme mencionei, frequentemente viajo a trabalho, e muitas vezes me vejo sozinha em quartos de hotel – uma situação possivelmente insegura para qualquer um, já que hotéis podem ser espaços cavernosos, cheios de meandros, com uma clientela numerosa e transitória condicionada a ignorar os barulhos nos quartos vizinhos. Portanto, não fico em quartos no primeiro andar, pois esses são facilmente acessíveis do exterior. Em caso de uma emergência, reservo um tempo para localizar o elevador e as escadas mais próximas. Registrar cuidadosamente onde estou, quem está ao meu redor e os meios de saída mais próximos é fundamental para a minha segurança, e é uma avaliação que faço antes de entrar num elevador, percorrer um lance de escadas ou pegar um ônibus ou metrô.

A sobrevivente do Westgate Mall Elaine Dang fez a mesma coisa, e isso salvou sua vida. A moça de 26 anos de San Diego que trabalha no Quênia estava presente a uma competição infantil de culinária quando as primeiras granadas explodiram. Ela contou à CNN que um dos apresentadores do concurso disse a todo mundo para correr até o estacionamento. De início ela seguiu a orientação, mas depois mudou de ideia, concluindo que a multidão era vulnerável. Em vez disso, voltou para a área da competição, sabendo que havia ali um grande balcão de cozinha prateado, atrás do qual podia se esconder. Foi o que ela fez, e sobreviveu. Muitos outros correram cegamente para o estacionamento e não sobreviveram.[6]

Vamos voltar e olhar mais detidamente para o local da pintura de Hopper para ver o que mais podemos descobrir. Sobre a mesa há um prato vazio, e a mulher segura uma xícara que tem seu próprio pires. Que tipo de lugar serviria bebida e comida quente, tendo múltiplas mesas e cadeiras? Um restaurante, lanchonete ou cafeteria? Também não há mais nada sobre a mesa que esperaríamos ver num restaurante ou lanchonete; não há guardanapos, nem galheteiro, nem sal ou pimenta, nem um cardápio. Não podemos ver ninguém para receber os clientes, nem uma placa de boas-vindas, nem um caixa.

O que podemos ver? Sobre o peitoril da janela atrás da mulher há outra insinuação de comida: uma grande taça com frutas vermelhas, amarelas e laranja. Do lado direito podemos ver a parte superior do corrimão de uma escada que desce. A frente do estabelecimento é dominada por uma ampla janela. Tudo que podemos ver nela são duas fileiras de luzes elétricas estendendo-se de volta para dentro do prédio.

Assim, que local em meados da década de 1920 seria limpo, bem conservado, oferecendo comida e bebida, estando aberto à noite e sendo seguro para uma mulher sozinha? Com essa informação, você poderia procurar na internet e descobrir a resposta: um Automat. Automats eram "restaurantes" sem garçons. Máquinas de vendas self-service enfileiravam-se diante das paredes; os fregueses podiam escolher a comida que quisessem por alguns níqueis. A Horn & Hardart abriu seu primeiro Automat em 1902; num certo momento, foi a maior cadeia de restaurantes do mundo, servindo 800 mil pessoas por dia. Os Automats tinham tipicamente mesas redondas com tampos brancos de mármore Carrara, como vemos na pintura de Hopper. E eram conhecidos por terem o melhor café da área.

Obtendo as respostas

Como estamos usando obras de arte para afiar as nossas habilidades de observação, saber alguma coisa sobre o histórico desse quadro, o estilo em que foi pintado, ou sobre o próprio pintor não é essencial nem exigido. Contudo, como de fato temos alguma informação sobre o quadro, podemos usá-la para confirmar nosso sucesso ou fracasso como observadores.

O título deste quadro é *Automat*, e ele foi exibido pela primeira vez em 1927. A mulher na pintura foi retratada tendo como modelo a esposa de Hopper quando era mais jovem, mas não sabemos quem ela pretende ser, de onde veio ou para onde vai, ou como se sente. Nunca teremos todas as respostas – não é muita gente que tem. Porém, quanto mais observadores formos, mais fatos poderemos coletar, catalogar e processar, e mais saberemos.

Se mais pessoas no Westgate Mall no Quênia tivessem observado e organizado quais fatos sabiam ou não, muitas delas poderiam ter se salvado. Por exemplo, as pessoas escondidas na sala dos fundos da loja de celulares Safaricom ouviram barulhos nos dutos de circulação de ar e consideraram subir até eles para escapar, para então descobrir que não sabiam se os barulhos vinham de outros reféns ou de terroristas vagando pelo local. Sem os fatos, permaneceram onde estavam, e sobreviveram.

Quando um queniano ferido estava sendo evacuado com outros clientes, alguém notou um estojo de balas de metralhadora caindo de um de seus bolsos. Se não fosse por isso, esse terrorista talvez tivesse ficado livre. No entanto, ele acabou sendo preso.

Quantos detalhes não foram notados ou relatados por ninguém durante os meses anteriores ao ataque? A BBC reportou[7] que os terroristas vinham alugando uma loja dentro do shopping há meses, fazendo entrar às escondidas e armazenando um estoque maciço de armas. Como foi que suas atividades e a transferência de armas passaram despercebidas? Da mesma maneira que todos nós deixamos de perceber fatos quando estamos ocupados ou distraídos ou simplesmente não olhamos. Uma semana depois do ataque, os passageiros de um trem metropolitano lotado em San Francisco deixaram de ver Nikhom Thephakaysone erguer várias vezes uma pistola calibre .45, coçar o nariz com ela e apontá-la para um estudante sentado do outro lado do corredor. Segundo o *San Francisco Chronicle*, dezenas de passageiros estavam de pé e sentados a apenas alguns metros, "os olhos focados em smartphones e tablets",[8] e não levantaram os olhos até Justin Valdez, de 26 anos, ser baleado e morto.

Uma boa habilidade de observação objetiva não é necessária apenas para situações de ameaça à vida; é imperativa para muitas facetas da nossa vida pessoal e profissional. Com frequência leciono a pessoas que interagem com crianças como parte de seu trabalho – pessoal médico, educadores, investigadores dos serviços de família –, e elas me lembram da seriedade de reportar objetivamente. Uma mulher, assistente social de Maryland, me mostrou a importância dos ferimentos.

Há uma diferença significativa entre informar que uma criança está "coberta de feridas" e que ela "tem três feridas redondas, do tamanho de moedas, vermelhas e amarelas, logo abaixo do joelho, uma na perna esquerda e duas na direita". A segunda descrição provavelmente pode valer para a maioria das crianças ativas por causa da frequência com que esfolam as canelas. Outros locais, tais como face, cabeça, pescoço e nádegas, não são pontos normais de ferimentos. A cor e o tamanho dos machucados podem ser tão reveladores quanto sua localização. Feridas redondas são resultado típico de bater em alguma coisa. Ferimentos longos, retangulares ou com formato de mão, não. Machucados podem apresentar a cor vermelha até estarem totalmente sarados, mas feridas amarelas indicam caracteristicamente que pelo menos dezoito horas se passaram desde o impacto inicial. E como os ferimentos somem, é crucial descrevê-los em detalhes claros e objetivos tão logo você os observe.[9]

A importância da descrição objetiva aplica-se igualmente a coisas aparentemente inconsequentes da vida, tais como um pedido de cappuccino. Fazer com que ele venha do jeito certo requer um pedido descritivo acurado que começa com o freguês, continua com o atendente e termina com o encarregado de tirar o café. Qualquer preguiça na observação ou comunicação pode custar tempo, dinheiro e frustração para todas as partes. Uma xícara de café ruim é realmente algo tão importante? É sim, se você não consegue enfrentar o seu dia sem uma boa xícara de café matinal, ou se está no ramo de venda de café. Pequenos erros se somam. Se somente um café mal preparado por dia[10] for jogado fora em cada uma das suas 20 mil lojas, a Starbucks perderá cerca de US$ 8,5 milhões de dólares por ano; dois pedidos mal atendidos dobra esse número para US$ 17 milhões – um prejuízo passível de ser evitado.

Ocasionalmente, um participante cético do meu curso protesta, dizendo que catalogar fatos num quadro não é nada parecido com um trabalho diário. Eu discordo. Quase todo trabalho, especialmente aqueles nas "linhas de frente" de um negócio, tais como porteiros, recepcionistas, atendentes e assistentes executivos, requer vigilância objetiva. Nem sempre estamos conscientes do quanto nós e os que estão à nossa volta estão praticando essa vigilância. Tomemos um comissário de bordo como exemplo. Os comissários de bordo não só são embaixadores de uma companhia aérea, anfitriões e garçons, peritos em segurança, especialistas em administração e inventário, encarregados de horários e cronogramas, carregadores e às vezes recepcionistas, mas também coordenadores de serviços de segurança e, em essência, primeiros respondedores. Mesmo durante o ritual aparentemente corriqueiro de receber e sentar passageiros, a tripulação da cabine também é responsável pela verificação do que a Organização Internacional de Aviação Civil chama ABP – "able-bodied passengers" [passageiros fisicamente aptos] – pessoas com quem se pode contar para auxiliar numa emergência. Deve haver pelo menos três ABPs por saída. O tamanho e envergadura, idade e localização dos assentos dos ABPs muda a cada voo. Não há uma lista predeterminada ou de inscrições para indicadores de ABP. À medida que novos passageiros sobem, os comissários de bordo devem rapidamente identificá-los por meio de uma avaliação discreta e astuta; a maioria dos ABPs nem sequer sabe que está marcada mentalmente.

Um ABP precisa ter mais de quinze anos de idade; ter suficiente mobilidade, força e destreza em ambos os braços, mãos e pernas; ser capaz de ler, compreender e se comunicar em inglês; não precisar de uma extensão do cinto de segurança; e estar viajando sozinho, pois as pessoas têm maior probabilidade de assistir os membros da própria família antes de ajudar estranhos. Os atendentes de voo são treinados não só a localizar ABPs com habilidades físicas, cognitivas e mentais corretas, mas também identificar passageiros que possam entender e receber instruções e se manter calmos quando sob pressão.

Tudo isto é determinado por meio de observação objetiva. Servindo milhares de pessoas por ano, os comissários de bordo sabem melhor do que ninguém que não se pode presumir nada pela aparência. Só porque alguém tem determinada aparência isto não significa que não fale inglês ou tenha estômago forte ou não esteja se relacionando com a moça bonita com quem está dividindo seu lanche. Os comissários de bordo devem chegar às suas conclusões olhando, escutando e juntando as pistas que lhes são apresentadas. O sujeito com mais de um metro e oitenta que perguntou à atendente sobre turbulência? Este está descartado. A mulher que entra se arrastando com uma bengala? Não. O cavalheiro que graciosamente ajuda a pessoa à sua frente a guardar a bagagem de mão no bagageiro? Um bom candidato.

Quando estamos juntando fatos, porém, devemos cuidar para que as nossas observações sejam objetivas, e não subjetivas. A distinção pode ser pequena, mas de fundamental importância: é literalmente a diferença entre fato e ficção. Uma observação objetiva baseia-se em fatos empíricos ou matemáticos. Uma observação subjetiva baseia-se em premissas, opiniões, sentimentos ou valores. *A ferida é muito feia* é uma afirmação subjetiva; *a ferida é redonda, aproximadamente com dois centímetros de diâmetro e púrpura* é uma afirmação objetiva.

Como evitar o subjetivo

Uma maneira de assegurar que as nossas observações se mantenham objetivas é quantificá-las, contando, estimando ou utilizando instrumentos de medição. "Pequeno" pode significar coisas diferentes para pessoas diferentes: uma joaninha é pequena comparada a um cachorro, mas um cachorro é pequeno comparado a um elefante. Acrescentar números ajuda a remover interpretações e dúvidas. "Pequeno" é subjetivo; "dois centímetros de diâmetro", não. Sempre que puder, faça uma medição, ou, se isso não for possível, uma estimativa, mas use sempre valores numéricos. Em vez de dizer que há "muitas" luzes no teto acima da mulher na pintura *Automat* de Edward Hopper, anote que há "duas filas de sete luminárias". Em vez de dizer que "há algumas cadeiras" na cena, seja específico: "São visíveis três cadeiras escuras, de madeira, sem braços."

Até mesmo fenômenos que não podem ser contados ou mensurados podem ser quantificados. Em vez de dizer que o cão é "fedorento", quantifique: "Numa escala de um a cinco, sendo cinco o pior, o cheiro que emana do cachorro é quatro."

Por fim, substitua adjetivos descritivos por substantivos comparativos. "Fedorento" é subjetivo. O mesmo vale para "cheira mal". O que cheira mal para alguns – grama cortada, gasolina – tem um cheiro maravilhoso para outros. Em vez disso, ache um substantivo concreto para comparar com o cheiro que você está descrevendo: "O cachorro cheirava como peixe morto."

A busca pela objetividade, no entanto, não termina com a observação; devemos nos assegurar de, ao tirar conclusões, estarmos usando apenas fatos, não opiniões. Suponha que você não tenha visto o quadro de Hopper mas tenha recebido dois diferentes resumos descritivos dele. Qual deles é objetivo e qual é subjetivo?

- Uma mulher desamparada está sentada sozinha numa cafeteria a uma mesa redonda, branca, de mármore.
- Uma mulher com a boca fechada e olhando pra baixo segura uma xícara com pires, sentada sozinha a uma mesa redonda, de tampo branco.

Ambos descrevem a cena, ambos transmitem que a mulher não está dançando nem rindo, mas sentada quieta, olhando para baixo. Contudo, a primeira descrição chega à conclusão de que a mulher está desamparada, um adjetivo que significa estar solitária ou triste. Esta é uma interpretação subjetiva da expressão da mulher, não a afirmação de um fato. A segunda descreve a face e a expressão da mulher com base em fatos objetivos – está olhando para baixo, com a boca fechada – sem acrescentar nenhuma presunção sobre seu estado de espírito.

A primeira descrição também conclui que a mulher está sentada numa cafeteria. A segunda, em vez disso, declara factualmente que a mulher está segurando uma xícara, sem adivinhar o tipo de lugar em que ela está ou o que há dentro – se é que algo – da xícara. Qual é o problema de "cafeteria" versus "segura uma xícara com pires"? Enorme. Onde ela está não foi nem provado nem refutado. Afirmar como um fato algo tão importante quanto o local, mesmo casualmente, sobretudo para alguém que não tenha familiaridade com a cena ou que esteja na base da cadeia de informação, pode levar a mais suposições falsas que se transformam em "fatos".

Por exemplo, a localização[11] estava no centro do argumento contra a estátua do *Sonâmbulo* de Matelli, pois alguns contestadores afirmavam que, ao instalar essa estátua numa faculdade exclusivamente feminina, a administração estava deixando de oferecer um ambiente "seguro" para suas alunas – uma alegação séria. Não se tratava de um debate sobre "um sujeito relaxado de cuecas",[12] como descreveu um professor de inglês da Wellesley College, mas sobre onde se encontrava: uma escola com um corpo discente totalmente feminino. Ao reportar a estátua como estando num local "proeminente" no campus, o *Boston Globe* deflagrou uma controvérsia em vez de um exame objetivo. "Proeminente"[13] é subjetivo; é uma opinião sobre a importância.

Todavia, atribuí-la[14] ao local da estátua sem qualquer informação factual ou logística atiçou as chamas de relatos segundo os quais as alunas ficaram "surtadas" com a estátua e tampouco podiam evitá-la.

Se você fosse repórter, pai ou mãe de uma aluna da Wellesley ou membro da diretoria dos contribuintes da escola, seria do seu maior interesse reunir todos os fatos referentes ao local onde foi colocada a estátua. E um local "proeminente" não é uma descrição de local completa nem factual. A estátua não foi colocada impensadamente; foi posta bem diante do Davis Museum, que fica dentro do campus, especificamente posicionada para ser vista das janelas do primeiro e quinto andares, que continham *o resto da exposição de Matelli*, que incluía outras esculturas humanas realistas. Conforme explicou a diretora do Davis Museum, Lisa Fischman, *Sonâmbulo* foi posto ali para "ligar a exposição – dentro do museu – com o mundo do campus lá fora";[15] ela a via como "arte escapando do museu". Os funcionários da escola também notaram que a obra não fora posta numa área que pudesse invadir a privacidade pessoal, como por exemplo diante de um alojamento; de fato, fora colocada propositadamente numa área gramada sem calçadas, para não obrigar as alunas a interagir com ela.

Trazer à tona todas as observações objetivas sobre a localização de *Sonâmbulo* é fundamental para determinar se a Wellesley tinha intenção de confrontar ou agredir suas alunas com arte. De maneira similar, temos a responsabilidade de colher o máximo possível de observações objetivas – não parando numa primeira olhada, numa olhadela apressada ou num item assinalado numa lista – de modo a estarmos seguros de que as conclusões alcançadas sejam baseadas em fatos e não em suposições.

O risco das suposições

Enquanto pesquisava para este livro, eu estava lendo com meu filho e me deparei com uma maravilhosa descrição das desvantagens das suposições em *Inferno no colégio interno*, de Lemony Snicket:

> Suposições são coisas perigosas[16] de se fazer, e como todas as coisas perigosas de se fazer – bombas, por exemplo, ou biscoito de morango –, se você cometer o menor erro que seja, pode se achar em terríveis apuros. Fazer suposições simplesmente significa acreditar que as coisas são de um certo jeito com pouca ou

nenhuma evidência que mostre que você está correto, e você pode ver imediatamente que isto pode levar a apuros terríveis. Por exemplo, certa manhã você poderia acordar e supor que a sua cama estaria no mesmo lugar onde sempre esteve, mesmo sem ter evidência real de que isto fosse verdade. Mas, ao sair da cama, poderia descobrir que ela havia flutuado para o mar, e agora você estaria em terríveis apuros, tudo por causa da suposição incorreta que você fez. Você pode ver que é melhor não fazer suposições demais, particularmente pela manhã.

Mesmo diferenças sutis entre conclusões objetivas e subjetivas podem ser cruciais. Ao descrever o quadro de Hopper, ainda que "uma mesa redonda, branca, de mármore" e "uma mesa redonda, de tampo branco" tenham praticamente apenas uma palavra de diferença, essa palavra é importante. Que a mesa seja feita de mármore, não foi provado; não é um fato. Poderia facilmente ser de madeira pintada ou mármore de Carrara; o artesão popular Oscar Bach fazia tampos de mesa de ônix branco na década de 1920. A primeira descrição também afirma que a mesa é "branca" e "de mármore", mas não especifica quando e onde. Há uma acentuada diferença entre uma mesa toda branca e uma apenas com tampo branco, assim como uma totalmente feita de mármore e outra apenas com tampo de mármore.

Tem alguma importância de que material é feita uma mesa? Pode ter muita. Notar a composição de um objeto salvou a vida de Goran Tomasevic e dos policiais que ele seguiu para dentro do Westgate Mall em Nairóbi. Principal fotógrafo da Reuters na África Oriental, Tomasevic escondia-se atrás de uma grande coluna junto com a polícia durante uma troca de tiros com os terroristas. Quando notou que o pilar não estava preso ao prédio e deu algumas batidas nele, descobriu que era oco. Disse aos seus companheiros para baterem também, o que eles fizeram, para em seguida responder: "E daí?" Tomasevic explicou que o material fino não impediria a passagem das balas, portanto não oferecia a proteção que eles estavam buscando. Rapidamente, eles passaram para um local mais bem fortificado, e sobreviveram.[17]

Suposições podem ser prejudiciais quer sejam formadas acerca de coisas subjetivas ou a partir de fatos. Já mencionamos que uma senhora idosa numa fila de aeroporto usando um anel no quarto dedo da mão esquerda não é necessariamente casada nem noiva nem viúva. Ela pode ter sido solteira a vida toda. Volte para o quadro da p.31, que mostra uma mulher branca, pluma na cabeça, segurando uma pintura das costas nuas de alguém. Notamos no capítulo 1 que ela usava um anel – e isso continua sendo verdade –, visível no quarto dedo da mão esquerda. Assumir que isto significa que ela seja ou casada ou noiva ou viúva não estaria necessariamente correto. Ela é, na verdade, uma prostituta. Da mesma maneira, não podemos presumir que as pessoas em volta da mesa no quadro da p.89 tenham alguma relação, ou que a mulher no *Automat* de Hopper esteja esperando por alguém.

Inferências subjetivas nem sempre são fáceis de identificar ou desconsiderar, uma vez que são informadas por observações e fundamentadas em percepções. Até mesmo as melhores organizações falham em eliminar suposições.

Em 2005, a Comissão de Inteligência sobre o Iraque, formada para determinar como a comunidade dos serviços de inteligência norte-americana havia julgado mal o programa iraquiano de armas de destruição em massa (ADM), apresentou ao presidente dos Estados Unidos um relatório de 601 páginas sobre seus achados. A comissão concluiu que "suas principais causas foram a incapacidade da Comunidade [dos serviços] de Inteligência de coletar boa informação sobre os programas ADM, sérios erros ao analisar a informação reunida e falha em deixar claro o quanto de sua análise baseava-se em suposições, e não em boa evidência".[18] E prosseguia dizendo que "os analistas estavam casados demais com suas suposições" e "grande parte das suas conclusões assentava-se em inferências e suposições".

Quantas outras empresas públicas ou privadas poderiam resistir ao mesmo tipo de escrutínio efetuado por uma investigação externa com acesso a todas as suas comunicações? Será que a sua poderia? Todos nós fazemos suposições com mais frequência do que pensamos, e, como uma bola de neve, até mesmo as menores vão crescendo à medida que rolam montanha abaixo.

Quanto mais cedo a suposição é feita, mais perigosa ela é, porque distorce as observações subsequentes. A precisão nos primeiros estágios do processo de observação é fundamental. Se você é uma testemunha ocular ou a primeira pessoa a receber uma notícia ou a preencher o relatório inicial, tem uma responsabilidade maior de ser objetivo e detalhado nas suas observações.

AGORA QUE TEMOS uma compreensão firme dos blocos construtivos da observação objetiva – quem, o quê, quando e onde –, estamos prontos para olhar mais longe do que está diante dos olhos na busca por sutilezas que possam revelar informação.

5. O que se esconde bem diante dos olhos?

Ver a floresta e as árvores

John Singleton Copley, *Sra. John Winthrop*, 1773

Conheça a sra. John Winthrop. Você pode visitá-la "em pessoa" no Metropolitan Museum of Art em Nova York.[1] O retrato da sra. Winthrop foi pintado por John Singleton Copley em 1773 quando ela era casada com seu segundo marido, um professor de Harvard. A pintura é notável por seu realismo e uma oportunidade perfeita para praticar a observação objetiva. Dedique alguns minutos para observar o máximo que puder sobre quem, o quê, onde e quando se passa esta cena.

Você notou o azul vibrante do vestido? Os punhos duplos de renda branca? O laço com listras azuis, pretas e brancas no peito? O laço com listras vermelhas, pretas e brancas na touca? O cabelo castanho com um leve bico de viúva? As seis fileiras de pérolas em volta do pescoço? O queixo múltiplo e suas covinhas? O estofamento vermelho da cadeira? As unhas curtas e limpas? O anel de granada e diamante no dedo anelar esquerdo? As nectarinas que ela segura nas mãos, uma ainda presa ao galho?

Embora este quadro retrate uma figura solitária contra um fundo liso, escuro, semelhante à cena exterior à janela no *Automat* de Hopper, o detalhamento aqui é rico, e dá ao observador atento muito mais informação sobre a retratada do que a pintura de Hopper. Podemos ver as diversas texturas no seu corpete, as dobras de pele no seu pulso e muitas gloriosas rugas na sua face.

Ao catalogar o que veem, muitas pessoas deixam de notar uma característica que está entre os atributos mais evidentes da pintura: a mesa de mogno à qual ela está sentada. Você chegou a reparar nela? Se reparou, realmente a estudou? Este quadro é na verdade o tour de force e testemunho da habilidade técnica do pintor. Nele, o artista pintou um reflexo perfeito da pele da sra. Winthrop, seus dedos, os intricados padrões de renda de suas mangas, até mesmo traços da nectarina.

A mesa domina quase todo o terço inferior do quadro. Parece impossível que pudéssemos deixar de reparar em algo tão grande, e no entanto a maioria de nós não a vê. Em incontáveis situações, passamos por cima da "mesa de mogno", e ao fazê-lo perdemos uma peça de informação crucial que está escondida bem diante dos nossos olhos. O fenômeno é tão comum que tem seu próprio ditado – "Se fosse uma cobra, já teria picado você" –, e foi jocosamente chamado de "cegueira da geladeira"[2] pelo *Canadian Medical Association Journal*, em referência ao local onde frequentemente ocorre. (Não consigo nem contar o número de vezes que fiquei olhando diretamente o pote de maionese sem vê-lo.)

Alguns anos atrás tive que levar a minha irmã ao hospital por causa de uma dor nas costas. No cubículo ao lado do nosso havia um homem de noventa anos ligado a um aparelho cardíaco e a uma máscara de oxigênio. Ao seu lado estava sentada sua esposa; ela e eu começamos a bater papo enquanto minha irmã mergulhava na felicidade do Valium.

Enquanto conversávamos, dois residentes da sala de emergência, que pareciam estar na casa dos trinta anos, entraram trazendo uma sofisticada máquina sobre rodas para o senhor idoso. Sem dizer uma palavra ou tomar conhecimento da nossa presença, grudaram emplastros no seu peito, espiaram imagens na tela, e aí disseram em voz bem alta um para o outro: "Eu me pergunto o que será que causou isto." "E eu me pergunto por quanto tempo os pulmões vêm funcionando neste nível." "Eu adoraria saber o histórico pulmonar deste aqui."

A esposa do paciente educadamente os interrompeu e disse: "Eu posso responder a todas as suas perguntas."

"Quem é a senhora?", eles indagaram, espantados, como se tivessem acabado de notá-la.

Ela respondeu: "Sou a esposa dele. Esta é a nossa sexta vez na sala de emergência em muitos meses, e posso lhes dar todo o histórico da condição dele."

Um dos residentes retrucou: "Oh, não a vi quando entramos. Conte-nos o que a senhora sabe." Os residentes estavam tão fixados no equipamento que perderam todo o histórico de caso do paciente, que estava bem na frente deles – diante dos seus olhos.

Quando deixamos de ver coisas que estão bem diante dos nossos olhos – a esposa de um paciente, uma mesa de mogno, um pote de maionese –, nem sempre é algo tão inofensivo quanto deixar de ver um condimento ou uma peça de mobília. Em muitos casos, a coisa que deixamos de ver está obscurecendo alguma outra informação-chave de que necessitamos para resolver um problema, fazer um diagnóstico ou solucionar um caso.

Em 30 de outubro de 2007,[3] Linda Stein, uma famosa empresária do ramo musical e agente imobiliária de estrelas como Sting, Billy Joel e Andy Warhol, foi achada morta dentro de sua cobertura em Manhattan. A descoberta abalou Nova York não só porque a morte de Stein foi considerada um homicídio, mas porque ela morava num dos edifícios mais seguros da cidade.

O apartamento de Stein no 18º andar era acessível apenas por um elevador privado operado manualmente por um funcionário, e todo e qualquer visitante precisava se registrar e ser anunciado na portaria, onde câmeras de vigilância gravavam cada chegada e saída. Um estranho não teria tido acesso a Stein na sua própria casa.

Os investigadores não encontraram nenhum sinal de arrombamento, e, com exceção da poça de sangue na qual o corpo de Stein estava imerso, com a face virada para baixo, o apartamento encontrava-se limpo. Uma autópsia determinou que ela havia sido golpeada entre 24 e oitenta vezes com um bastão pesado, mas nenhuma arma foi encontrada na cena. Stein não havia sido molestada, nenhum bem significativo fora roubado e ela não apresentava ferimentos contínuos consistentes com uma briga. Parecia que a empresária havia sido morta por alguém que a conhecia, mas quem?

As gravações revelaram que ela em nenhum momento saíra do prédio no dia em que foi assassinada e que tivera apenas uma visita antes de sua filha descobrir o corpo já tarde da noite: a de sua assistente pessoal, Natavia Lowery. Lowery entrara no prédio[4] às 11h56, levando apenas um envelope na mão esquerda, e saíra às 13h19 com uma grande sacola de compras vermelha pendurada no cotovelo esquerdo e uma enorme bolsa verde – de Stein – pendurada no ombro esquerdo. Lowery admitiu[5] que tinha saído com a carteira e o celular de Stein e, depois de deixar o prédio sozinha, atendido ao celular da empresária e dito ao ex-marido dela que a patroa tinha "saído e estava correndo" no Central Park – algo um tanto estranho, uma vez que Stein sofria de câncer de mama e de um tumor cerebral que a deixavam tão fraca que ela não conseguia sequer segurar o secador de cabelo sozinha. Os investigadores descobriram[6] que Lowery vinha roubando a patroa e que tinha histórico criminal. Mas roubar e mentir não fazem de ninguém automaticamente um assassino. Os agentes da lei precisavam de algo para confirmar suas suspeitas, um fato que provasse a culpa de Lowery além de qualquer dúvida.

Os investigadores achavam que a resposta podia ser encontrada nas gravações de Lowery chegando e saindo do prédio de Stein, mas, após horas estudando quadro a quadro, não acharam nada fora do comum. Sim, Lowery saíra com uma sacola e objetos pessoais de Stein, mas assistentes pessoais frequentemente fazem isso ao executar tarefas e cuidar das necessidades do patrão. O que havia dentro da sacola e da bolsa: roupas sujas ou uma arma ensanguentada? Ninguém conseguiu ver. A saída de Lowery foi rápida, mas sem nada de extraordinário.

Numa fase adiantada da investigação, depois que a fita de vídeo fora vista incontáveis vezes pelo envolvidos no caso, alguém percebeu o fato de as calças de Lowery estarem do avesso, portanto sem deixar evidente nenhum sangue quando ela saiu do prédio. Parecia impossível, uma vez que tanta gente tinha examinado meticulosamente a fita, que ninguém tivesse percebido um detalhe tão crucial. No entanto, lá estava ele: quando Lowery saiu do prédio suas calças estavam totalmente diferentes de como estavam ao entrar. E não era uma mudança tão sutil: Lowery estava usando calças militares tipo cargo. O largo bolso na coxa esquerda, visível quando as calças eram vestidas corretamente, não aparecia na saída. No seu lugar,[7] viam-se costuras escuras verticais ao longo de ambas as pernas.

Possivelmente, tratava-se da oportunidade que os investigadores estavam procurando. Lowery podia mentir acerca do conteúdo da sacola e da bolsa, mas um fato era inegável: ela tinha virado conscientemente as calças do avesso ao deixar Linda Stein. Não havia razão comum nem casual para isto. Os detetives presumiram que ela o fizera para ocultar manchas de sangue.

Fotos estáticas tiradas da câmera de vídeo provando que Lowery tinha virado as calças do avesso foram mostradas durante o julgamento como evidência crucial. O júri se convenceu. A jurada Kelly Newton disse: "As calças eram enormes. E davam solidez ao argumento."[8] Lowery foi considerada culpada e condenada a 27 anos de prisão.

Como os investigadores puderam inicialmente deixar passar um detalhe tão essencial? Da mesma maneira que deixamos passar a mesa de mogno e o pote de maionese: porque somos programados para isso.

Biologicamente "cegos"

Se, por um lado, os psicólogos têm vários nomes para a nossa incapacidade de ver alguma coisa para a qual estamos olhando – cegueira involuntária, cegueira de atenção, cegueira perceptual, cegueira de familiaridade, cegueira para mudanças etc. –, todos eles possuem algo em comum: o termo "cegueira". Sem haver uma razão fisiológica,[9] às vezes falhamos em ver algo que está diretamente na nossa linha de visão. Deixamos passar coisas quando são inesperadas ou familiares demais, quando se misturam e se perdem no contexto e quando são aberrantes e desagradáveis demais para imaginar. Contudo, nossos pontos cegos cognitivos[10] não são colapsos no nosso sistema de processamento visual, e sim uma capacidade adaptativa básica e testemunho da notável eficiência do nosso cérebro.

Ao mesmo tempo que o mundo está repleto de informação e estímulos ilimitados, nosso cérebro não pode, ou não deve, processar tudo que vemos. Se o fizesse, estaríamos sobrecarregados de dados. Imagine-se parado na Times Square. Se seus olhos estiverem bem abertos,[11] estarão vendo milhares de coisas físicas ao mesmo tempo – dezenas de placas luminosas, prédios espalhafatosamente iluminados, postes de luz, táxis, lojas, artistas de rua e cerca de 330 mil pessoas passando diariamente pelo mesmo local – mas nós não "vemos" tudo. Nosso cérebro automaticamente filtra o que está à nossa volta e permite que apenas uma pequena porcentagem de informação atravesse para nos proteger de uma sobrecarga que do contrário poderia nos paralisar.

Considere o que o cérebro moderno administra enquanto descemos uma rua falando ao celular. Nosso corpo está navegando pela calçada, evitando potenciais obstáculos; estamos andando numa determinada direção; estamos notando pessoas e referências ao passarmos por elas, possivelmente interagindo ou registrando mentalmente algum fato; estamos numa conversa ao celular, falando, escutando, respondendo; e fazemos tudo isso sem esforço. Só somos capazes disso porque o nosso cérebro filtrou informações, deixando de fora o desnecessário: as formigas na calçada, a brisa nos galhos, as migalhas de pão no bigode do homem que acabou de passar. Se prestássemos atenção a cada peça de informação no nosso trajeto, não chegaríamos a passar pela porta da frente.

A dra. Barbara Tversky, professora de psicologia e educação na Universidade Columbia e professora emérita na Universidade Stanford, explica: "O mundo é terrivelmente confuso; há muita coisa acontecendo ao mesmo tempo – em termos visuais, auditivos etc. –, e a forma de lidarmos com isso é categorizando. Processamos o mínimo necessário para nos comportarmos apropriadamente."[12]

O processo de selecionar o pertinente e o importante em meio a todo o volume de informação desordenada recebida pelos nossos sentidos é rápido, involuntário e, segundo acreditam os cientistas, um tanto inconsciente. O cérebro faz uma varredura da informação recebida do ambiente até que algo capte sua atenção; só então ela é carregada para o consciente. Como a nossa capacidade de atenção é finita, apenas uma quantidade relativamente pequena de estímulo é "percebida". A informação que não é categorizada passa pelo cérebro sem ser assimilada; ela existe, mas não a percebemos. É claro que o nosso fracasso em registrar alguma coisa não significa que ela não exista. O vaqueiro tocando violão de cuecas na Times Square está lá, quer o "tenhamos visto" ou não, exatamente como a esposa do paciente estava no quarto e as calças de Natavia Lowery estavam do avesso, quer alguém tenha visto ou não.

Preenchendo as ________

Esta capacidade inata de filtrar também nos permite focar o finito em meio a uma multiplicidade de estímulos sensoriais. Sem ela,[13] talvez não tivéssemos prosperado como espécie. Se um caçador pré-histórico tivesse que se esconder na relva alta à espera da passagem de uma gazela e seu olhar se fixasse em cada folha balançando diante dos olhos, o jantar talvez nunca fosse servido. Ser capaz de deixar entrar apenas um volume seleto de informação no nosso mundo caótico é o que nos torna capazes de manter uma conversa num restaurante lotado, dirigir um carro ao mesmo tempo que ajudamos os filhos a recitar a tabuada ou praticar um esporte na frente de uma multidão gritando. No curso das nossas vidas cotidianas, costumamos perceber apenas o que é essencial para a nossa situação corrente, e o fazemos de forma tão expedita que mal notamos o processo.

"Precisamos rapidamente passar para abstrações",[14] diz Tversky, "a fim de saber o que está acontecendo, reconhecer o contexto, os principais objetos, ações e atividades do que estamos vendo para então podermos agir." Para fazer isso, nossos cérebros "criam categorizações rápidas e genéricas dos nossos arredores".

Esta organização instantânea[15] de dados, mesmo com o que sabemos ser informação incompleta, só é possível porque nossos cérebros são constituídos para preencher automaticamente as lacunas para nós. Que posasmos msemo asism lre plaravas cmo lteras ebmaralhadsa e cm vgs fltnd sm perder o sentido é prova disto. Esta capacidade explica[16] bem por que as mensagens de texto substituíram o falar como forma mais comum de comunicação cotidiana; historicamente, ela contribuiu para a nossa sobrevivência.

Nosso amigo o caçador podia ignorar a relva e focalizar uma pequena gazela que vagava na sua linha de visão, mas isto não significa que seu cérebro não recebesse e percebesse um pesado farfalhar por perto. Esse som sozinho podia levá-lo a correr sem pensar, sem confirmar a presença de um predador, e salvar sua vida. O conhecimento de que o farfalhar podia significar a presença de um leão é preenchido automaticamente pelo cérebro, que não espera permissão antes de enviar instruções para a fuga.

Em termos de autopreservação, a capacidade do cérebro de construir pontes entre as lacunas é bastante útil, mas no mundo moderno pode ser uma desvantagem quando não estamos de frente com uma decisão de vida ou morte, mas simplesmente tentando empregar habilidades de observação e comunicação de alto nível. Por exemplo, leia a próxima frase apenas uma vez, contando todos os *F*s durante a leitura:

> ARTIST FABIO FABBI PAINTED
> DOZENS OF DEPICTIONS OF ORIENTAL
> LIFE ALTHOUGH HE WAS OF
> ITALIAN HERITAGE HIMSELF.*

Quantos você contou? Quatro? Seis? Há sete *F*s na frase.

Enquanto alguns de nós podem ter acertado, a maioria certamente não acertou, já que os nossos cérebros, que pensam rápido, substituíram o *F* por *V* em palavras como *of*, porque este é o som que a letra produz (em inglês).

Uma versão similar deste exercício (na qual eu admito ter visto duas letras a menos do que havia) andou circulando online alguns anos atrás, rotulada ou de "teste de genialidade" ou como indicador precoce de Alzheimer. Está longe de ser qualquer uma das duas coisas, mas é um bom exemplo de como o cérebro pode nos enganar mesmo quando sabemos o que estamos procurando e não temos a atenção desviada por distrações. Não importa o quanto pensemos que as nossas habilidades de observação e percepção sejam boas, a realidade é que a maneira como evoluímos para lidar com um mundo complexo faz com que não vejamos tudo e não percebamos tudo. Ainda que deixar de ver *F*s numa frase possa não parecer um problema crucial, em muitos casos aquilo que deixamos de ver é.

* Em português, "O artista Fabio Fabbi pintou dezenas de representações da vida oriental embora tivesse, ele mesmo, ascendência italiana." (N.T.)

A importância de (não perder) detalhes

Pequenos detalhes fazem uma grande diferença. Há uma grande diferença entre buscar um filho depois do treino de futebol às 18h30 em vez de 17h30, entre uma colher de chá de sal e uma colher de sopa e entre o fuso horário em Nova York ou em Los Angeles quando programamos uma conferência importante. Perder detalhes significativos nos negócios pode provocar uma erosão de confiança. Perder detalhes importantes na vida pode ocasionar catástrofes.

O contrário, porém, também é verdade: encontrar e focar os detalhes pode não só ajudar a prevenir desastres, como levar ao êxito ou a uma solução. Pense nas empresas de bilhões de dólares construídas com base na atenção ao detalhe. A Apple não alcançou sua reputação de perfeição estética por acaso. A empresa se empenha conscientemente[17] em cada detalhe, desde examinar cada pixel numa tela com uma lupa até empregar um time de designers de embalagens que passa meses aperfeiçoando a experiência de abrir caixas. Ser pioneiro numa nova forma de animação robótica, a marca registrada Audio-Animatronics, não foi suficiente para Walt Disney. Mesmo que seus engenheiros lhe dissessem que seria extremamente difícil, ele insistiu que as aves tropicais na Enchanted Tiki Room e os presidentes no Hall of Presidents – atrações da Disney – respirassem, se agitassem e se remexessem realisticamente, mesmo sem estar sob os refletores. "As pessoas podem sentir a perfeição",[18] raciocinava Disney. Não é coincidência[19] que a mesma companhia aérea ranqueada como número um em termos de satisfação de clientes pelo Instituto de Serviço a Clientes, a Virgin Atlantic, orgulhe-se de pequenos toques: kits complementares de cortesia, mochilas de entretenimento para crianças e até mesmo massagens durante o voo. A empresa chega inclusive a anunciar o seu foco no site: "Nós cuidamos direito de todos os detalhes."[20]

O domínio dos detalhes dará a você uma base competitiva. Meticulosidade e consideração não são valores essenciais para todo mundo, e se você fizer deles uma prioridade, eles poderão ajudá-lo a sobressair da multidão que simplesmente não lhes dá importância.

Uma vez afiada a sua habilidade de se ligar nos detalhes, você também descobrirá que eles são fundamentais para um bom processo de resolução de problemas – quer esteja diagnosticando um defeito no carro ou tentando determinar as respostas corretas numa prova do vestibular. A solução muitas vezes está nos detalhes que estamos programados a desconsiderar. Focar as coisas que outros não veem pode ser a diferença entre o sucesso e o fracasso em todos os campos.

Marcus Sloan não estava tão preocupado[21] com o SAT – Teste de Aptidão Curricular – quanto a maioria dos professores do ensino médio. Era o exame da Regents, do estado de Nova York, que o deixava acordado à noite. Passar na parte de matemática[22] era uma das exigências para um diploma do ensino médio, e a pequena escola pública na qual ele trabalhava havia tido uma queda deplorável no seu índice de graduação em apenas um ano, de 76% para 53,6%. Ele sabia que se seus alunos quisessem romper o ciclo da pobreza – a escola classificava 99% deles como "economicamente desfavorecidos"[23] –, eles precisavam se formar.

Passando toda manhã pelos detectores de metal da escola no Bronx, Sloan sabia que já tinha seu trabalho reservado. Uma auditoria externa determinou que os alunos eram desrespeitosos e desengajados – isto é, quando chegavam a aparecer. A escola sofria de absenteísmo crônico;[24] a média de presença era de apenas 72%, em comparação com 90,5% para as outras escolas municipais de tamanho semelhante. Pior ainda: os resultados no exame da Regents. Enquanto 77% de todos os alunos no estado atendiam às exigências de aprovação para a parte de matemática do exame, na escola de Sloan apenas 39% eram aprovados.

Os alunos da própria classe de Sloan refletiam isso: "Tinham intervalos limitados de atenção e dificuldade em captar novos conceitos", ele recorda. Mas depois de completar seu primeiro ano, Sloan concluiu que as notas baixas dos alunos não se deviam a falta de inteligência. Em vez disso, percebeu que as deficiências na resolução de problemas provinham da dificuldade dos alunos em focar uma tarefa extensa e prestar atenção nos detalhes, duas coisas necessárias quando se resolvem problemas de matemática de múltiplos passos.

Ele explica: "Nos testes padronizados, depois de eliminar uma ou duas alternativas, esses alunos tinham dificuldade de identificar a informação necessária fornecida na questão, ou as inferências necessárias a partir dessa informação, para escolher a resposta correta. Eles desconsideravam peças-chave de informação nos enunciados dos problemas e tentavam usar toda a informação em vez de selecionar apenas os detalhes relevantes necessários."

Ele cita um exemplo[25] do exame da Regents administrado em 15 de junho de 2006. "Uma das questões dizia que o ângulo de depressão é medido do alto de um muro até um ponto no chão a uma dada distância da base do muro. Quando eu estava corrigindo os testes, vi que muitos dos meus alunos tinham usado erroneamente o ângulo de elevação em vez do ângulo de depressão", diz ele. Suas classes vinham resolvendo problemas dos exames da Regents anteriores, muitos dos quais envolviam ângulos de elevação. Deixar de notar a troca da palavra *elevação* por *depressão* no exame real resultava numa resposta incorreta, independentemente da quantidade de trabalho que mostravam ou de sua capacidade matemática de resolver para qualquer um dos ângulos.

Sloan percebeu que este erro simples, mas fundamental – deixar de notar detalhes-chave –, ameaçava o futuro de seus alunos, e estava determinado a consertá-lo. Sabia que precisaria de algo fora do comum para alcançar seus complicados objetivos.

"Eu queria um meio criativo de envolver os alunos no tipo de pensamento que lhes possibilitaria ter êxito na aprendizagem matemática", diz ele.

Ele ouvira falar do meu treinamento para estudantes de medicina na Frick Collection em Manhattan e queria saber se Vermeer seria capaz de ajudar seus alunos em apuros.

"Pensei que se o treinamento podia melhorar as habilidades de diagnóstico de estudantes de medicina, podia funcionar também para os meus alunos do ensino médio", recorda ele. "Um afiado senso de atenção ao detalhe é importante na medicina, mas é igualmente importante em muitos outros campos, inclusive na matemática."

Eu sinceramente concordava, e visitei a escola de Sloan para apresentar aos seus alunos o conceito de observação objetiva e busca por detalhes pertinentes com uma sessão de slides de obras de arte selecionadas. Uma semana depois, Sloan trouxe um grupo de alunos da nona e décima séries à Frick, para um passeio pelas galerias. Os alunos discutiram o processo de observação e fizeram exercícios escritos sobre as obras de arte que tinham visto. Dividimos os alunos em subgrupos para estudar arte, e então pedimos a eles que apresentassem as observações de seu subgrupo para o grupo todo, visando articular suas observações globais e detalhadas.

Os resultados foram notáveis. Eles escutaram atentamente, participaram com entusiasmo e forneceram respostas cuidadosas às questões. Sloan ficou maravilhado com a diferença.

"Mal reconheci alguns deles: estavam atentos, ávidos, até mesmo cheios de energia", recorda ele. "Foi empolgante ver alunos que geralmente se debatem e obstruem a própria aprendizagem entrando a fundo nessa experiência."

De volta à sala de aula, Sloan notou que os alunos que haviam participado do treinamento no museu podiam ver com mais facilidade as conexões nos problemas matemáticos do que os alunos que não tinham participado.

Continuamos o programa com dois grupos de alunos de matemática do ensino médio, cada um visitando o museu em duas ocasiões diferentes. Em relatórios escritos após o curso, a esmagadora maioria dos alunos indicou que tinha gostado de observar de perto obras de arte e pediu mais oportunidades para fazê-lo. Quase dois terços dos relatórios mencionavam a importância de procurar e focar detalhes, exatamente o que Sloan queria instilar neles. Melhor ainda:[26] a porcentagem de alunos que satisfizeram o padrão do exame da Regents em matemática aumentou de 44% para 59% no ano seguinte.

Sloan tinha proposto a si mesmo resolver um grande problema: aumentar a nota de alunos abaixo da média em testes padronizados. Vários outros professores haviam tentado a mesma abordagem – fazer testes práticos com os alunos – e não tinha dado certo. Esses educadores tinham deixado de perceber um detalhe-chave que se escondia bem diante dos olhos: os semblantes dos alunos, desfocados e desinteressados. Sloan viu isto e soube que, antes de poder passar mais problemas para eles, primeiro precisava abordar sua atitude prostrada e incapacidade crônica de focar. A solução do problema não estava na matemática; estava no contexto mental. Uma vez envolvidos pela atividade nova de observar obras de arte, seus olhos se abriram para mais detalhes que estavam deixando passar em suas vidas diárias.

Foco nos detalhes

Sabendo o que sabemos sobre como o cérebro processa e filtra e perde e esquece e transforma, como podemos focar melhor nos detalhes? O primeiro passo é o mais fácil porque já o demos: reconhecer o fato.

Não podemos consertar alguma coisa se não sabemos que está quebrada. O dr. Marc Green, psicólogo e professor de oftalmologia na Escola de Medicina da Virgínia Ocidental, afirma: "A maioria das pessoas acredita equivocadamente não vivenciar episódios de cegueira não intencional com frequência porque não estão conscientes de não estarem conscientes."[27] Agora que estamos conscientes da nossa cegueira inata, podemos trabalhar para superá-la conscientemente.

Todo automóvel tem um ponto cego, o espaço que não podemos ver quando estamos sentados ao volante. Para tornar visível o aparentemente invisível, devemos primeiro ter consciência da questão, e então virar fisicamente o ombro ou ajustar o espelho para compensar a deficiência. A companhia de seguros State Farm[28] aconselha novos motoristas dizendo que a única maneira de compreender verdadeiramente e então aprender a dirigir de maneira segura com os pontos cegos é passando tempo ao volante. O mesmo conceito se aplica aos nossos outros pontos cegos visuais.

Percepção requer atenção,[29] de modo que precisamos buscar ativamente os detalhes. Quanto mais observarmos arte especificamente em busca de detalhes, mais os veremos. Para nos ajudar a ver a mesa de mogno escondida diante dos nossos olhos, vamos voltar e olhar novamente o quadro. Retorne a ele na p.102 e estude a mesa de mogno à qual a sra. Winthrop está sentada. Que detalhes sobre e em volta dela você pode encontrar que talvez não tenha notado antes?

Você vê o chanfrado ao longo da borda iluminada no canto esquerdo inferior da mesa? A textura da madeira correndo em diagonal de noroeste a sudeste? E o reflexo da sra. Winthrop? Vemos o azul do seu vestido e o branco da manga rendada, mas podemos ver também o recorte do babado na borda trabalhada da renda. A haste do galho de nectarina que ela segura está refletida no tampo da mesa; na verdade, parece que ela o está segurando apenas alguns milímetros acima. Seu braço é visível nesse reflexo, bem como oito de seus dedos. Não podemos ver os polegares.

Olhe cuidadosamente as mãos da sra. Winthrop. Ela era casada com um proeminente professor de Harvard e um dos primeiros astrônomos notáveis dos Estados Unidos. Podemos ver seu anel de casamento com granada e diamante no dedo anelar esquerdo; no entanto, um exame mais cuidadoso dessa mão no reflexo da mesa mostra que o anel está faltando.

Se tivéssemos deixado escapar a mesa de mogno da primeira vez, também nos teria escapado o anel de casamento ausente. E é um detalhe significativo que não podemos deixar escapar, já que o artista Copley, tão diligente na sua recriação do reflexo no tampo da mesa, provavelmente não teria deixado de fora um item como este por acidente. Não há registro de por que Copley omitiu o anel no reflexo. Poderia ser um comentário sobre o estado do casamento da sra. Winthrop, ou simplesmente o artista brincando num jogo visual com o espectador. Não precisamos saber o significado do anel ausente para catalogar sua ausência, mas devemos reconhecê-la. Se não o fizermos, é possível que estejamos omitindo alguma informação crucial da qual precisaremos mais tarde. Nunca se sabe quando um pequeno detalhe resolve um caso ou fornece uma resposta enganosa.

Deixar escapar detalhes fundamentais significa deixar escapar outros detalhes importantes aos quais eles podem conduzir. Quando vemos a mesa de mogno, podemos ver o anel ausente. Quando vemos a esposa do paciente sentada na cabeceira da cama, podemos ver um histórico de caso mais meticuloso. Quando vemos as calças viradas do avesso, podemos ver uma tentativa consciente de encobrir. Quanto mais vemos, melhores as possibilidades de que nós, ou alguma outra pessoa trabalhando conosco, resolvamos uma situação que anteriormente vinha nos fugindo.

Detalhes em comunicação não verbal

Outro lugar em que informação importante muitas vezes se esconde diante dos nossos olhos consiste nas dicas físicas que outras pessoas nos dão: a linguagem corporal. A comunicação não verbal é tão significativa que policiais em bairros com alta incidência de crimes são treinados a não pôr as mãos nos bolsos porque isto envia um sinal de autoridade ou tédio, e os policiais devem permanecer prontos e alertas.

Veja a maneira como a sra. Winthrop está segurando o ramo de nectarina. Ele está arranjado de forma peculiar em seus dedos, quase como se fosse um instrumento para escrever. Teria o artista nos deixado de propósito uma pista sobre a sra. Winthrop? Se fizéssemos[30] investigações adicionais nesse rumo, descobriríamos que a sra. Winthrop foi uma escritora prolífica e expressiva durante a Guerra Revolucionária; suas cartas, almanaques e revistas estão arquivados na Universidade Harvard pela sua importância como fontes em primeira pessoa.

Quando buscar detalhes, preste atenção à maneira como a pessoa segura o ramo de nectarina. Note sua expressão facial, sua postura, seu tom de voz, o contato visual. A forma como alguém fica de pé, se morde ou não o lábio inferior – tudo isso são fatos que qualquer um pode coletar. Não sou perita em linguagem corporal, mas aprendi – procurando por ela conscientemente – a ter uma elevada noção das pistas não verbais dos outros. Posso dizer se alguém não quer falar comigo – há uma conspícua falta de contato visual, e a pessoa pode falar rápido para expor seu argumento e seguir adiante ou ir embora. Uma pessoa que não quer se envolver numa conversa prolongada tende a se manter mais longe de mim. Você não precisa conhecer o índice normal de piscadas para perceber que alguém não consegue sustentar o seu olhar, mas nunca saberá disso se não olhar nos olhos da pessoa.

Bonnie Schultz, uma investigadora que trabalha para empresas de seguros no estado de Nova York, me contou que após dez anos de serviço é capaz de dizer se alguém está mentindo simplesmente observando sua linguagem corporal.

"São coisas sutis, mas você pode vê-las", diz ela. "Eles desviam os olhos ou não fazem contato visual nenhum. Viram-se levemente de lado, os ombros ficam rijos."

Recentemente, estive num spa para aproveitar um vale-massagem que ganhei como presente de aniversário. Tinha acabado de entrar na sala de tratamento parcamente iluminada, e, antes que eu pudesse dizer uma palavra, a massagista me perguntou se eu estava com frio e se meu pescoço doía. Naqueles poucos segundos em que eu observava meus arredores não familiares, ela estivera me observando. Ela me vira olhando rapidamente para o aquecedor no canto da sala e esfregando nervosamente o pescoço – duas ações mínimas, inconscientes. Ela executou um serviço de primeira classe só por ter coletado detalhes a partir da minha linguagem corporal.

Os alunos de Marcus Sloan não ergueram cartazes dizendo: "Estamos entediados." E eu não manifestei verbalmente o meu desconforto no spa. Sloan e a massagista leram essas mensagens em nosso olhar e postura. Nem todo mundo fica à vontade dizendo em voz alta o que quer ou o que pretende, mas se você prestar atenção nas outras formas que as pessoas usam para se expressar, conquistará seus negócios, sua lealdade e sua confiança.

Estratégias para ver

Além da consciência e da atenção, podemos empregar estratégias específicas para combater os nossos lapsos visuais não intencionais. Uma vez que alguns dos meus clientes usam codinomes no trabalho, decidi fazer o mesmo para nos ajudar a lembrar os passos. Vou chamar esse sistema de Cobra, não só porque soa legal, mas também porque as cobras têm uma excelente visão. E a rainha das serpentes, a naja, tem visão noturna, pode enxergar uma presa a mais de cem metros de distância e tem o desagradável hábito de cuspir veneno com excessiva pontaria bem dentro dos olhos dos adversários.

Para os nossos propósitos, Cobra – que significa **C**amouflaged [Camuflado], **O**ne [Um], **B**reak [Pausa], **R**ealign [Realinhar], **A**sk [Pedir] – nos ajudará a descobrir detalhes ocultos lembrando-nos de nos concentrarmos no que está *camuflado*, de trabalhar com *uma* coisa de cada vez, de fazer uma *pausa*, *realinhar* nossas expectativas e *pedir* a outra pessoa que olhe conosco.

Concentre-se no camuflado

Objetos que não se destacam, tais como a mesa de mogno, são mais difíceis de ver porque temos um instinto natural, baseado na sobrevivência, de procurar por aquilo que sobressai ou está fora de lugar. Temos dificuldade em notar coisas que se diluem no fundo ou numa multidão ou são naturalmente camufladas, fisicamente pequenas ou sutis. Enquanto especialistas em sobrevivência, soldados e criminosos tiram proveito desse tipo de diluição, o resto de nós precisa fazer um trabalho excepcionalmente duro para identificar o que não se destaca automaticamente.

Os investigadores não viram as calças ao avesso de Natavia Lowery porque à primeira vista não sobressaíam na imagem. Eles esperavam que ela estivesse vestindo calças, e as calças pareciam limpas, então eles talvez não tenham sentido a necessidade de olhá-las por mais tempo. Se Lowery tivesse saído do prédio só com a roupa de baixo, isto sim teria sido inusitado – teria sobressaído, e provavelmente levado os investigadores a detectar o fato imediatamente. Se a esposa do paciente idoso tivesse cabelo roxo, os residentes poderiam tê-la notado de imediato porque seu cabelo incomum teria chamado a atenção do olhar. Em vez disso, a mulher fundia-se com todas as outras pessoas do hospital.

Somos instintivamente atraídos para o novo, o inovador, o estimulante. Para ver coisas que realmente se escondem diante dos olhos porque parecem ser comuns, precisamos procurar conscientemente os detalhes que nossa visão possa ter deixado passar numa primeira olhada. Para fazer isso, precisamos olhar de novo. Precisamos olhar a cena inteira, toda ela, desde as margens, indo e voltando mais de uma vez. Então, se possível, devemos tentar mudar o item ou a cena reposicionando-o. Finalmente, devemos nos reposicionar nós mesmos. Chegar mais perto, depois recuar. Andar ao redor para mudar nossa perspectiva. Um ângulo inusitado pode ajudar a revelar um detalhe não tão inusitado.

Uma coisa de cada vez

Para melhorar as nossas chances de descobrir detalhes "ocultos", devemos manter o foco aguçado e único na nossa mente, prestando atenção somente nesta tarefa. No nosso mundo multitarefa,[31] onde fazer malabarismos com múltiplas coisas ao mesmo tempo é a norma, concentrar-se em somente uma coisa pode parecer contraintuitivo, mas na realidade as multitarefas levam a um trabalho menos efetivo e eficiente, uma vez que o cérebro não pode acompanhar ou focar um milhão de coisas ao mesmo tempo. Com quantas podemos lidar? Um recente estudo[32] estabelece que o limite para a nossa memória de trabalho é de nada impressionantes quatro coisas.

Clifford Nass, professor em Stanford, vai um passo adiante e argumenta que "aqueles que realizam multitarefas são terríveis em todo aspecto das multitarefas".[33] Depois de utilizar imagens por ressonância magnética funcional para estudar o cérebro enquanto este se acha em modo malabarista, Nass descobriu que pessoas que habitualmente executam multitarefas são "terríveis em ignorar informação irrelevante, terríveis em manter na cabeça informação de forma clara e organizada, e terríveis em passar de uma tarefa a outra".[34]

O dr. Charles Folk, diretor do Programa de Ciência Cognitiva da Universidade Villanova, explica por quê: "Toda vez que você executa uma tarefa – seja visual, auditiva ou outra qualquer –, ela utiliza um conjunto específico de operações cognitivas. Quanto mais tarefas você executa, mais utiliza da nossa limitada fonte de recursos."[35]

Quando o cérebro[36] é submetido a uma carga cognitiva pesada, ele deixa passar mais informação sem filtragem do que o normal. Assim, se os investigadores estivessem preenchendo relatórios sobre um crime diferente e falando ao telefone enquanto assistiam às imagens das câmeras de vigilância do prédio de Linda Stein, teriam reduzido drasticamente suas chances de ver detalhes importantes.

Para evitar esse escoamento cerebral resultante das multitarefas, concentre-se em vez disso em uma tarefa apenas de cada vez. Chamada de "monotarefa" ou "unitarefa", esta ideia está agora decolando no mundo dos negócios. Deixe outras distrações de lado, feche o computador, ignore o telefone e simplesmente observe. Isso pode ser difícil num mundo que exige de nós múltiplas coisas ao mesmo tempo – já se disse que o trabalhador médio tem de trinta a cem projetos na agenda, é interrompido sete vezes por hora e distraído até 2,1 horas por dia –, mas a revista *Forbes* insiste que o "foco é um músculo mental que precisa ser desenvolvido, especialmente se foi enfraquecido por anos de multitarefas".[37] Esta é uma das razões pelas quais não permito celulares nas minhas aulas e gosto de levar as pessoas para fora de seus escritórios. Sem distrações constantes pairando ao redor, elas podem realmente focar naquilo que estão observando, e, como resultado, veem muito mais.

Faça uma pausa

Quando estiver exercitando seu músculo de monotarefa, certifique-se de não exagerar. O cérebro humano[38] não foi projetado para focar uma coisa durante quatro horas de cada vez. Para evitar a superestimulação, nossos cérebros rapidamente se habituam àquilo que está na nossa frente. É por isso que paramos de sentir a cadeira na qual estamos sentados ou as roupas que estamos vestindo. Este filtro embutido também ajuda a explicar por que, depois de olhar e olhar e olhar, ainda não vemos "a mesa de mogno" – as chaves do carro ou a receita perdida ou a maneira de equilibrar nosso orçamento – que sabemos estar ali.

Psicólogos acreditam que podemos impedir o nosso sistema de controle cognitivo de perder a vigilância, e ajudar a reter um foco duradouro, simplesmente fazendo pausas. A fórmula recomendada por especialistas é dupla: primeiro, fazer uma pausa mental a cada vinte minutos: apenas uma desativação momentânea do foco singular. A chave é se envolver em uma atividade completamente diferente daquela que você estava fazendo. Se você estava lendo um relatório, não troque para ler e-mails, troque para algo que utilize habilidades diferentes, como conversar com alguém face a face. Segundo, relaxe por dez minutos a cada noventa trabalhados.[39] Dê uma caminhada, se possível ao ar livre; exercite-se, mesmo que isto signifique apenas fazer ioga no escritório; faça algo que lhe dê prazer; ou tire um cochilo revitalizador.

Barulho excessivo[40] e sobrecarga sensorial também podem contribuir para o estresse do cérebro, e fazer com que ele trabalhe com menos efetividade. Se a cena está barulhenta ou lotada de gente, considere voltar mais tarde. Arranje um local tranquilo para ficar. (Recomendo fortemente um museu próximo!)

Muitas pessoas famosas[41] encontraram suas famosas soluções enquanto faziam uma pausa. Sir Isaac Newton[42] solucionou sua obsessão com a gravidade enquanto observava uma maçã cair do galho na casa da sua família, para onde se recolheu quando a Universidade de Cambridge fechou durante um surto de peste. Em 1901, depois de semanas se debatendo em vão, o matemático francês Henri Poincaré só teve sucesso nas suas provas matemáticas depois de deixar a mesa de trabalho para fazer uma viagem de campo geológica e passar um dia na praia. Analisando seu próprio sucesso, escreveu: "Com frequência, quando trabalhamos numa questão difícil,[43] não conseguimos nada de bom no primeiro ataque. Então, damos uma repousada, longa ou breve, e nos sentamos renovados para trabalhar... Pode-se dizer que o trabalho consciente foi mais frutífero por ter sido interrompido e o repouso ter devolvido à mente a sua força e frescor."

Quando levo detetives de homicídio a museus, eles são obrigados a se afastar dos desafios que enfrentam para reunir evidência suficiente contra suspeitos e a focalizar algo inteiramente fora do mundo da lei e, em última análise, a pensar de maneira diferente sobre o que estão fazendo. Ver as coisas de um jeito novo refresca sua perspectiva e muitas vezes leva à solução que vinha lhes fugindo. O mesmo vale para qualquer pessoa para quem o estudo da arte seja uma atividade nova e incomum. A menos que o seu trabalho seja olhar para as mesmas exatas pinturas deste livro todo dia, analisar a arte aqui apresentada também o ajudará a "recarregar" o cérebro.

Realinhe suas expectativas

Frequentemente deixamos passar o inesperado porque estamos focados demais naquilo que pensamos que deveria estar lá. Os investigadores estavam convencidos de que, quando Natavia Lowery deixou o prédio com uma grande sacola, esta continha a arma do crime. Eles estudaram o formato da sacola, a maneira como ela se deformava na parte de baixo, o quanto parecia pesada. Durante o julgamento, o promotor-chefe falou das imagens gravadas que mostravam Lowery indo embora com uma sacola "com uma carga pesada dentro".[44] Uma parte enorme da atenção foi dirigida para a sacola, mas foram as calças, sob os olhos de todos, que parecerem convencer inequivocamente o júri da culpa da ré. Eles estavam procurando uma arma fumegante (na verdade, um instrumento para golpear) em vez de simplesmente olhar.

Esta expectativa inerente adiciona um filtro extra ao nosso processamento cognitivo e pode fazer com que percamos a informação que o nosso cérebro percebe como irrelevante. Como não "sabemos" o que o nosso cérebro está filtrando, precisamos lembrar a nós mesmos de abrir mão das nossas noções preconcebidas e simplesmente olhar. E, em alguns casos, talvez tenhamos simplesmente que deixar outra pessoa olhar.

Peça a outra pessoa para olhar com você

Finalmente, como cada pessoa percebe o mundo de maneira diferente, você talvez queira recrutar ajuda na sua busca. Traga alguém para olhar com olhos novos, preferivelmente alguém com perspectiva, histórico e opiniões diferentes das suas.

Descobri que pessoas que não pedem auxílio muitas vezes têm medo de que o fato de pedir faça com que pareçam incompetentes, mas eu penso que o contrário é que é verdade. Alguma outra pessoa poderia ver a resposta para o problema que nós articulamos, e, ao buscar outro par de olhos, provamos que somos dedicados à busca de uma solução.

Dave Bliss sabia que a resposta estava na sua frente, só não conseguia vê-la. Gerente de vendas de uma empresa de limpeza comercial, ele tinha engatilhado um grande novo cliente, mas uma coisa estava atrapalhando: o contrato deste com um concorrente.

O cliente potencial era um centro de serviços médicos com quarenta prédios, um negócio gigantesco para a companhia de Bliss, e ele estava determinado a fechar o negócio. Quando mostrou ao cliente que os serviços de sua companhia representariam uma economia de US$ 137 mil por ano, o cliente se dispôs a assinar o contrato na mesma hora. Só havia um senão: o cliente estava preso a um acordo de cinco anos com outra empresa e ainda faltavam três anos para o fim do contrato.

"Se você achar um jeito de nos tirar dessa, eu assino", disse o gerente do centro.

Bliss sabia que devia haver alguma brecha no contrato, mas depois de olhar a escrita miúda jurídica durante horas, ainda não a tinha encontrado. Os termos eram bastante diretos e objetivos; na verdade, ele destacara as datas: "Este contrato tem efeito a partir da data de execução por um período de sessenta meses a partir da data de instalação." O contrato fora assinado em 4 de abril de 2013, os serviços haviam começado uma semana depois e sob todos os aspectos eram aceitáveis.

Tendo recentemente participado do meu curso, Bliss decidiu experimentar o sistema Cobra. Lembrou-se do primeiro passo: camuflagem. A resposta podia estar bem na sua frente, mas oculta. Ele passara a maior parte do tempo tentando trabalhar com as datas e achar um jeito de terminar o contrato, mas esta talvez não fosse a resposta. Talvez ele devesse se concentrar em alguma outra parte do documento.

Uma coisa de cada vez. Bliss ligou sua secretária eletrônica para não se distrair, fechou o laptop e simplesmente olhou.

Pausa. Depois de vinte minutos, Bliss ainda não tinha achado nada, e as palavras estavam começando a embaralhar na página. Ele então resolveu se levantar e dar uma volta até a sala de descanso. Ao voltar ao escritório, sentia-se melhor, estimulado pela mudança de cenário e pelos restos do bolo de aniversário que havia descoberto.

Realinhar expectativas. "O que estou esperando encontrar?", Bliss perguntou a si mesmo. Um jeito de sair do contrato. Talvez esta seja a expectativa errada. "Será que devo procurar o contrário?", refletiu. Um jeito de o cliente *ficar no* contrato? Será que o cliente poderia, de algum modo, contratar sua empresa e ainda assim honrar o presente contrato com a outra?

Peça a alguém para olhar com você. Bliss chamou um amigo advogado. "Existe algum jeito de a companhia honrar o contrato antigo e ainda assim usar também os nossos serviços?", indagou.

"Claro", respondeu o advogado. "Basta descobrir quais são as requisições mínimas do outro contrato."

Requisições mínimas? A empresa de Bliss não tinha um mínimo de requisições de serviço, pensou, mas talvez devesse ter. Uma rápida olhada revelou o seguinte no Artigo 12: "Preço mínimo: US$ 50 por serviço."

Aí estava. A frase que faria Bliss ganhar um contrato anual de US$ 832 mil. Para honrar seu compromisso, a companhia de serviços médicos tinha apenas de usar a atual firma de limpeza por um preço mínimo de US$ 50 por serviço. Se esta fosse escalada para limpar um prédio um dia por semana, o gasto total seria de US$ 2.600 por ano e permitiria que a companhia assinasse com Bliss, economizando anualmente ainda assim mais de US$ 134 mil. Bliss fechou o negócio.

Mesmo que esteja na nossa biologia deixar escapar coisas, podemos usar nossos poderes cognitivos para assegurar que detalhes importantes não estejam escorregando despercebidos pelos filtros. Treinar o cérebro para ser mais efetivo na observação e percepção objetivas nos ajudará não só a ver mais como também a deixar escapar menos.

A importância do quadro geral

À medida que você for dominando a arte de capturar detalhes fundamentais, tenha o cuidado de não deixar que a caça por minúcias significativas supere outras informações importantes.

Às 23h32 de uma clara noite de dezembro de 1972,[45] enquanto os pilotos do voo 401 da Eastern Air Lines se preparavam para aterrissar o jato Lockheed

Tristar no setor doméstico do Aeroporto Internacional de Miami após um voo tranquilo do JFK, o comandante notou que o indicador luminoso do trem de pouso na cabine estava apagado. O comandante, um veterano de 32 anos de serviço, com mais de 29 mil horas de voo, entrou em contato por rádio com a torre de controle: "Parece que vamos ter de circular; ainda não temos sinal de luz."[46]

Numa altitude de cruzeiro segura a 2 mil pés, o comandante ligou o piloto automático e resolveu determinar por que o botão quadrado de "baixado e travado" sob a alavanca do trem não estava brilhando verde. Teria queimado, ou estaria o trem de pouso realmente não travado na posição? Durante os sete minutos seguintes a tripulação da cabine se deteve obsessivamente na luzinha. Mexeram nela, tentaram desmontá-la, xingaram, ficaram preocupados de a terem quebrado ainda mais com um alicate, revestiram-na com um lenço, perguntaram-se se o botão teria funcionado durante o último teste, giraram, empurraram, discutiram como a lente da luz poderia ter sido montada errado e tentaram de tudo para fazer com que acendesse. E, nesse ínterim, segundo as transcrições do gravador de voz da cabine, deixaram de ver todo o resto.

Em algum momento o comandante encostou na coluna de controle, o "volante" em forma de W do avião, possivelmente enquanto se virava para falar com alguém atrás dele, mudando o piloto automático para o modo mantenha-a-última-posição. E não notou que ao encostar no manche estava fazendo o avião descer. O jato iniciou uma descida suave sobre o Everglades. Ninguém na cabine notou. Depois que o avião perdeu uns 250 pés, um alarme de altitude soou na cabine e também passou despercebido. Os homens estavam tão envolvidos com uma lâmpada de doze dólares que deixaram de notar até dez segundos antes do impacto que haviam direcionado a aeronave direto para o solo.

Depois de examinar os destroços,[47] a Diretoria Nacional de Segurança no Transporte determinou que o trem de pouso estivera baixado e travado no lugar, e que a lâmpada indicadora do botão do trem de pouso tinha de fato queimado. Os pilotos poderiam[48] ter obtido essa informação se tivessem acessado corretamente o pequeno visor localizado sob a cabine de comando que fornece informação visual sobre o estado do trem de pouso; e, mesmo que as rodas estivessem erguidas, poderiam ter sido baixadas manualmente. O voo poderia ter aterrissado em segurança se os pilotos não tivessem se distraído com um botão. Em vez disso, 101 de 176 passageiros, inclusive todo mundo na cabine de comando, perderam a vida no desastre.[49]

Podemos ficar tentados a julgar os pilotos, mas a cegueira de atenção acontece com todos nós. A cura para a visão em túnel passa pelas mesmas estratégias que devemos utilizar para combater nossas outras falhas visuais não intencionais: olhar numa direção diferente, olhar as margens e as bordas, fazer uma pausa na nossa atividade corrente e recuar de modo a termos certeza de que estamos vendo o quadro geral.

Educadores acreditam[50] que os estudantes que veem melhor o quadro geral – tanto em sistemas simples quanto complexos – são os que aprendem visualmente. Da mesma forma, estudar arte, um meio visual, nos força a usar e aguçar a nossa capacidade de inteligência visual-espacial e, em última análise, a ver também com mais clareza o quadro geral.

Pintar um quadro

A maior parte da nossa comunicação sobre um acontecimento ou incidente tem lugar depois que ele ocorreu. Nós narramos, mandamos mensagens de texto ou e-mails e escrevemos aquilo que vimos. Ao fazer isso, se inadvertidamente omitimos um elemento essencial, o destinatário da nossa comunicação que não esteve presente ao fato jamais saberá que falta informação. Como fonte primária, temos o dever de incluir todos os detalhes importantes enquanto ainda estamos captando o quadro geral.

Quando eu trabalhava como advogada, para nos incentivar a relatar uma descrição completa, detalhada, que também incorporasse o acontecimento todo – pois juiz e jurados não tinham estado presentes –, os juízes frequentemente nos pediam para pensar na transferência de informação como "pintar um quadro". A mesma terminologia é usada para extrair histórias de testemunhas, quando assistentes sociais precisam preencher relatórios de visitas domésticas ou quando um investigador de seguros investiga uma reclamação.

Para "pintar um quadro" do que vemos, temos primeiro que perceber que estamos começando com uma tela em branco. Só aquilo que colocamos com propósito na tela é que será "visto" por outros. Não devemos deixá-la vazia ou incompleta; ao contrário, devemos preenchê-la com fatos acurados, objetivos, descritivos, usando tanto pinceladas largas quanto detalhes finos para registrar nossas observações.

Por exemplo, eu trabalho com investigadoras de serviços de proteção familiar para ajudá-las a descrever a residência que estão visitando a partir do momento em que estacionam o carro do lado de fora, e não só depois que passam pela porta de entrada. A grama está alta demais? A casa fica perto de uma rua movimentada ou perigosa? Há lixo se acumulando? Uma vez dentro da casa, eles devem analisar todo o ambiente. O chão está limpo? Há animais? Em caso afirmativo, parecem saudáveis e bem-cuidados? Como é o cheiro da casa? As janelas têm cortinas?

Então é preciso concentrar-se em detalhes. O que há sobre a mesa de café? Uma xícara? Uma colher entortada? Um isqueiro? Uma Bíblia? Papel e lápis de cor? Uma revista pornográfica? Isso não é fazer julgamento; é coletar fatos.

No momento do encontro com as crianças, peço para que olhem seus dentes. Estão limpos ou tão estragados que se torna evidente que nunca foram ao dentista? Este pequeno detalhe pode contar muita coisa sobre o quadro geral de como estão sendo cuidadas.

Ensino as investigadoras a considerar a razão pela qual foram chamadas a visitar alguém – e olhar além do motivo. Focalizar somente o incidente reportado pode fazer com que percam sinais de advertência maiores na casa, que poderiam, em última análise, colocar uma criança em maior risco. As investigadoras precisam catalogar diligentemente as especificidades, mas também fazer uma apreciação da dinâmica do resto da família. Em alguns casos, esta prática é compensadora.

Quando a assistente social Joanna Longley[51] visitou pela primeira vez uma casa na Pensilvânia rural para investigar uma acusação de possível negligência infantil, anotou todos os detalhes pertinentes de sua visita num relatório que pintava um quadro que qualquer outra colega poderia pegar e dar continuidade. A casa tinha tábuas sobre uma janela frontal quebrada; a caixa de correio estava coberta por fita adesiva; e a mulher que abriu a porta da frente e identificou-se como a mãe recusou-se a deixar Longley entrar. Ela exibiu uma linguagem corporal defensiva ao colocar o corpo na pequena abertura da porta, cheirava a cigarro e ignorou o pedido de Longley por abrigo contra a pesada neve que caía.

Embora a mãe não fosse nada simpática e a própria Longley estivesse pouco à vontade, ela permaneceu focada nos fatos da situação, e não na emoção subjetiva por trás do comportamento. E manteve o quadro maior em vista, sabendo que se simplesmente virasse as costas e fosse embora, a chance de uma avaliação profissional para as crianças iria embora com ela.

Em vez de se desviar do objetivo por sentir-se insultada ou agredida, por estar com os pés gelados ou pela péssima atitude da mulher, Longley permaneceu observadora e objetiva. Sua meta era ver pessoalmente os filhos da mulher, anotar detalhes sobre sua saúde, desenvolvimento e aparência. Embora não fosse o ideal, isto podia ser conseguido da varanda da frente. Ela entrevistou brevemente cada criança na porta e determinou que não estavam em perigo imediato. Longley também olhou com atenção para os fatos a fim de excluir suas observações subjetivas. Ainda que a conduta da mãe não fosse polida, tampouco era abusiva. Poderia sua reserva ser atribuída a uma atitude defensiva? Talvez no passado ela tivesse tido experiências ruins com autoridades. A mãe era o adulto da casa, estava na casa dela e tinha o direito de decidir quem não podia entrar.

A decisão consciente de Longley de buscar detalhes importantes sobre a segurança das crianças, ao mesmo tempo sujeitando-se aos desejos da mãe de fazer isso de fora da casa, recompensou. Ao reconhecer a autoridade da mãe, Longley ganhou sua confiança e foi bem recebida dentro de casa nas visitas seguintes. A mãe chegou mesmo a se abrir e começou a trabalhar com Longley para melhorar a vida das crianças.

Vamos praticar "pintar um quadro" com uma pintura real, buscando detalhes, grandes e pequenos.

Olhe para as duas imagens a seguir. Em nome da nossa tela em branco, vamos fingir que não conhecemos esses cavalheiros. Vamos chamá-los de nº 1 e nº 16. Usando o modelo investigativo que aprendemos no capítulo anterior e algum sistema moderno de registro para nos mantermos organizados – caneta e papel, smartphone ou post-it –, complete uma observação objetiva dessas duas cenas. Anote o máximo de detalhes factuais que conseguir reunir: quem, o quê, quando e onde. Compare e contraste as duas; por exemplo, nº 1 está de pé e nº 16 está sentado, e ambos estão voltados para a esquerda do espectador. Em termos ideais, você deve passar de dois a cinco minutos neste exercício. Vá em frente.

Gilbert Stuart, *George Washington (Lansdowne Portrait)*, 1796

Alexander Gardner, *Abraham Lincoln*, 1865

O que você descobriu? Notou a diferença no vestir? No fundo? Nos cabelos? E quanto à semelhança da cor de pele ou no fato de estarem ambos ao lado de uma mesa? Você incluiu as diferenças dessas mesas? Inclusive altura, localização e aspecto?

E a linguagem corporal? Como você descreveria a postura deles? Numa classe de analistas de inteligência, tive um que me disse que "nº 16 é passivo, enquanto nº 1 é mais aberto". A palavra *passivo* é subjetiva, aberta a interpretação. Mostrei a ele que seu colega no fundo da sala, um sujeito extrovertido, animado, estava sentado com os braços na mesma posição e no entanto jamais o chamaríamos de "passivo". Em vez disso, tente ser mais objetivo e mais específico: a mão direita do nº 1 está estendida, palma para cima, enquanto os braços do nº 16 estão à sua frente, com as pontas dos dedos se tocando.

Você listou que nº 1 está segurando uma espada na mão esquerda enquanto nº 16 segura óculos na direita?

Há uma diferença na linha de visão? Para onde cada um deles está olhando?

Como variam as expressões deles? Enquanto me sinto tentada a dizer que nº 16 está com um sorriso afetado, esta é outra inferência subjetiva. Mais específico seria: os cantos da boca do nº 16 estão ligeiramente levantados. Outros detalhes objetivos poderiam incluir que o nº 16 tem o cabelo desgrenhado e bolsas sob os olhos, gravata torta e terno amarrotado. Só porque foi presidente dos Estados Unidos, isto não significa que não esteja um desleixo nesta imagem. Reconheça e faça uso da condição humana ao observá-la. É informação valiosa que pode contribuir tremendamente para a impressão geral que o espectador tem do retrato.

Agora volte e procure especificamente por detalhes nas duas figuras. Liste o máximo que puder.

Ao registrar detalhes, você notou as fivelas nos sapatos do nº 1 ou a corrente do relógio pendurada no colete do nº 16? Que a espada na mão do nº 1 está embainhada e os óculos na mão do nº 16 estão dobrados? Você reparou na poeira e nos arranhões na imagem da direita? Nos livros enfiados debaixo da mesa na imagem da esquerda – dois grandes, quase da altura do joelho do sujeito, encostados contra a perna dourada da mesa?

Você viu o arco-íris no canto superior direito do retrato do nº 1? Se não, como na *Vaca de Renshaw*, aposto que agora você não consegue mais deixar de enxergá-lo. Sob muitos aspectos ele é a "mesa de mogno" desta figura: está no fundo, não parece muito significativo, mas existe, então é digno de ser anotado. Neste caso, é sim um detalhe significativo: existem pelo menos 25 mil pinturas de George Washington na história da arte norte-americana, mas só três delas contêm arco-íris. Esta informação o ajudaria a localizar o período desta obra. Ela foi pintada em 1796, o último ano inteiro da presidência de Washington. O arco-íris foi adicionado para simbolizar as tempestades das décadas anteriores e os dias prósperos que estavam pela frente.

Se você deixou de ver o arco-íris ou os óculos, a bainha da espada ou os enormes livros, lembre-se de usar o Cobra quando estiver buscando detalhes. Procure especificamente por coisas que possam estar *camufladas*, concentre-se em apenas *uma* tarefa de cada vez, faça uma *pausa* e volte para a busca, *realinhe* as suas expectativas do que achou que poderia ver e *peça* a alguma outra pessoa para dar uma olhada junto com você.

Finalmente, quais são as observações mais amplas que não devemos perder nestas duas imagens? As coisas tão "óbvias" que a maioria das pessoas supõe que não precisam ser registradas? Recue um passo e considere os fatos que não são tão pequenos. Uma imagem é em preto e branco, a outra é colorida. Outro fato mais amplo que muita gente deixa passar: um é uma pintura e o outro é uma fotografia. Tudo precisa ser notado – exatamente como a mesa de mogno da sra. Winthrop.

Qual é a sua mesa de mogno?

A conclusão-chave aqui não é que as pessoas deixam passar uma mobília lustrosa, a esposa do paciente na beirada da cama, o ângulo correto de elevação num teste de matemática ou calças viradas do avesso. É que essas coisas invisíveis-porém-visíveis eram, como muitas vezes são, o eixo central para o sucesso. Às vezes estamos tão ocupados procurando uma resposta que perdemos a informação que pode nos levar a ela.

Para se recordar de não deixar escapar aquilo que está bem na sua frente, um grupo de executivos que frequentou meu curso adotou a frase: "Qual é a sua mesa de mogno?" Há uma mesa de mogno (ou provavelmente mais de uma) na vida de todos nós – algo que poderia ser essencial para o nosso trabalho e nós simplesmente não vemos.

Olhe ao seu redor, para a sua casa, o seu local de trabalho, e faça a si mesmo esta pergunta. "Qual é a sua mesa de mogno?" O que pode estar escondido bem diante dos seus olhos?

Aprendemos como dominar a fina arte da observação: coletar apenas fatos, separar o objetivo do subjetivo, manter o olho atento tanto para detalhes pequenos como para informação maior, mas às vezes oculta. Agora vamos soltar nosso analista interior de inteligência e descobrir como dar sentido àquilo que encontramos.

PARTE II

Analisar

A descoberta consiste em ver o que todo mundo viu
e pensar o que ninguém pensou.
ALBERT SZENT-GYÖRGYI

6. Saiba olhar ao redor

Analisar a partir de todos os ângulos

Embora assentada numa área com vista para a cidade, o morro da Providência, favela mais antiga do Rio de Janeiro, é em grande parte invisível para seus vizinhos cosmopolitas. Vivendo em situação de pobreza e violência extremas, seus moradores estão isolados de todas as maneiras possíveis: econômica, geográfica e socialmente. Táxis e ambulâncias nem sempre se dispõem a entrar lá. Se você precisa subir ou descer, há 365 degraus. Temendo por sua segurança pessoal, mesmo jornalistas evitam subir o morro; muitas vezes, quando necessário, mandam helicópteros para fazer reportagens à distância. A polícia faz operações na área, mas os moradores a veem com a mesma suspeita e desconfiança com que veem os chefões locais das drogas – por bons motivos, já que ambos são conhecidos por trabalharem juntos.

Em junho de 2008,[1] militares do exército – que dava apoio a um projeto do governo federal na comunidade – abordaram um grupo de jovens moradores que descera de um táxi na entrada do morro. Houve confusão e três dos rapazes – de dezessete, dezenove e 23 anos – foram detidos por desacato a autoridade e levados ao quartel militar que servia de base à operação. Apesar de terem sido liberados pelo comandante, os jovens foram sequestrados pelos onze militares envolvidos em sua detenção e *entregues* – como se trabalhassem para o tráfico – a traficantes de outra favela, inimigos da facção que dominava a Providência. Seus corpos foram encontrados mutilados num lixão.

Embora as vítimas – dois estudantes e um jovem pai – tenham sido choradas por amigos e parentes de luto, o resto do Rio mal prestou atenção. Os moradores da favela exigiram justiça e deram início a um pequeno tumulto para chamar a atenção da cidade. Não deu certo. O mundo continuou a olhar para o outro lado.

Até o dia em que apareceram olhos enormes.

Certa manhã, os cidadãos do Rio acordaram com algo novo: os barracos do morro da Providência tinham sido revestidos durante a noite com gigantescas ampliações em preto e branco de closes extremos de fotografias de olhos humanos.

JR, Women Are Heroes, Brasil, 2008: *Action in the slums Morro da Providência, tree, moon, horizontal, Rio de Janeiro.* [Mulheres são heroínas: Ação na favela do morro da Providência, árvore, lua, horizontal, Rio de Janeiro].

Lá estavam eles, olhando das laterais das construções, imóveis, sem piscar, arregalados, esperando. A favela para a qual ninguém queria olhar estava subitamente olhando para eles.

O que significavam os olhos? De quem eram? Como chegaram lá? Repórteres, ainda temerosos de ir e ver por si mesmos, tiraram fotos das fotos e suplicaram respostas ao público.

Os olhos foram criação[2] de um autointitulado *photograffeur* (misto de fotógrafo e grafiteiro) da França conhecido apenas pelas iniciais JR. Um homem alto, magro, que nunca é visto em público sem estar de chapéu e óculos escuros para ocultar sua identidade, JR ficou sabendo dos assassinatos dos rapazes e voou para o Brasil para ver se poderia ajudar. Subiu na favela e se apresentou para a primeira pessoa que viu. Ficou lá durante um mês, conhecendo o máximo possível de gente – líderes comunitários, traficantes de drogas, professores, adolescentes e artistas locais –, ganhando sua confiança e mobilizando sua ajuda.

"A favela está no centro da cidade, mas quando você olha num mapa é como se ela não estivesse lá",[3] explica JR. "As pessoas diziam: 'Ei, nós estamos aqui, estamos bem aqui na sua frente, e vocês fingem que não existimos.'"

Para dar voz a essas pessoas, ele fotografou mulheres da favela em close e com ar resoluto. Para JR, os olhos são tudo. Ele comenta[4] como frequentemente evitamos olhar as pessoas nos olhos, algo que ele espera poder remediar com sua arte direta. JR mandou imprimir as fotos em vinil à prova d'água e mostrou aos moradores como prender os colossais retratos. Então desapareceu, de modo que a agora curiosa mídia internacional teria de entrevistar os moradores, inclusive os familiares das jovens vítimas.

"Deixei o Brasil logo depois de fazermos a colagem",[5] diz ele. "Na entrada da favela, na parte baixa, todas as emissoras de TV estavam esperando por uma explicação quando viram os retratos aparecer, e imaginando por quê e quem os teria feito. Foram as mulheres que falaram com a mídia sobre o projeto – o projeto delas –, e eu fiquei muito comovido em ver como cada uma o traduziu em suas próprias palavras."

O plano de JR de fazer as pessoas verem a humanidade por trás das manchetes funcionou: "Uma vez na vida, a mídia não cobriu a violência, o tráfico na favela, mas escutou as vozes das pessoas",[6] recorda ele.

Com seu projeto,[7] chamado Women Are Heroes, JR foi capaz de ajudar a mudar a maneira como o resto do Rio de Janeiro, e o resto do mundo, enxergava o foco pernicioso em seu quintal mudando sua perspectiva. Casas de concreto caindo aos pedaços são mais difíceis de eliminar como efeito colateral inevitável da civilização e corrupção quando revestidas de imagens em tamanho maior que o real das pessoas que vivem dentro delas.

O projeto também modificou o modo como os moradores da favela viam a si próprios. O fato de serem modelos internacionais lhes deu um novo senso de orgulho; ser parte de um movimento global mudou sua perspectiva sobre sua capacidade de efetuar mudanças. Agora o morro da Providência tem seu próprio site na internet, enquanto os moradores continuam a organizar e gerir eventos semanais no centro cultural que JR deixou.

As fotografias mudaram até mesmo a perspectiva do governo local. O prefeito do Rio[8] confessou a JR que a exposição havia influenciado decisões políticas subsequentes. Os policiais brasileiros envolvidos no crime original foram presos, e as vítimas – Marcos Paulo da Silva, Wellington González e David Wilson – nomeadas e citadas de forma correta por órgãos de imprensa ao redor do mundo.

A história de JR e da favela "invisível" ilustra a suprema importância da perspectiva. Sem ela, temos apenas um quadro parcial de alguma coisa. Simplesmente ler o relatório policial do incidente na Providência e parar por aí, ou então conversar somente com a mãe de uma vítima e depois ir embora, significaria deixar informação para trás. Avaliação e análise abrangentes requerem examinar as coisas de todos os ângulos.

Na arte, perspectiva[9] refere-se ao ângulo real a partir do qual uma obra será vista. Ela é cuidadosamente considerada e, em muitos casos, manipulada pelo artista de modo a direcionar propositalmente o olho do espectador. Por exemplo, muitos pintores da Renascença arranjavam suas composições de maneira a assegurar que o ponto de fuga, o ponto para o qual todas as linhas parecem visualmente convergir, caísse exatamente sobre o ventre da Virgem Maria para enfatizar sua importância como mãe de Cristo. Nós vamos também usar a perspectiva a nosso favor, assumindo conscientemente seu controle para garantir que estejamos seguindo cada pista possível.

Perspectiva, da palavra latina *perspicere*, que significa "olhar através de", é definida como o ponto de vista a partir do qual alguma coisa é considerada ou avaliada. Originada no século XIV, a palavra *perspectiva* foi usada inicialmente para descrever um objeto físico, especificamente um vidro óptico capaz de mudar a maneira como uma coisa era enxergada. A perspectiva de um telescópio, portanto, era uma peça real de vidro curvo dentro do instrumento. Podemos usar esta definição para pensar na perspectiva de modo similar, como outra lente através da qual enxergamos.

Na primeira parte deste livro, aprendemos como reunir informação; agora, começaremos a olhar através daquilo que foi revelado. Começaremos apreciando e analisando a perspectiva, tanto a partir do exterior como do interior.

Perspectiva física

O dr. Wayne W. Dyer,[10] autor de um dos livros mais vendidos de todos os tempos, diz que o segredo de seu sucesso é a máxima pela qual ele vive diariamente: mude o jeito de olhar as coisas, e as coisas que você olha mudarão. A posição em que estamos, figurativa e literalmente, quando vemos as coisas pode mudar drasticamente o modo como as vemos; portanto, é fundamental analisar os dados de todos os ângulos físicos possíveis. Olhe atrás, embaixo, nos cantos, fora da página. Recue, agache e ande em volta de tudo. As coisas nem sempre são o que parecem ser, especialmente à primeira vista a partir de certo ângulo. Peguemos esta tigela de alimentos:

Giuseppe Arcimboldo, *O verdureiro*, c. 1590

O que você vê? Uma cebola, cenouras, cogumelos, um nabo, pastinacas, alho, um ramo de hortelã, aquela coisa peluda perto do meio (um tipo de castanha – tive que dar uma pesquisada nessa aí), e diversas variedades de alface – basicamente os ingredientes para uma refeição realmente gostosa. Tudo está numa tigela escura que parece ser feita de algum tipo de metal refletor, e que está sobre uma superfície plana.

Agora vamos dar uma olhada na mesma imagem de cabeça para baixo:

Giuseppe Arcimboldo, *O verdureiro*, c. 1590

Com uma nova perspectiva, a imagem muda totalmente. Em vez de uma coleção de comestíveis, agora temos o esboço de uma pessoa.[11]

Volte e olhe para a figura original. Você teria adivinhado que havia um homem de barba escondido no interior dela? Se tivéssemos assumido o compromisso de olhar a imagem de todos os ângulos, inclusive de lado e de cabeça para baixo, nós o teríamos visto. Em todos os meus anos lecionando, até hoje tive um único aluno, um jovem graduado em jornalismo pela Universidade Columbia, que deitou no banco de um museu, pendeu a cabeça sobre a borda e espiou um quadro de cabeça para baixo. Todos nós deveríamos ter esse comprometimento.

Recentemente, eu estava no setor de chegada de bagagens de um aeroporto internacional, aguardando uma colega que viria me receber. Fiz o melhor que pude para me sobressair na agitada multidão: sentei-me. Enquanto todo mundo em volta estava andando, pegando a bagagem, consultando guias e mapas ou fazendo fila para uma dezena de linhas aéreas, o fato de estar sentada me deu imediatamente um perfil especial.

Já me sentei e infelizmente adormeci em terminais de aeroporto antes, mas sempre junto ao portão onde outros faziam o mesmo, e discretamente encostada na parede. Desta vez me sentei direto no chão, no meio do setor de bagagens, encostada num largo pilar, para não perder minha colega. Vendo as coisas da perspectiva do chão, notei detalhes em que jamais teria reparado de outra forma. Num instante tornei-me perita em bagagem contemporânea, pois grandes sacolas sobre rodas obscureciam a maior parte do meu campo de visão, mas também notei meias e calçados, tatuagens nos tornozelos, como as pessoas pisam, o que deixam cair, se arrastam os pés nervosamente. Eu estava tão mergulhada na observação que me assustei quando uma face subitamente preencheu minha visão. Uma menininha, encantada por finalmente encontrar mais alguém no nível do seu olhar, sorria e balbuciava para mim numa língua que infelizmente eu não falava. Quando ela se afastou saltitante, deixou sua perspectiva comigo, pois tudo que de repente eu conseguia ver era como o mundo deve parecer um ambiente estranho e barulhento quando você só chega na altura do joelho das pessoas e ninguém o olha no olho.

Michelangelo, *Davi*, 1501-4

Isto é parte da magia de trocar a nossa perspectiva física: esta troca não só nos dá nova informação factual, mas pode também mudar as nossas percepções. Vamos vivenciar o quanto esta mudança pode ser dramática analisando uma das mais famosas obras de arte do mundo: o *Davi* de Michelangelo.

O quem, o quê, o onde e o quando desta obra são bastante conhecidos: trata-se da escultura de um homem nu, musculoso, que pretende retratar o herói bíblico Davi pouco antes de sua batalha com o gigante Golias. Esculpido a partir de um único bloco de mármore branco, ele está de pé, com o corpo virado para a frente, a cabeça inclinada para a esquerda, contraposta com seu peso sobre o pé direito, o braço esquerdo dobrado, o braço direito estendido ao longo do corpo. Ele segura uma funda e uma pedra, e pode ser visto sob uma claraboia construída especialmente para ele na Academia de Belas-Artes de Florença.

Ele tem sido chamado frequentemente de forte, heroico, relaxado, lânguido, contemplativo, tranquilo e até mesmo etéreo. O historiador do século XVI Giorgio Vasari escreveu: "Nunca se viu uma pose tão fácil ou uma graça que se equipare à desta obra, ou pés, mãos e cabeça tão em acordo um membro com outro, em harmonia, desenho e excelência artística."[12] Críticos de arte[13] têm dito que ele "transmite excepcional autoconfiança",[14] é "o homem perfeito"[15] e até mesmo "o padrão pelo qual a beleza masculina tem sido julgada".[16]

Beleza é uma opinião subjetiva, mas examinemos a fotografia do *Davi* para verificar se outras caracterizações populares – gracioso, tranquilo, relaxado – estão em sincronia com as nossas próprias observações. Seu rosto parece liso, livre de rugas, com lábios cerrados, possivelmente até virados para cima num leve sorriso. Sua postura é casual, o ombro direito ligeiramente baixado, a mão direita pousada delicadamente contra a coxa.

Mas como ficam as nossas avaliações quando olhamos a estátua de outro ângulo? Como a icônica escultura tem quase seis metros de altura e está sobre um pedestal de dois metros, a maioria de nós, quer tenhamos visto o *Davi* pessoalmente ou numa foto como esta, a viu a partir de um ângulo frontal de baixo para cima, e de certa distância. Se dermos a volta, chegarmos ao nível dos olhos e a investigarmos a partir de outros pontos de vista, ela nos conta uma história diferente.

Michelangelo, *Davi* (detalhe)

A imagem tranquila e relaxada de *Davi* desaparece quando chegamos mais alto e mais perto. Se pudéssemos vê-la de cima, como Michelangelo ao esculpi-la, encontraríamos uma face cheia de tensão. Suas narinas estão alargadas, os olhos bem abertos, os músculos do cenho franzidos. Bem de perto, o olhar é intenso, possivelmente preocupado. De fato, um estudo de computador de 360 graus revelou o oposto de um homem calmo em repouso: todo músculo visível no corpo de Davi está tensionado. Professores de anatomia na Universidade de Florença afirmam que cada detalhe da escultura "é consistente com os efeitos combinados de medo, tensão e agressividade".[17]

Um exame mais meticuloso[18] também desfaz a ilusão da perfeição física de Davi. Ele na verdade é ligeiramente vesgo. E também tem uma área chata na cabeça, além de proporções bastante anormais. As mãos de Davi são exageradamente grandes, enquanto seu *pisello*, como dizem na Itália, não é compatível em tamanho. A cabeça parece grande demais para o corpo,[19] e médicos florentinos descobriram que falta-lhe um músculo nas costas.

Ver a estátua de outros ângulos coloca em questão também outros "fatos". A pedra que ele segura na mão direita? Uma vista por baixo revela a extremidade de um cilindro achatado nos dedos que alguns acreditam ser a alça de uma funda e não uma pedra. Sua mão curva-se ligeiramente em torno do objeto, tampando grande parte dele da nossa visão, e, como no caso do conteúdo da sacola que a assistente pessoal de Linda Stein estava carregando, não podemos presumir o que de fato é fazendo adivinhações a partir de uma forma.

Devemos também levar em consideração uma perspectiva que muitas vezes perdemos: a do artista. Como Michelangelo pretendia que as pessoas vissem o *Davi*? Muitos estudiosos acreditam que a atual colocação da estátua está incorreta, e que para realmente postar-se diante do *Davi* é preciso mover-se para o lado, entrando na sua linha de visão. A estátua está virada dessa maneira porque, em 1504, os líderes da cidade resolveram que seu "olhar malévolo e agressivo"[20] devia ser dirigido não para "pacíficos transeuntes", mas para o verdadeiro inimigo de Florença, Roma. Independentemente do que Michelangelo poderia ter desejado, *Davi* foi originalmente posicionado do lado de fora, com as costas para o Palazzo Vecchio, de tal maneira que estivesse olhando para o sul, para a eventual capital da Itália. Quando foi passado para dentro em 1873, a orientação foi mantida; no entanto, pilares e urnas de exibição do museu instaladas à direita bloqueavam uma adequada visão frontal.

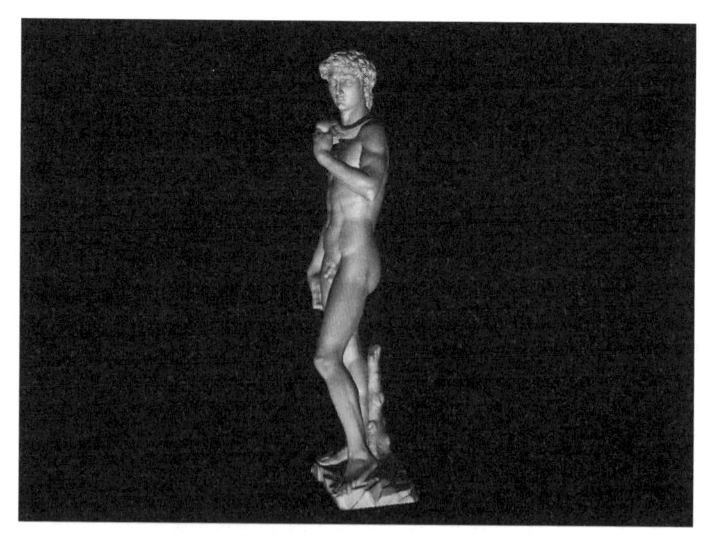

Michelangelo, *Davi*, imagem digital

O Projeto Michelangelo Digital da Universidade Stanford[21] forneceu uma solução computadorizada que nos permite finalmente ver o *Davi* de um ponto de vista alternativo. Com esta nova perspectiva, a estátua quase parece uma pessoa inteiramente diferente. Nossos olhos notam coisas distintas: a curva do abdome é mais pronunciada, a funda sobre o ombro é mais fácil de ver, os nós do toco de árvore atrás dele são prontamente visíveis, e o foco sobe dos seus genitais para a face.

Olhando a estátua do ponto de vista de Michelangelo, também descobriríamos que as imperfeições físicas foram deliberadas. Os olhos de Davi[22] não

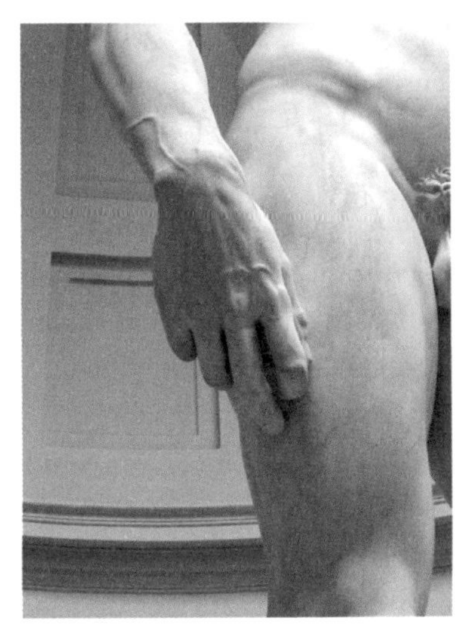

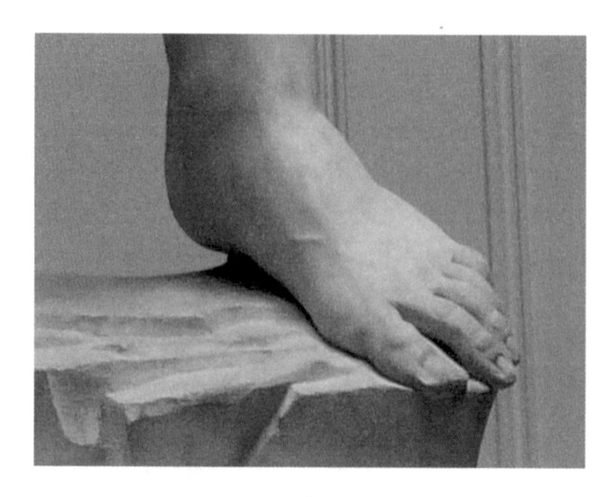

estão perfeitamente alinhados, e estudiosos acreditam que Michelangelo, com sua inclinação matemática, deliberadamente os deixou oblíquos num truque de perspectiva para que, a partir do chão, onde ele sabia que o espectador estaria, parecessem alinhados.

Apenas uma inspeção detalhada e meticulosa revelará as veias nas mãos de Davi, o comprimento de suas unhas, o espaço entre o primeiro e o segundo artelhos do pé esquerdo. Por que algo tão pequeno quanto o espaçamento entre os artelhos haveria de ter importância? Numa investigação criminal, o posicionamento exato de corpos e evidências, na verdade tudo nas cenas em volta, é de extrema importância, mas dados físicos minuciosos são importantes também em muitas outras áreas: manufatura, medicina, arquivos, verificação de sinistros em seguros, contagem de pessoas fisicamente aptas num avião. Neste caso, o espaço entre os artelhos é importante porque esta separação específica era uma assinatura do trabalho de Michelangelo. Na ausência do seu nome rabiscado na parte de trás do *Davi*, trata-se de uma dica sutil para o espectador de que estamos olhando para uma obra-prima autêntica. Mas jamais a teríamos descoberto se não tivéssemos olhado em volta.

Para lembrarem-se uns aos outros de olhar constantemente em todas as direções, pilotos na Segunda Guerra Mundial inventaram uma frase ainda usada no exército (fiquei sabendo que treinadores de futebol americano também gostam dela): saiba olhar ao redor. Em vez de nos fixarmos no que está bem à nossa frente, devemos alternar a perspectiva. Fazer isso nos ajuda a encontrar mais informação, mais detalhes da história, a peça que falta, o trajeto certo, o verdadeiro intento ou até mesmo a saída.

De minha parte, emprego um truque que aprendi com o FBI. Eles ensinam seus agentes a virar-se frequentemente e vasculhar a cena que está atrás quando percorrem um território desconhecido – uma rua urbana não familiar, um campo, até mesmo o estacionamento de um aeroporto –, já que essa é a visão que terão quando precisarem achar o caminho de volta. Se não fizer isso, ao tentar sair ou refazer seus passos – especialmente numa situação de emergência, como evacuar um shopping –, você pode se confundir, porque o cenário é outro; subitamente você está olhando para o lado de trás das coisas pelas quais passou ao entrar. Reconhecendo conscientemente a constituição do terreno a partir de todos os ângulos ao entrar num local novo, você capta uma imagem mais completa dos seus arredores mais fácil de recordar, qualquer que seja a direção que esteja tomando.

Vá e veja

A importância de ver coisas de todos os ângulos não começa e termina com o trabalho investigativo; ela é igualmente crítica para qualquer negócio que lide com processo, produtos ou pessoas. É o princípio-chave[23] por trás do famoso conceito *genchi genbutsu* da Toyota – que pode ser traduzido como "vá e veja": a ideia de que a única maneira de obter uma imagem abrangente de uma cena, ver um processo como um todo e absorver o máximo possível de detalhes é os executivos deixarem seus escritórios, saírem de trás de seus computadores e irem fisicamente ao local onde o trabalho está sendo feito. Muitas indústrias têm adotado isto, numa prática chamada "andanças *gemba*" – *gemba* em japonês quer dizer "o lugar real". Nas andanças *gemba*,[24] os empregados vão até o lugar que mais importa para o seu serviço, quer seja onde o produto está sendo feito ou vendido ou até mesmo usado, para compreender melhor seu trabalho. Bill Wilder, em *Industry Week*, assim o descreve: "O *gemba* raramente se encontra na mesa do executivo. Em vez disso, você o encontrará no piso da loja. Ou no departamento de marketing. Ou no estabelecimento comercial de um cliente."

Em outra versão do "vá e veja", algumas empresas estão mandando seus funcionários saírem para observar não onde seu trabalho caracteristicamente acontece, mas o oposto. Em busca de eficiência, os hospitais do Sistema de Saúde Beaumont de Detroit têm equipes de funcionários *kaizen* (palavra japonesa para "aperfeiçoamento") que percorrem áreas fora de seus departamentos normais para descobrir maneiras sustentáveis de economizar. Um grupo viu que os sistemas de irrigação no campus estavam regando terrenos desnecessários; ao utilizar duchas de irrigação de menor fluxo d'água, economizaram para a empresa US$ 180 mil e 150 mil litros de água em seis meses. "A menos que você saia e ande",[25] diz Kay Winokur, enfermeira e vice-presidente de qualidade, segurança e credenciamento, "você não notará as coisas."

Mudar nossa perspectiva física também pode ajudar quando estamos mentalmente empacados. Assim como os antigos gregos[26] entalhavam sulcos nas suas estradas de pedra para facilitar que carroças pesadas fossem puxadas por bois e burros, nossos cérebros amantes de eficiência deliberadamente buscam padrões similares. Infelizmente, às vezes ficamos emperrados nessas rotinas.

Pense em alguma ocasião em que você olhou, olhou e olhou um problema aparentemente insolúvel ou tentou em vão romper um bloqueio mental. Para mim, isso ocorre com mais frequência quando preciso redigir uma proposta técnica. Quero que ela seja perfeita. Preciso que ela seja perfeita. Mas as palavras... simplesmente... não... saem. Sento-me hipnotizada na frente do laptop enquanto vão se passando horas e horas de trabalho improdutivo, mas tenho medo de passar para alguma outra coisa, presa nesse círculo vicioso de "só-mais-cinco-minutos" e "já-perdi-tanto-tempo-nisso". A neurociência e meus amigos escritores me ensinaram a solução simples para bloqueios criativos ou qualquer outro tipo de bloqueio: levante-se e deixe de lado.

"Eu me imponho o limite de uma hora sem progresso",[27] diz Jess McCann, autora de dois livros de conselhos sobre relacionamentos, "e então dou o fora! Trabalho com prazos finais definidos, então não posso abandonar totalmente o que estou fazendo. Não largo o projeto e saio de férias. Tudo que preciso é de uma rápida mudança de local físico. Quinze minutos ao ar livre, e volto renovada; e geralmente com a resposta que estava procurando."

Quando estiver pronto para jogar pela janela o seu computador (ou colega de trabalho), saia para uma pequena volta pela sua sala, ao redor do prédio ou do quarteirão.

"O simples ato de andar e se mover de um lugar a outro revigora o seu cérebro",[28] confirmam os especialistas em neuroimagem Roderick Gilkey e Clint Kilts, "porque o cérebro é um sistema interativo." Qualquer atividade que estimule uma parte do cérebro, tal como uma movimentação física, estimula simultaneamente outras partes, tais como a resolução criativa de problemas.

Melhor ainda do que simplesmente andar é observar o que você vê pelo caminho. Cientistas descobriram que apenas olhar pode ter um impacto profundo sobre a capacidade de desempenho do cérebro. "A experiência adquirida pela observação ativa os neurônios da melhora de desempenho que aceleram a aprendizagem e a capacidade de aprender",[29] dizem Gilkey e Kilts.

Para fazer isso, busque fatos objetivos – quem, o quê, onde e quando – enquanto estiver andando. Quanto menos familiar for o território que você atravessar, maior o potencial de refocalizar suas percepções e romper o que os psicólogos chamam de "fixidez funcional",[30] ou o hábito de ver as coisas de uma perspectiva apenas.

Em vez de bater a cabeça na parede pensando na mesma coisa, ao se levantar e andar você envolve as suas habilidades de observação em tempo real, o que por sua vez aciona o pensamento crítico, renova todos os seus sentidos e, em muitos casos, libera o seu bloqueio mental.

Um senso de perspectiva

Enquanto estamos numa caminhada de mudança de perspectiva, ou em qualquer outro momento em que estejamos catalogando observações, devemos nos lembrar de usar todos os nossos recursos como coletores de dados, especificamente olhar com mais do que apenas os olhos. Conforme escreve Corey S. Powell, editor da revista *Discover*: "A nossa apreciação do mundo natural é calcada não só no que vemos, mas em sons, cheiros e sensações táteis. Uma caminhada no bosque não seria a mesma sem o cantar dos pássaros, o odor barrento das folhas em decomposição, o roçar dos galhos."[31]

As nossas percepções são informadas por observações de todos os sentidos, mas com demasiada frequência curvamo-nos ao visual. A análise objetiva não termina naquilo que podemos ver. Também precisamos catalogar e analisar o que podemos aprender a partir de todos os cinco sentidos para desenvolver um quadro geral do que estamos observando; se não o fizermos, estaremos deixando de lado informação valiosa. O cheiro no saguão de um hospital versus o cheiro na sala de emergência, o nível de decibéis na voz de alguém, a força do aperto de mão de uma pessoa, se ela olha no seu olho ou desvia o olhar: tudo isto é informação importante.

De fato, a visão nem sempre é o nosso sentido mais poderoso ou produtivo. Trabalhando com alguns dos mais hábeis agentes da lei do mundo, acabo sabendo de alguns dos pequenos mas significativos detalhes de bastidores de casos importantes. Esses detalhes que nem sempre chegam às manchetes, muitas vezes são extremamente estimulantes para o raciocínio e reveladores acerca do crime. Considere o assassinato de Annie Le, uma estudante de pós-graduação em farmacologia de Yale, que desapareceu em 2009 cinco dias antes do seu casamento. Esta investigação foi dificultada pelo som e solucionada pelo cheiro.

Inicialmente, a visão não estava ajudando muito os policiais. As imagens gravadas do sistema de vigilância e os registros das fechaduras eletrônicas mostravam Le entrando no laboratório onde trabalhava; mas nunca mostraram sua saída de lá. Sua carteira e telefone celular foram deixados na sua sala. Mas as autoridades não conseguiram descobri-la, nem mesmo seu corpo; sem isto é muito difícil identificar, que dirá indiciar, um suspeito. Depois de passados cinco dias sem descobertas – nada de DNA, nada de cena do crime confirmada, nada de Le –, o FBI foi chamado.

Um dos agentes do FBI estava parado no laboratório, muito frustrado por não conseguirem encontrar Le, quando decidiu fazer o que ninguém mais tinha feito: ir até o banheiro masculino no fim do corredor. Ele não usou as instalações da maneira convencional; em vez disso, procurava algum lugar onde pudesse ponderar mais sobre o caso e obter uma nova perspectiva. Quando abriu a porta do banheiro, recuou devido ao mau cheiro. Quando abriram a parede entre o banheiro e o laboratório, encontraram o corpo da vítima.

Por que ninguém sentiu o cheiro de decomposição no laboratório? Como a sala mantinha ratos em gaiolas para experimentação, um ventilador era mantido ligado o tempo todo para remover o odor dos animais e fazer circular ar fresco. Era um ruído tão constante que ninguém chegava a notá-lo. Se as pessoas tivessem ouvido o ventilador, poderiam tê-lo desligado e usado seus narizes mais cedo.

Nós vivemos num mundo muito visual, e pode ser difícil ceder o foco aos outros sentidos, e ainda mais desafiador porque os sentidos menos usados são mais difíceis de descrever. Não estamos acostumados a descrever cheiros em termos concretos; frequentemente recorremos a palavras qualitativas vagas como "agradável" ou "horrível". Mas precisamos ser tão meticulosos e precisos ao coletar informação com os outros sentidos quanto somos com a visão. Por exemplo, há uma diferença óbvia entre um cheiro "mofado" [*musty*] e um cheiro "almiscarado" [*musky*]. A mesma variação existe para sons, sabores e toque físico das coisas.

Para dominar esta habilidade de diferenciar com os sentidos, faça uso consciente de *todos* os seus sentidos em público e em particular. Quando estiver no metrô ou na mercearia ou no porão de casa, note os odores, sabores e sons. Para mim, descobri que o melhor jeito de acionar os meus outros sentidos é fechar os olhos por um instante. Recentemente, num avião, fiz exatamente isso e pela primeira vez notei os aromas de loção para mãos, perfume e bacon. Como era possível deixar escapar o cheiro de bacon num avião fechado com os meus olhos abertos? Estávamos em altitude de cruzeiro; o bacon não subiu a bordo repentinamente. Meus olhos comandavam toda a minha atenção; precisei desligá-los para meu cérebro alocar recursos aos meus outros sentidos.

Felizmente, quanto mais você envolve todos os seus sentidos, mais automático o processo se torna. E você vai descobrir que os outros sentidos realçam aquilo que você vê. Podemos praticar esta habilidade usando arte, do mesmo modo que a usamos com dados visuais. Podemos olhar um quadro de um dia na praia e saber quais são os seus sons: ondas quebrando, gaivotas grasnando, crianças gritando. Para provar isto, vamos analisar a seguinte pintura de Édouard Manet. Vou lhe dar uma dica inicial e dizer onde estamos: *Um bar no Folies-Bergère*, um cabaré em Paris.

O que você vê?

Édouard Manet, *Um bar no Folies-Bergère*, 1882

Este é um quadro complicado, repleto de gente e objetos. Vamos catalogar os fatos, mas desta vez nos assegurar de incorporar todos os nossos sentidos: visão, audição, olfato e tato. Não precisamos estar segurando uma laranja para nosso nariz saber que tem cheiro cítrico. Não precisamos estar com as mãos pousadas num bar revestido com mármore branco para saber que é duro como pedra e frio ao toque. Não precisamos estar nesse salão para saber como o som deve estar alto. Estes são fatos que podemos deduzir sem estarmos fisicamente presentes na cena.

Quantas pessoas há nessa pintura? Difícil dizer, pois muitas delas estão refletidas em espelhos, então vamos estimar. Conte uma pequena seção e aí multiplique; eu diria que parece haver cerca de cinquenta pessoas ao fundo, com uma mulher e um homem em primeiro plano. Quem é a personagem principal? A atendente do bar ou o homem de bigode de cartola preta no canto superior direito? E a mulher no canto superior esquerdo, de quem podemos ver apenas os sapatos verdes pontudos – a trapezista? Ela é o entretenimento, uma das razões que levaram a multidão a se juntar: para assistir à sua apresentação. Ela poderia ser a parte mais importante da cena, mas jamais saberíamos se não a tivéssemos localizado.

Vamos listar alguns dos sons que esperaríamos ouvir. Copos tinindo. Pessoas conversando. Provavelmente música. Talvez o tilintar dos cristais dos candelabros devido ao movimento do ar ou o rangido das articulações do trapézio?

O que poderíamos cheirar? As laranjas. As bebidas alcoólicas. As flores no vaso sobre o bar. E as flores no colo da mulher? Quem sabe ela as use como buquê aromático, para ajudar a se proteger de outros odores desagradáveis, como o cheiro de uma grande massa de gente que raramente tomava banho, confinada num espaço sem ar-condicionado?

Qual seria a sensação do ar no salão? Não podemos ver janelas, mas podemos ver nuvens de fumaça ao fundo, o que sugere que não há brisa nem boa ventilação. Qual seria o cheiro da fumaça? E o sabor?

Agora estudemos as diferentes perspectivas na pintura. Vamos entrar atrás do bar e ficar ao lado da atendente para ver as coisas da perspectiva dela. O que ela vê? Luzes e candelabros, fumaça e gente. Segundo o espelho atrás, ela está bem longe da multidão. O reflexo às suas costas mostra que o homem de bigode é o único por perto. Onde está ele na vida real? Não deveria estar de pé bem na frente dela, bloqueando a nossa visão? Como não está, será que *nós* somos ele? Será que o observador da cena é o homem de cartola parado bem na frente da atendente?

Vamos nos colocar no lugar dele. Se fôssemos ele, o que estaríamos querendo dela? Um drinque, atenção, a resposta para uma pergunta, talvez. A nossa percepção da expressão, postura e resposta dela muda consideravelmente se nós somos ele. Quando nos inserimos ativamente na cena, seu olhar vago pode assumir um significado inteiramente novo. Em vez de desligada ou deprimida podemos vê-la como rude ou preguiçosa.

Agora vamos erguer nossa lente e ver as coisas de um ponto de vista totalmente diferente: o da trapezista. Quais seriam as diferenças na visão, sensação, cheiro e som desta cena vista de cima? Tanto ar quente como fumaça sobem, então a temperatura seria mais alta e o ar mais denso. Provavelmente o barulho seria o mesmo, se não um pouco menos intenso, mas as luzes poderiam ser mais claras, já que ela está suspensa acima da multidão e das luminárias. Estando no alto do salão, ela não tem outro lugar para olhar a não ser para baixo. O que ela vê? A parte de cima de uma porção de chapéus. Como a menina que encontrei no aeroporto, a trapezista não tem muito contato visual. Como poderia isto afetar sua visão da cena? Enquanto minúcias de tantas conversas individuais poderiam passar pelos ouvidos da atendente do bar, a trapezista não tem acesso a nenhuma delas. Em vez de estar no meio, ela está efetivamente distante e desligada. Estará prestando atenção à multidão ou preocupada em executar seu ato?

Esforçar-se para ver o mundo a partir da perspectiva de outras pessoas pode tornar qualquer cena mais vívida. Mas seu valor é muito mais do que estético. Na verdade, a capacidade de imaginar os pontos de vista, reações e preocupações dos outros é uma das ferramentas cognitivas mais importantes que nós humanos possuímos, pois não só nos torna mais empáticos com os outros mas também mais perspicazes quando lidamos com eles – ou quando imaginamos como deveríamos lidar com eles.

Vimos como adotar fisicamente um novo ponto de vista ajuda a conseguir isto; agora, para uma compreensão ainda maior, vamos nos colocar no lugar de alguém mais completamente. Em vez de apenas ficar parados onde estamos, vamos examinar qual seria o aspecto do mundo a partir dos olhos dessa pessoa.

Perspectiva mental

Em *O sol é para todos*, Atticus Finch diz à sua filha, Scout: "Você nunca entende realmente uma pessoa até considerar as coisas do ponto de vista dela... até entrar e andar por aí na sua pele."[32] Fazer isto é criar empatia, uma competência fundamental para a colaboração, para administrar conflitos e para o pensamento criativo tanto em contextos profissionais como pessoais.

A revista *Forbes* chama a empatia de "a força que move os negócios".[33] Jayson Boyers escreve: "A realidade é que para que os líderes empresariais vivenciem o sucesso, eles precisam não só ver ou ouvir a atividade ao seu redor, mas também relacionar-se com as pessoas que os servem."[34]

Frequentemente trabalho com arrecadadores de fundos profissionais, e fui chamada para treinar uma equipe que não estava atingindo o nível de doações esperado. Eles estavam confusos, pois era o quadragésimo aniversário da sua instituição beneficente, um marco que haviam orgulhosamente anunciado em todo seu material impresso. Não conseguiam entender por que a comemoração de sua longevidade não tinha levado a um aumento nas contribuições. Era um problema de perspectiva. Eles estavam encarando a campanha anual do seu próprio ponto de vista: de funcionários. Seu senso de orgulho, porém, não se traduzia necessariamente para qualquer pessoa fora da organização. Eu disse a eles para dar uma olhada no panfleto da perspectiva dos doadores. A primeira prioridade de um doador não é a idade da instituição; é saber que o seu dinheiro está auxiliando alguém. Na sua ansiedade de anunciar o aniversário, os funcionários haviam acidentalmente minimizado os bons trabalhos que tinham feito naquele ano. O problema da redução nas doações foi solucionado incorporando pontos de vista de outros.

O filósofo e autor britânico Roman Krznaric afirma que a empatia também é "a chave para ter um casamento bem-sucedido, fazer seu filho adolescente conversar com você, ou interromper a inevitável crise de choro de um bebê... A empatia é o ato de se pôr no lugar de outra pessoa e compreender seus sentimentos e perspectivas",[35] diz ele.

Pratique colocar-se ativamente no lugar dos outros tanto física como mentalmente. O que uma reprimenda de dedo em riste representa para uma criança que a vê de baixo? Que sensação provoca a redução de orçamento de um departamento ordenada pela alta chefia para o gerente desse departamento? O que significa um bônus perdido para um funcionário que vive estritamente do seu contracheque?

Dependendo da distância entre você e a pessoa que está tentando entender, talvez você precise entrar um pouco mais fundo para dar uma boa olhada nas coisas a partir da perspectiva do outro. O programa de TV *Undercover Boss* [*O chefe espião*], vencedor do prêmio Emmy, faz exatamente isso disfarçando CEOs como novos funcionários e permitindo que vejam como é a vida nas linhas de frente das companhias que dirigem. Além de divertido de assistir, esse experimento social produziu resultados no mundo real que os executivos dizem que não teriam conseguido de outra maneira.

Rick Silva, CEO da Checkers and Rally's, cadeias de *fast-food* com 20 mil funcionários e mais de oitocentos restaurantes, diz: "As circunstâncias são esquisitas, mas apresentar-se disfarçado dá a chance de conectar-se de verdade com seus funcionários."[36] Posando no papel de "Alex Garcia", Silva ficou sabendo que alguns funcionários sofriam abusos de gerentes mal treinados, outros trabalhavam com alegria apesar de dívidas e "lutas dickensianas"[37] no lar, e que muitos membros de equipes trabalhando por hora ficavam frustrados pelo programa de incentivo que só recompensava gerentes. "Eles não seriam nada sem nós",[38] disse-lhe Johanna, uma funcionária excepcional ao lado de quem trabalhou (e não conseguiu acompanhar).

Silva teve muitas percepções, que levou de volta para a sede da corporação, e fez muitas mudanças. "Agora chamo [minhas boas funcionárias] de 'Johannas'",[39] diz Silva. "E tenho ali um monte de 'Johannas' e elas não se sentem confiantes o bastante para falar com a gerência por todas as razões corretas." Para remediar isto, foi introduzido um programa-piloto do tipo "orientar-para-crescer" para identificar os melhores funcionários, e a empresa começou a dar bônus para os membros das equipes e não só para os gerentes.

Muitos especialistas em relacionamentos conjugais e parentais recomendam um experimento similar de troca de lugares quando a imaginação não é suficiente. Todo ano, no Halloween, a consultora educacional e escritora Jennifer Miller insta seus leitores a participar de um desafio do tipo "sexta-feira maluca", no qual cuidadores e crianças cuidadas trocam de papéis e agem de acordo para uma atividade familiar. Depois de fazer isso com sua própria família, Miller relatou: "Descobri o quanto é duro e desconfortável realmente tentar se colocar no lugar e na perspectiva do outro. É um trabalho duro. Requer pensar ativamente sobre a outra pessoa, suas crenças, seus hábitos diários, e qual seria autenticamente sua aparência e seu jeito de falar. E há também uma responsabilidade imediata, pois a pessoa que você está tentando imitar está assistindo. Depois do jogo, notei que frequentemente estava pensando sobre o que [meu marido] poderia dizer numa situação particular ou como [meu filho] poderia reagir. Esta atividade em si bastou para elevar a minha própria consciência dos pontos de vista dos meus familiares."[40]

A empatia não é o único benefício de adotar a perspectiva de outra pessoa. Fazer isto também nos ajuda na resolução de problemas. Colocarmo-nos no lugar de uma pessoa[41] ficcional ou famosa pode nos auxiliar a modificar a nossa linha de pensamento quando estamos empacados. Como atividade individual ou grupal, no escritório ou em casa, escolha uma pessoa conhecida e tente achar a solução para um problema usando a personalidade, a história e o ponto de vista dessa pessoa. Como Shakespeare atacaria esse seu problema de produtividade? Que novas características dariam ao seu produto ou serviço um fator competitivo, segundo a Oprah? O que diria o Homem-Aranha sobre a linguagem desrespeitosa?

Na nossa era digital, olhar as coisas de todos os ângulos antes de agir também é imperativo para a nossa própria proteção. Quando a filha de quinze anos de Marlene Mollan[42] ficou insegura sobre se deveria postar uma foto da festa de Halloween na sua conta do Twitter, correu para a mãe a fim de ter uma segunda opinião. Na foto, a filha de Mollan estava de pé, totalmente vestida e numa pose adequada, entre dois amigos, rapazes musculosos da sua idade que estavam sem camisa.

"Não estou fazendo nada de errado na foto, nem eles", disse a moça. "Mas eu só queria ter certeza de que não ficaria mal."

Marlene Mollan sabia que, uma vez postada, a foto viveria online para sempre, e, embora ela própria não visse problema, estimulou a filha a olhar para a imagem segundo o máximo possível de perspectivas.

"O que o seu namorado acha da foto, considerando que não aparece nela?", indagou Mollan.

"Eu mostrei a ele, e para ele tudo bem", ela respondeu. "Ele sabe que os garotos e eu somos só amigos."

"E como os seus futuros namorados poderiam percebê-la?", Mollan continuou indagando.

"O que você está querendo dizer?"

"Eles poderiam pensar que você só namora caras que têm essa aparência e ficar assustados. E se o seu futuro Príncipe Encantado não for capaz de levantar cem quilos?"

"Mãe!"

"Como você acha que a mãe do seu namorado veria a foto?", prosseguiu Mollan. "Ou a sua avó? O seu diretor? O pastor? Um futuro encarregado de aprovar sua entrada na faculdade? Um futuro patrão?"

Possivelmente não muito bem, concordou a filha. Depois de considerar como outros poderiam enxergá-la de maneira diferente por causa da foto, ela decidiu não postá-la.

Tão importante quanto ver as coisas do ponto de vista dos outros é assegurar que eles também tenham acesso ao nosso. Informar aos outros o que vivenciamos contribui tanto para a compreensão mútua quanto agrega informação possível de ser coletada.

Durante a busca por Annie Le, nem uma única pessoa da equipe de Yale pensou em falar aos investigadores sobre o ventilador que funcionava continuamente no laboratório onde ela trabalhava. Eles simplesmente presumiram que a polícia o ouviria e desligaria. Quanto mais cedo teriam achado o corpo de Le se alguém o tivesse mencionado?

Só porque você vê ou ouve ou cheira ou sabe alguma coisa isto não significa que o mesmo ocorra com todo mundo. Esteja ciente das coisas que lhe são familiares, mas que talvez não sejam familiares aos outros. Se você mora em Nova York, pode ser o onipresente barulho de sirenes. Se você mora no campo, pode ser o chilrear dos pássaros ou o canto dos grilos. Certifique-se de fazer um inventário completo do seu mundo quando necessitar dividi-lo com outra pessoa. Para isto, faça a si mesmo as seguintes e simples perguntas:

- O que estou deixando de fora?
- O que eu poderia estar presumindo como certo?
- O que outra pessoa entrando no meu mundo não saberia?

Quanto mais informação você conseguir juntar, mais oportunidade haverá para uma avaliação acurada, que por sua vez aumenta as chances de encontrar o que estamos buscando, seja a solução, a resposta ou a verdade.

O enganoso "por quê"

Exploramos maneiras de avaliar o quem, o quê, o onde e o quando. Compreender outras perspectivas também pode nos ajudar a responder o enganoso "por quê". Por que ela fez o que fez? Por que ele foi embora? Por que alguém sabotou um sistema ou teve uma crise de raiva ou rompeu conosco ou deixou a cidade ou incendiou a ponte? Na maioria dos casos, o problema é resultado de uma reação, e reações são causadas por ações. Compreender como os outros veem as coisas, com que fatos da vida poderiam estar lidando, pode ajudar a responder por que agem da forma que agem.

Em 2013, ajudei o Corpo da Paz a planejar um programa de treinamento para sua equipe de resposta a violência sexual. O programa incluía uma seção sobre ver as coisas de todas as perspectivas para formular a resposta mais efetiva. Para prover a segurança contínua de suas voluntárias, a equipe do Corpo da Paz precisava de uma forma melhor de identificar como a informação é apresentada e percebida em situações envolvendo agressões a voluntárias. Por exemplo, se os fatos da história de uma voluntária mudam quando ela os conta a diferentes pessoas, isto poderia indicar que ela não está dizendo a verdade. Colocar-se no lugar dela apresenta explicações alternativas. Imagine-se como uma jovem traumatizada, no exterior, separada da família e dos amigos, tentando descrever a natureza de um encontro sexual a um administrador homem, mais velho, que poderia ser parecido com o agressor ou com o pai severo que a advertiu, para começo de conversa, a não sair de casa. A partir desta perspectiva, fica mais fácil ver por que ela poderia não ser tão acessível. Ter o discernimento de que a voluntária poderia não se sentir à vontade contando certos detalhes a membros específicos da equipe pode ajudar a própria equipe a ajustar seus protocolos para relatórios.

De forma similar, ao mesmo tempo que é imperativo descobrir o que a vítima sabe sobre o perpetrador, é igualmente importante olhar as coisas a partir da perspectiva do agressor. Que fatos a seu respeito poderiam ter contribuído para o incidente? Será que ele ou sua família tem conexões com agentes da lei locais ou influência na comunidade local? Será que ele tem conexões ou influência junto a pessoas com quem a vítima trabalha ou vive? Para obter um quadro completo da situação, a percepção do incidente por parte da comunidade também precisa ser investigada. Qual foi a sua reação? As pessoas estão sendo solidárias com a vítima? Em caso afirmativo, continuarão a ser? Em última análise, a pergunta que precisa ser respondida é se a voluntária deve ou não retornar ao seu posto. O único meio de responder a esta pergunta é ver as coisas a partir da perspectiva de todos os envolvidos.

Depois que JR ajudou a dar ao mundo uma nova perspectiva sobre os moradores do morro da Providência, os líderes civis no Rio de Janeiro passaram a prestar atenção. Finalmente aventuraram-se a subir o morro, reuniram-se com os moradores e descobriram como era viver sob o punho dos chefes das facções, isolados pela geografia, precisando descer 365 degraus só para chegar a uma mercearia. Em 2010, os líderes civis implantaram um programa revolucionário de serviços sociais que incluíam Unidades de Polícia Pacificadora para recuperar a área dos traficantes armados e restabelecer a paz. As associações de moradores elegeram presidentes para respaldar o orgulho comunitário. E, em julho de 2014,[43] foi inaugurado um novo sistema de teleférico para ligar a favela à cidade abaixo. Os teleféricos podem transportar mil pessoas por hora para cima e para baixo, e são gratuitos. Com belas vistas de 360 graus em cada cabine, o meio de transporte também está atraindo um novo tipo de pessoa para a favela: turistas. Eles estão vindo em massa para desfrutar uma belíssima vista nova da cidade.

Uma vista nova

Imagine que você esteja numa aldeia de pescadores no sul da França, parado diante de uma janela que se abre para as águas claras e azuis do mar Mediterrâneo. A mesma brisa morna que alisa os barcos ao longo da superfície sopra pela vidraça aberta. A aldeia é um tumulto de cores, desde as flores locais que florescem o ano todo até as construções fortemente coloridas que abraçam as praias cobertas de seixos.

Foi exatamente isto que o artista Henri Matisse desfrutou por quase uma década quando escapou dos úmidos invernos de Paris para um estúdio alugado na pequena cidade de Collioure. A janela do estúdio, tecnicamente duas grandes portas que se abriam para um minúsculo balcão, tinha vista para o porto da vila. Matisse passava horas incontáveis[44] diante da janela pintando o que via, capturando as cores que chamava de "explosivas", tais como nesta peça de 1905, intitulada simplesmente *Janela aberta*:

Henri Matisse, *Janela aberta*, *Collioure*, 1905

Em 1914, ele pintou a mesma cena, com o título *Janela francesa em Collioure*, mostrada aqui:

Henri Matisse, *Janela francesa em Collioure*, 1914

O que aconteceu? A cena fora da janela não havia mudado: ainda continha o Mediterrâneo azul, navios coloridos e dias quentes e ensolarados. Na verdade, segundo os historiadores de arte no Centro Pompidou, em Paris,[45] onde se encontra o quadro, uma visão mais próxima revela que árvores e o gradil em ferro fundido do balcão são levemente visíveis, pois foram pintados antes que Matisse aplicasse uma cor preta sobre tudo. O que os estudiosos acreditam ter mudado foi a maneira como o artista enxergava o mundo.

Como a percepção, a nossa perspectiva pode mudar. Ela não é fixa. Muitas coisas podem manipulá-la: tempo, estado de espírito, novas experiências através das quais filtramos o mundo. Como a pessoa se sente em relação a algo hoje, como ela descreve algo hoje, pode ser muito diferente de como ela se sentirá ou descreverá no futuro. Numa recente sessão que tive com investigadores de abuso infantil, uma investigadora reconheceu que aquilo que se passa na sua vida pessoal pode deturpar a maneira como ela "vê" a informação numa visita a um local.

Para Matisse, a vida em 1914 era muito diferente da vida nove anos antes. A Primeira Guerra Mundial havia acabado de começar, e a França estava sofrendo grandes perdas. O exército alemão tinha invadido a cidade natal de Matisse, prendendo sua mãe idosa e doente atrás de suas linhas. Seus amigos foram recrutados, seu irmão foi prisioneiro de guerra, e embora Matisse tivesse tentado se alistar muitas vezes, foi repetidamente rejeitado por ser velho demais para servir. Em vez disso, o exército francês apropriou-se da sua casa em Paris para servir de quartel-general, e ele foi exilado para o estúdio de verão.

A vista real do lado de fora da janela em Collioure não havia mudado. A paisagem não fora dizimada por bombas nem a aldeia tomada por um exército estrangeiro. A vida continuava na vila catalã como sempre tinha sido. Exceto que, para Matisse, não parecia mais a mesma.

Por que isto é importante? Porque a nossa mudança de perspectiva pode mudar as nossas observações. Se entrevistássemos Matisse, lhe perguntássemos qual era a cor do mar em 1914 e ele dissesse: "Preta", não seria mentira. O mar poderia parecer azul para nós, mas realmente preto para ele. Destaquei isto no treinamento da equipe de violência sexual do Corpo da Paz: que uma vítima podia mudar os fatos de sua história simplesmente porque com o tempo podia se lembrar das coisas de forma diferente.

Pesquisas contemporâneas sugerem que quanto mais recordamos uma coisa, mais nos lembramos ou mais refazemos a nossa memória dessa coisa, sobretudo se ela estiver ligada a uma experiência emocional. Elizabeth A. Phelps,[46] professora de psicologia e ciência neural na Universidade de Nova York, acredita que isto ocorre por causa de uma linha de comunicação direta no nosso cérebro entre o córtex visual, a amígdala, onde as emoções são codificadas, e o hipocampo, onde a memória é armazenada. Quando alguma coisa desperta as nossas emoções, boas ou ruins, a amígdala diz aos nossos olhos para prestar mais atenção, dando ao hipocampo mais para armazenar. No entanto, enquanto o envolvimento emocional aumenta nossa confiança em nossas memórias, ele não eleva necessariamente a sua acurácia objetiva.[47]

Ter consciência desta possibilidade pode nos ajudar a evitar fazer pressuposições – a pessoa não está dizendo a verdade agora, ou não estava antes – que desconsiderem aqueles que somos chamados a servir.

Uma perspectiva de serviço

Não importa quais possam ser nossos trabalhos, todos estamos de alguma forma a serviço de outros: clientes, colegas, patrões, filhos, parceiros, pacientes, distribuidores, leitores e usuários, até mesmo amigos. Em vez de descrever apenas experiências a partir do nosso próprio ponto de referência, precisamos estar sintonizados com as perspectivas dos outros, de modo que sejamos mais capazes de acomodar suas necessidades e desejos.

Um exemplo perfeito de como alguém a quem ensinei pôs isto em prática para benefício de seus clientes e de sua carreira é a assistente social em oncologia Judy Galvan. Judy se propôs a visitar uma paciente terminal na nova ala de repouso feminina com um cobertor vermelho vivo. Ela ouvira dizer que a mulher vivia se queixando de frio, uma queixa comum em pacientes com câncer. Judy conhecia a paciente havia dois anos, a visitara anteriormente em sua casa, onde vivia de forma orgulhosa e independente, e sabia que a mulher resistira a dar entrada no hospital até não haver outra opção.

"Quando entrei no seu quarto no hospital, fiquei impressionada com o quanto ele parecia branco, severo e vazio", ela me contou. "Mesmo tendo visitado dezenas de pacientes em contextos hospitalares semelhantes, absorvi de maneira distinta o ambiente daquela paciente."

Tendo analisado diferentes perspectivas em arte, vendo as coisas com os olhos da atendente do bar e dos moradores da favela, Judy postou-se atrás dessa paciente viu as coisas do ponto de vista dela.

"Notei imediatamente que ela estava dormindo de óculos na cama", recorda Judy. "Ao estender o cobertor sobre ela, o contraste entre o tecido vermelho e a brancura de todo o ambiente reforçou a minha percepção da sua descrição: frio. *Frio* significa muito mais do que simplesmente temperatura baixa. Não havia nada nas paredes, exceto um pequeno calendário de atividades colocado bem na sua linha de visão. Havia uma pequena janela que dava para uma paisagem urbana inócua. E a sua palidez combinava com o quarto."

Determinada a trazer mais calor do que só um cobertor, Judy ajudou a criar no quarto um ambiente mais interessante visualmente, com objetos coloridos que sua paciente pudesse ver. Também combinou com as enfermeiras de levar a mulher ao jardim do hospital com regularidade. A mudança de cenário aumentou de forma drástica a qualidade dos últimos dias daquela paciente.

Mudar a nossa perspectiva nos permite ver coisas pela primeira vez ou de forma nova. O processo pode nos ajudar a encontrar tanto detalhes mínimos quanto ideias estremecedoras, capazes de mudar paradigmas, e você pode usar essa informação para resolver problemas e descobrir novas possibilidades.

A definição final de *perspectiva*[48] é a capacidade de ver as coisas em relação à sua verdadeira importância. Para dominar também este ângulo, vamos aguçar a nossa habilidade de priorização olhando um barco, um trem, uma ponte, um terraço e uma casa pegando fogo.

7. Ver o que está faltando

Como priorizar como um agente infiltrado

Com a pistola Glock na mão, tive uma terrível sensação de déjà-vu da vez em que acompanhei um carro de polícia durante meu curso de pós-graduação, só que desta vez era eu quem estava segurando a arma. E estava diante da minha própria casa.

Meu coração batia forte enquanto eu subia os degraus da frente. Eu nunca havia sequer segurado uma arma antes, mas não tinha escolha. Ouvira que o meu filho estava sozinho em casa com um intruso, e eu era a única por perto. Quando entrei no hall, um homem vestido de preto correu na minha frente, passou pela porta aberta e saiu para o quintal. Saí correndo atrás dele. Só pude ver as suas costas. Ele segurava um saco marrom que parecia volumoso e pesado. Ele não disse nada. Eu não disse nada. Simplesmente apertei o gatilho.

O coice da arma foi ruidoso e súbito; a arma quase me acertou na cara. Eu tinha mirado no seu coração e acertei o alvo. Ele estava morto.

O sargento de polícia da Carolina do Norte que me dera a arma não pôde acreditar.

"Ele estava fugindo, você não corria nenhum perigo, ele nem mesmo estava armado", o sargento me censurou. "E *esse* foi o único sujeito que você baleou?"

Não consegui explicar a minha ação; ninguém estava mais surpresa do que eu.

Quando cheguei naquela manhã à Conferência de Integridade e Acurácia para o Gabinete do Procurador Distrital da Carolina do Norte, estava empolgada; promotores, defensores públicos e oficiais de polícia estariam todos presentes a esse evento, cujo propósito era reforçar que na imposição da lei todo mundo estava do mesmo lado. Nunca esperei terminar o dia segurando uma arma, muito menos matando alguém.

Depois que registrei minha presença, fui levada a um dos salões de festa do hotel, onde me disseram que era hora do meu teste no Fats (*firearm training simulator* – simulador de treinamento com armas de fogo). Fui informada de que todo mundo na conferência tinha de fazê-lo.

Puseram um adesivo no meu pescoço para medir minha pulsação, postaram-me em frente à tela de um elaborado e realista sistema de vídeo e me entregaram uma arma de verdade.

O sargento me deu uma rápida aula de segurança com armas de fogo, garantiu que não estava carregada com munição, apenas com um sensor, e recuou para me deixar começar.

Eu ainda não estava pronta. "Quando eu atiro?", perguntei.

"Senhora", o oficial respondeu lentamente, "atire *quando for apropriado*."

Como é que eu devia saber quando era isso? Quem pode dizer o que é apropriado? E aí residia a lição: a situação e o estímulo para ação são diferentes para cada pessoa.

A tela se acendeu. De repente, eu estava parada num beco escuro com rugosas paredes de tijolo dos dois lados. Levantei as mãos à minha frente como o oficial tinha demonstrado; eu deveria antecipar o perigo. A tela moveu-se para me estimular a andar, as paredes saindo de foco à medida que passavam pela minha visão periférica. Um saco plástico branco vazio farfalhou aos meus pés. Uma lata de spray de tinta azul estava jogada debaixo de uma obra de grafite não terminada, como se alguém a tivesse largado às pressas. Enquanto eu andava, um gato sarnento de cor âmbar sentado sobre uma enorme lata de lixo metálica, cinzenta e amassada sibilou para mim. As costas de um homem entraram no meu campo de visão. Ele estava parado no meio de uma passagem pouco mais de um metro adiante. Vestia jeans folgado e jaqueta de couro. Cabelos castanhos gordurosos saíam de baixo de uma touca e se enrolavam por cima da gola da camisa.

Parei e fiquei quieta, embora ligeiramente vacilante, insegura do que fazer. A arma era fria e mais pesada do que eu esperava; segurá-la com o braço esticado fez meu pulso doer levemente. De repente o homem se virou e me atacou com uma faca. Baixei a arma e apertei o gatilho.

O vídeo parou e o oficial reapareceu. "Hum, querida", disse ele, "você atirou nos pés do sujeito."

"Eu sei", respondi.

"Por quê?", perguntou ele.

"Eu não queria feri-lo, só queria fazê-lo parar", expliquei.

"Senhora, ele *queria* feri-la", o oficial retrucou.

Sem demora, a segunda cena começou. Eu estava num quintal de fundos. Uma cerca de madeira de uns dois metros de altura envolvia a área gramada em três dos lados, as tábuas tão juntas que a visão atrás delas ficava obstruída. Um leito de terra não plantada demarcado com grandes pedras abraçava a cerca.

Dois homens estavam parados no meio do quintal, brigando por alguma coisa que eu não conseguia ver. Estavam disputando o controle do objeto, oculto pelas suas mãos calosas. Hesitei.

"Você pode falar com o vídeo", o policial gritou para mim. "Ele é interativo."

Informação nova, bom saber.

"O que está acontecendo aqui?", eu disse no meu tom mais autoritário.

Os homens pararam e olharam para mim. "Quem é ela?", um deles perguntou ao outro.

Como sabiam que eu era mulher?, estranhei. Será que podiam realmente me ver? A simulação parecia cada vez mais real.

O homem da direita, corpulento, com uma barba cerrada e uns bons quinze centímetros mais alto do que eu, soltou o outro, magricela e sem barba. "Eu cuido dela", disse ele.

Ele se abaixou, pegou uma pedra enorme e avançou na minha direção. Eu me mantive firme no lugar. Ele ergueu a pedra e a baixou para onde deveria estar a minha cabeça. O vídeo parou.

"Por que você não atirou?", perguntou o oficial.

"Ele não estava armado", respondi, sem graça.

"Uma pedra desse tamanho na mão de um homem grande como ele é uma arma", disse o sargento. "Ele acabou de matá-la. E não de um jeito muito bonito."

Fantástico.

Teve início o terceiro vídeo. Desta vez eu estava dirigindo um carro. Uma estranha sensação de desconforto tomou conta de mim – na vida real eu não dirijo. Quando estacionei diante da minha casa, uma mulher de meia-idade, gorducha, loira, vestindo um felpudo roupão cor-de-rosa, correu para a janela do carro, a face retorcida de preocupação.

"Alguém estava rondando a sua casa", disse ela. "Acho que estão lá dentro."

Saltei correndo do carro.

"Seu filho não está lá?", ela perguntou.

Como se fosse uma pista, uma vozinha veio de dentro da casa: "Mãe!"

Passei pela porta de entrada, braços erguidos, e vi o homem segurando o saco fugir correndo. Sem hesitar, atirei nas costas dele, matando-o.

"Então, quando alguém quer realmente matá-la, você ou não atira ou atira no pé", repetiu o oficial, "mas este cara, fugindo, desarmado, sem ameaçá-la, é *ele* que você mata?"

Acontece que fui a única na conferência que atirou neste último homem. Quando mais tarde me pediram para me levantar e explicar por que havia atirado, eu ainda não tinha uma boa resposta. Foi uma reação visceral: se você machucar o meu filho, eu mato você. Eu não tinha qualquer prova de que meu filho tivesse sido ferido, não tinha realmente nenhuma boa justificativa para o homicídio, mas eu fiz. Atirei.

Passei muitas noites angustiantes depois disso tentando entender por que havia puxado o gatilho. Tudo acontecera tão depressa, meus pensamentos mal tiveram tempo de me acompanhar. Minhas reações foram automáticas e pareceram quase involuntárias. Mas foram minhas, e eu teria tido de assumir a responsabilidade por elas se aquilo tivesse acontecido na vida real em vez de numa simulação. Então, o que foi que moldou a minha decisão reflexa de atirar?

Mesmo no curto tempo de cada simulação, eu coletara uma profusão de fatos objetivos. Notara o gênero, a altura e os traços faciais dos meus companheiros, bem como o que estavam vestindo e carregando. Não havia feito suposições sobre o seu caráter ou moralidade. Eu tinha absorvido o ambiente, tanto o quadro geral como os pequenos detalhes. Embora não pudesse cheirar o vídeo, usei meus outros sentidos para absorver texturas e sons. Acionei meus próprios filtros perceptuais, reconhecendo que estar ao volante de um carro me deixou desconfortável. Mesmo as minhas experiências passadas entraram em jogo: não ter tido nenhum encontro pessoal com uma pedra ou uma faca significava que eu implicitamente não as via como armas fatais.

Muito rapidamente eu coletara uma porção de dados, e os separei por objetividade ou subjetividade, fato ou premissa, mas o que foi que me fez agir segundo apenas uma parte da informação, e não toda ela? O que fez com que certos itens viessem para o primeiro plano e influenciassem a minha tomada de decisão? A maneira como priorizei a informação.

O motivo de eu não ter atirado nos dois primeiros agressores mas ter atirado no último, um homem desarmado, começa e acaba no meu filho. Ele é a minha prioridade número um. Como sem dúvida acontece com a maioria dos pais, eu valorizo a segurança do meu filho mais do que a minha própria vida.

É de extrema importância saber de que maneira nós priorizamos a informação, porque o que rotulamos na mente como mais importante é aquilo *segundo o qual* iremos agir. Até agora, tudo que vimos diz respeito a avaliar informação e analisar o que foi coletado.

A maneira como priorizamos essa informação, porém, seja conscientemente ou não, afetará de forma direta as nossas ações.

Tão logo dispomos de múltiplos dados, temos uma escolha: segundo qual deles agiremos? Nossas ações resultantes nem sempre são tão extremas e físicas quanto decidir atirar num estranho. Poderíamos ter de tomar decisões em relação a algo menos ameaçador para a nossa vida, mas ainda assim importantes, tais como determinar a que peças de informação vamos dedicar recursos para buscar e em que ordem.

Não podemos acompanhar, perseguir ou investigar cada peça de informação que descobrimos, pelo menos não todas ao mesmo tempo. Ao examinar os limites cognitivos do cérebro humano e o mito das multitarefas, aprendemos que um ser humano único não pode fazer múltiplas coisas ao mesmo tempo. Andar e falar, sim. Ler um livro sobre conexões neurais e ao mesmo tempo entrevistar um professor universitário e seu boneco orangotango? Não. Se não decidimos conscientemente que tarefa realizar primeiro, nosso cérebro escolhe por nós com base nas nossas percepções e tendências embutidas. E isto não é bom, como podemos ver pela experiência da dra. Anna Pou.

Quando o furacão Katrina assolou os Estados Unidos em agosto de 2005, a dra. Pou, uma respeitada cirurgiã, estava trabalhando no Memorial Medical Center em Nova Orleans. Ofereceu-se como voluntária para permanecer além do seu turno para cuidar dos pacientes e não deixou o hospital por quatro dias, enquanto as condições dentro e fora da instituição iam se deteriorando. Carregou suprimentos, auxiliou nas rações de comida e cumpriu turnos de duas horas movendo manualmente respiradores para manter pacientes vivos. Todas as suas boas ações, porém, foram ofuscadas pelas decisões que tomou ao definir suas prioridades.

Quando as enchentes cercaram o hospital, ele ficou sem eletricidade, os sistemas de saneamento pararam de funcionar, a comida acabou e a temperatura do prédio chegou a mais de 43 graus. À noite, o hospital ficava imerso na escuridão e era assustador.

"Começamos a ouvir histórias sobre assassinatos, sobre gangues estuprando mulheres e crianças",[1] Pou disse à Associated Press. "As mulheres que tinham seus filhos ali estavam realmente apavoradas."

Os responsáveis tiveram de tomar decisões difíceis sobre como cuidar e depois evacuar as mais de 2 mil pessoas que estavam lá dentro. A dra. Pou era um deles. Priorizou quem necessitava ser transferido e em que ordem, e quem podia ser deixado ali, com base nas condições médicas que observou. Pelos seus esforços, foi posteriormente chamada de heroína e assassina. Embora ela tivesse ficado no hospital, com grande risco próprio, e durante cinco dias tivesse comandado um pequeno quadro de funcionários da saúde para salvar e evacuar pacientes, um ano depois, quando estacionava o carro em frente à sua casa após uma cirurgia de treze horas, a dra. Pou foi detida e algemada ainda trajando seu jaleco, e acusada de assassinato em segundo grau pelas mortes de alguns dos pacientes mais idosos, todos com ordens de "não ressuscitar". Ela resolvera sedá-los para "ajudá-los a atravessar sua dor",[2] e subsequentemente eles haviam morrido. O caso acabou sendo arquivado[3] quando um júri de instrução recusou-se a indiciar a dra. Pou, mas não antes de as acusações terem provocado enormes estragos na sua vida pessoal e profissional.

Acontecimentos catastróficos e emergências podem expor rapidamente, e sem nenhum aviso ou remorso, quaisquer falhas subjacentes de uma fundação para você, seu negócio, sua família e às vezes para o mundo inteiro. Após acidentes mortais[4] em 2013,[5] a Metropolitan Transportation Authority de Nova York publicou um relatório revelando que a estrada de ferro Metro-North priorizava a pontualidade acima da segurança do público. Os usuários ficaram compreensivelmente indignados. No mesmo ano, o Departamento de Segurança e Saúde Ocupacional do Arizona anunciou que dezenove bombeiros haviam perdido a vida no incêndio de Yarnell Hill no verão anterior porque o Departamento Florestal priorizara a proteção à propriedade sobre a segurança dos trabalhadores, uma revelação que deixou as famílias das vítimas arrasadas.

Erros de má priorização podem nos perseguir. Embora mais adiante tenha se tornado chefe de uma empresa fabricante de carregadores sem fio de bateria, qualquer sucesso futuro que Thorsten Heins venha a ter será sempre acompanhado pelo estigma de sua grande asneira como ex-CEO da BlackBerry. A CNN reporta que ele foi destituído pelo seu "único, crucial e superabrangente equívoco: não priorizou os clientes essenciais da BlackBerry, focados em negócios".[6] Em vez disso, tentou imitar o sucesso de consumo de massa da Apple e do Android, uma decisão que levou a um desastroso prejuízo de 1 bilhão de dólares em estoques não comercializados. Da mesma forma, a reputação das Filhas da República do Texas, o patriótico grupo de mulheres que tem administrado o venerado sítio histórico de Alamo desde 1905, levou um golpe quando o gabinete do procurador-geral do estado revelou – e o *New York Times* noticiou – que a organização tinha falhado em priorizar a preservação do próprio sítio ao qual se dedicava. Enquanto US$ 10 milhões[7] eram alocados para expandir a biblioteca de Alamo, apenas US$ 350 eram reservados anualmente para projetos relacionados com preservação, e por isso o telhado do local ficou vazando durante catorze anos. Como resultado,[8] o governador e o Departamento de Terras Públicas do Texas puseram fim ao reinado de 110 anos das Filhas como encarregadas de cuidar da propriedade.

Em razão da minha própria experiência com uma Glock, nunca mais julgarei ninguém por decisões de vida ou morte, mas não posso controlar se serei julgada. A dra. Pou também foi chamada a prestar contas das suas decisões meses depois, e foi julgada por elas fora do contexto em que as tomou. Todos nós corremos o mesmo risco com demasiada frequência. Tudo, desde administrar relacionamentos até orçar finanças, pode sair rapidamente – ou ser obrigado a sair – de controle. Ter uma compreensão clara das nossas prioridades antecipadamente pode ajudar a aliviar grande parte dos danos.

Uma priorização consciente, planejada, é fundamental não só para as profissões médicas ou relacionadas com a lei. Ser capaz de graduar a informação, da mais importante para a menos importante, é essencial para negócios, educação, criação de filhos, entrevistas de emprego e até mesmo exames vestibulares. A priorização nos permite ser mais focados, mais eficientes e mais decididos.

Muita gente não tem consciência de quais são suas técnicas de priorização pessoal; é o caso da maioria dos profissionais que eu treino. Durante um programa que lecionei, que incluía operadores do serviço telefônico de emergência, o 911, fiz todos os participantes formarem duplas. Uma pessoa olhava uma tela na frente da sala e a outra ficava de costas para a tela e fazia anotações. Eu mostrava uma foto e dava aos observadores um minuto para descrever ao parceiro o que viam; o parceiro era instruído a fazer um desenho com base na informação dada pelo observador. Aqui está a foto:

Joel Sternfeld, *McLean, Virgínia, dezembro de 1978*

Para descobrir a sua linha de base de priorização, observe-a por um minuto e anote o máximo de fatos objetivos que puder.

QUANDO DEI O PRAZO POR ACABADO, verificamos com que sucesso cada dupla havia catalogado os fatos. Todo mundo falou das abóboras, alguns dizendo que estavam esmagadas no primeiro plano. Ouvi descrições magníficas sobre as cores do outono e as árvores desfolhadas. Muitos anotaram corretamente o texto da placa: MCLEAN FARM MARKET, SWEET CIDER [MERCADO DA FAZENDA MCLEAN, CIDRA DOCE]. Alguns chegaram a mencionar a maçã vermelha pintada na placa da direita.

Acredite ou não, alguns observadores negligenciaram completamente *a casa pegando fogo*. E me garantiram que não tinham deixado de vê-la; simplesmente não tinham conseguido contar aos parceiros sobre ela porque, como um deles explicou, "começamos nas abóboras e fomos seguindo a partir do primeiro plano cada vez mais para trás, e aí você avisou que o tempo tinha acabado".

Deixe-me repetir: este grupo incluía *operadores do serviço de emergência*. Não estou tentando discriminá-los, eles foram participantes incríveis, mas acho que isto indica a enormidade do desafio – e possivelmente do perigo – que corremos quando nos falta um plano de priorização. Todos nós devemos ter um. E da frente para o fundo simplesmente não é um plano bom. É um modo de listar informação, mas apenas listar informação não é bom o bastante. No trabalho ou em casa, não podemos simplesmente ir despejando tudo em cima de outra pessoa ou num relatório sem que haja uma ordem particular. Não podemos presumir que o outro tenha o tempo ou o desejo ou a aptidão de analisar montanhas de dados de diversas fontes. Precisamos conferir alguma ordem à informação ou outra pessoa o fará, talvez incorretamente. Precisamos assegurar que a informação importante não fique perdida ou enterrada pelo resto das coisas.

Para isto, necessitamos de um sistema para priorizar informação. Há dezenas de métodos, alguns com alcunhas misteriosas: alto/médio/baixo, MoSCoW, topos e bases, gráficos Pareto, Kano, matrizes, diagramas de dispersão e *timeboxing*. No mundo médico, eles usam o sistema de triagem para descobrir e cuidar primeiro dos mais debilitados. Nas forças armadas, é usada a triagem reversa – empregada pela dra. Pou no seu hospital – para evacuar primeiro os que têm mais chance de viver. Seis Sigma consiste numa matriz de priorização de projetos. A integração SAP de produtos utiliza mapeamento de valor. E enquanto o Pentágono emprega a matriz Carver, a Associação Nacional de Funcionários de Saúde de Condados e Municípios simplesmente utiliza fichas de pôquer coloridas jogadas dentro de caixas de sapatos durante as reuniões. Não importa que método você escolha para estabelecer suas prioridades; o importante é que você *faça* a priorização, certificando-se de colocar as coisas mais importantes na frente.

Para lembrarem a si mesmos de começar uma história com a peça de informação mais importante, os jornalistas dizem: "Não enterre a manchete."

Para estabelecer as prioridades, devemos primeiramente filtrar todos os dados disponíveis e trazer para o topo os fatos mais importantes. Não podemos fazer isso com sucesso a menos que tenhamos primeiro coletado tudo que seja passível ser coletado, mas, uma vez feito isso, precisamos ir desbastando o material.

Por exemplo, digamos que você tenha acabado de visitar um lar para fazer uma checagem de bem-estar social. Você coletou todos os fatos possíveis, da felpa do tapete até o conteúdo do revisteiro. No entanto, você não precisa passar cada pequeno fragmento de informação para o relatório escrito formal.

Não precisa incluir que as cortinas da sala eram azuis, mas, se elas tiverem buracos de balas, você precisa anotar, e precisa anotar em primeiro lugar.

O Departamento de Polícia de Baltimore faz um grande trabalho nesse aspecto em seu treinamento de investigação de violência sexual. Ao mesmo tempo que seu manual de diretrizes para "entrevistar a vítima"[9] é detalhado e meticuloso, especificando o lugar onde a vítima deve ser entrevistada, como o relatório deve ser redigido e se devem ser realizadas verificações de históricos, o texto começa com uma única frase: "Ao entrevistar a vítima, os detetives devem dar prioridade às necessidades e conforto da vítima." Colocar esta diretriz em primeiro lugar, de forma clara e concisa, ressalta o quanto esta parte do processo é importante. E ela de fato é,[10] pois, segundo o capitão John Darby, da Unidade de Vítimas Especiais do Departamento de Polícia da Filadélfia, quanto melhor a vítima é tratada, mais provável é que o caso termine com justiça para o perpetrador.

Assim como a observação, a percepção e a perspectiva, as prioridades diferem para cada um de nós e para cada cenário. Diferentes sistemas de priorização vão funcionar melhor para diferentes pessoas. Aquele que tenho considerado[11] o mais útil para a maior gama de pessoas que participam de meus cursos é a abordagem tríplice esboçada no manual de treinamento da CIA, *The Psychology of Intelligence Analysis* [A psicologia da análise de inteligência], de Richard J. Heuer. Para ajudar a organizar dados e descobrir os elementos mais importantes de qualquer situação, você faz três perguntas: O que eu sei? O que eu não sei? Se eu pudesse obter mais informação, o que deveria saber?

O que eu sei?

Para responder a esta pergunta, usaremos a habilidade de avaliação que aperfeiçoamos nos capítulos anteriores. Vamos começar do zero e simplesmente observar, depois trabalhar na determinação de quem, o quê, quando e onde. Prestaremos atenção aos nossos filtros perceptuais e nos certificaremos de estar tirando apenas conclusões objetivas. Aí mudaremos nossa perspectiva física e mental, reorientando-nos para ver melhor tanto os pequenos detalhes quanto o quadro geral. Uma vez terminado esse processo, analisaremos todos os dados e decidiremos o que é mais importante.

Vamos praticar[12] com a pintura a seguir, intitulada *Tempo transfixado*, de René Magritte, atualmente na coleção do Instituto de Arte de Chicago. Use todas as técnicas de observação e percepção que aprendemos até aqui e liste todos os fatos que conseguir descobrir. Você pode anotá-los ou apenas catalogá-los mentalmente; só quero que você articule o que notar. E quero que você tenha consciência do que está notando, portanto não continue a leitura até ter realmente feito um registro meticuloso.

René Magritte, *Tempo transfixado*, 1938

Agora confira tudo que você viu:

- um trem saindo de uma lareira; mais especificamente, uma locomotiva a vapor preta e cinza movimentando-se para fora de uma lareira e suspensa a quase meio metro do chão
- fumaça ou vapor saindo da chaminé dianteira da locomotiva
- uma lareira mosqueada branco-acinzentada com uma cornija
- um relógio preto de face branca redonda com numerais romanos sobre a cornija
- dois candelabros marrons de aparência metálica ladeando o relógio
- um grande espelho com moldura dourada, pousado sobre a lareira
- as tábuas do piso com textura de madeira; pontos extras se você contou quinze

E quanto aos detalhes menores? Você notou algum dos seguintes?

- que a locomotiva tem dez rodas, das quais só podemos ver seis
- a listra vermelha na lateral do trem e o para-choque vermelho na frente
- os lambris marrom-claros nas paredes ao lado da lareira
- que a hora no relógio parece ser 12h42
- a sombra do trem na lareira apontando para sudoeste
- que somente o candelabro da esquerda está refletido no espelho
- que o vapor saindo do trem sobe pela chaminé em vez de se espalhar pela sala

Agora vamos ordenar os fatos de ambas as seções numerando-os na tabela da p.175, do mais importante para o menos importante. Como o nível de importância muda para cada situação e para cada pessoa que faz a avaliação, vou lhe dar alguns parâmetros:

1. Digamos que você foi chamado a entrar num apartamento, como o de Linda Stein, para investigar um assassinato. Na coluna 1, numere cada fato segundo aquilo que poderia ser o mais importante.
2. Imagine que essa é a casa de uma pessoa desaparecida, tal como Annie Le. Como a ordem de importância mudaria? Na coluna 2, numere cada fato segundo o que você acredita que agora seja mais importante.

3. Agora é a sala de desenho de um bilionário e a cena de um grande assalto de obras de arte. Na coluna 3, numere os fatos em ordem de importância.
4. Vamos mudar de marcha. Imagine que você é um designer de interiores chamado para reformar e renovar completamente esse espaço. Use a coluna 4 para numerar os fatos segundo o que poderia ser o mais importante.
5. Finalmente, se você fosse contratado por uma sociedade de história para renovar e preservar esta sala, qual seria a ordem de importância do que você viu? Preencha a coluna 5.

Podemos ver como a priorização muda dependendo das circunstâncias. Para uma investigação de assassinato, os itens mais importantes seriam os candelabros como armas em potencial. Para a busca por uma pessoa desaparecida, seria a hora marcada pelo relógio. Para um assalto de obras de arte, seria o trem deixado para trás. Mesmo quando a ordem de importância permanece igual – tanto um designer de interiores quanto um preservacionista histórico estariam mais preocupados com o piso de madeira, os lambris e o entorno da lareira –, os motivos para essas prioridades são diferentes: um designer está olhando pelo ângulo da demolição, enquanto o preservacionista enxerga as mesmas coisas com o olho da renovação. Em última análise, não há uma resposta correta única, contanto que estejamos priorizando o que sabemos com um propósito específico em mente.

Dito isto, ainda precisamos catalogar e listar os fatos que podem não ser relevantes para o propósito em vista. Podemos não ter ideia do que um trem está fazendo numa lareira, mas isto não quer dizer que possamos ignorá-lo.

1. INVESTIGAÇÃO DE ASSASSINATO	2. PESSOA DESAPARECIDA	3. ASSALTO A OBRAS DE ARTE	4. DESIGNER DE INTERIORES	5. RENOVAÇÃO HISTÓRICA	
					um trem saindo de uma lareira, ou, mais especificamente, uma locomotiva a vapor preta e cinza movimentando-se para fora de uma lareira e suspensa a quase meio metro do chão
					fumaça ou vapor saindo da chaminé dianteira da locomotiva
					uma lareira mosqueada branco-acinzentada com uma cornija
					um relógio preto de face branca redonda com numerais romanos sobre a cornija
					dois candelabros marrons de aparência metálica ladeando o relógio
					um grande espelho com moldura dourada, pousado sobre a lareira
					as tábuas do piso com textura de madeira; pontos extras se você contou quinze
					a locomotiva tem dez rodas, das quais só podemos ver seis
					a listra vermelha na lateral do trem e o para-choque vermelho na frente
					os lambris marrom-claros nas paredes ao lado da lareira
					a hora no relógio parece ser 12h42
					a sombra do trem na lareira apontando para sudoeste
					somente o candelabro da esquerda está refletido no espelho
					o vapor saindo do trem sobe pela chaminé em vez de se espalhar pela sala

Sarah Grant, *The Furniture City Sets the Table for the World of Art* [A cidade da mobília põe a mesa para o mundo da arte], 2009

Durante um exercício de avaliação mostrei a fotografia acima – que é uma fotografia real, inalterada, de uma instalação de arte em Michigan – para uma de minhas turmas e pedi a um rapaz que a descrevesse. Ele fez um belo trabalho, exceto que deixou de mencionar a mesa e as cadeiras em cima da ponte. Ele as deixou de fora não porque não as tivesse visto, mas porque "não sabia o que achar delas". Esta não é uma razão válida para omitir um fato. Não importa que você não entenda; outra pessoa pode entender. Ignorar o desconhecido pode ser perigoso.

Quando o e-mail havia começado a se tornar popular em meados dos anos 1990, muitas companhias não sabiam como lidar com o súbito novo influxo de mensagens dos clientes. Uma conhecida corporação – um grande destino público de entretenimento para famílias felizes – simplesmente o ignorou. Durante meses. Os executivos diziam ao departamento de comunicação com os clientes para não se preocupar com o e-mail e nem responder as mensagens, porque acreditavam que as pessoas estavam simplesmente jogando comentários "no espaço"[13] e não esperavam retorno. Duas coisas os fizeram mudar rapidamente de opinião. O *New York Times* publicou um artigo de primeira página sobre como empresas da Fortune 500 estavam estragando suas políticas de e-mail; a companhia em questão não foi mencionada, mas a administração percebeu que facilmente poderia ter sido. E um funcionário especialista em tecnologia que estava trabalhando no primeiro website da empresa descobriu que ameaças de bomba estavam sendo mandadas via e-mail. Imediatamente, a companhia montou uma equipe para descobrir como administrar efetivamente essa nova realidade da comunicação moderna. Tiveram sorte de que o fato de ignorar o desconhecido não tenha literalmente estourado nas suas caras.

Assim, catalogamos e ainda priorizamos o que vemos mesmo se não sabemos o que estamos olhando. Agora, vamos dar uma olhada no que fazer com coisas que não vemos.

O que eu não sei?

Responder a esta pergunta requer habilidades muito semelhantes às que usamos para responder à pergunta anterior, mas, em vez de procurar o que está lá, procuramos o que não está. Em muitas circunstâncias, o que não está presente é tão importante quanto o que está. Este conceito chama-se "negativa pertinente"[14] em medicina emergencial, e é definido como "a ausência de um sinal ou sintoma que ajuda a substanciar ou identificar a condição do paciente". Por exemplo, um médico com um paciente queixando-se de falta de fôlego poderia auscultá-lo em busca de um som crepitante em seus pulmões. Se o som não é encontrado, isto pode ajudar a eliminar pneumonia. O som crepitante é a negativa pertinente: em geral está presente, mas neste caso não está.

Sabendo que sir Arthur Conan Doyle estudou medicina sob a tutela do notoriamente observador dr. Joseph Bell, não deveria surpreender que sua mais famosa criação ficcional fosse excepcionalmente adepta de usar a negativa pertinente. Podemos ver esta habilidade num diálogo entre Sherlock Holmes e o inspetor Gregory da Scotland Yard enquanto investigam um assassinato no conto "Silver Blaze". O inspetor Gregory inicia o referido diálogo abaixo, e Holmes responde:

> "Há algum outro detalhe para o qual gostaria de chamar a minha atenção?"
> "O curioso incidente do cachorro durante a noite."
> "O cachorro não fez nada durante a noite."
> "Esse foi o incidente curioso."[15]

O fato de o cão deixar de latir foi a pista que solucionou o caso e identificou o assassino como alguém que a vítima (e o cão da vítima) conhecia.

Dentro e além do mundo da medicina, a ausência de um objeto, fato ou comportamento pode ajudar a identificar ou substanciar uma situação. Quando estamos observando o que vemos, devemos também anotar a informação importante que *não* vemos, sobretudo se esperarmos que ela esteja lá.

Olhe novamente o quadro de Magritte e faça uma lista do que está faltando.

Você notou o seguinte?

- não há velas nos candelabros
- não há trilhos sob o trem
- não há fogo na lareira

Identificar a negativa pertinente ajuda a dar mais especificidade às nossas observações. Articulando o que está conspicuamente ausente, damos uma descrição mais precisa do que percebemos. Quando declaramos propositalmente a negativa pertinente, somos mais acurados. Não basta dizer que há candelabros sobre a cornija. Se só dissermos "candelabros", pelo menos metade dos nossos ouvintes presumirá que há velas neles. Temos de especificar que não há velas para eliminar suposições.

A maioria das minhas turmas nota a ausência das velas, quer declarem ou não, mas quase todo mundo se esquece de mencionar que não há fogo na lareira. Se você pedir a alguém para desenhar uma lareira, há uma grande chance de que coloque nela alguns tocos de lenha e fogo. É para isso que lareiras são feitas. Então, a ausência de fogo é uma informação importante.

A negativa pertinente pode levar à grande sacada, à solução enganosa ou a uma pista que de outra forma poderíamos nunca ter obtido. Na verdade, ela é tão poderosa que simplesmente ouvir falar dela num vídeo online de três minutos no meu website ajudou a solucionar um homicídio.

O investigador Gerald Wright, do Gabinete do Procurador Distrital da Carolina do Norte, foi chamado para investigar um acidente fatal envolvendo um barco. O relatório preenchido pelas testemunhas a bordo alegava que o barco havia virado inesperadamente na água, fazendo com que um dos ocupantes fosse ejetado e morresse. Todos os policiais presentes à cena sabiam que alguma coisa na situação não batia, mas não exatamente o quê. Quando Wright chegou para examinar a embarcação, descobriu no convés da proa um saco com uma coleção de documentos: certificados de propriedade, manuais de eletrônica, informação de seguros. Nada em relação a eles parecia fora do comum até que Wright recordou-se da minha aula sobre negativa pertinente. O que estava faltando no acidente do barco que devia estar ali? Água. Ele percebeu que se os fatos tivessem acontecido como as testemunhas alegavam, os documentos no barco deveriam estar molhados, e não estavam.

Suas observações levaram a uma investigação completa, incluindo um material forense do sistema de navegação do barco, o que, em última análise, provou que ele não tinha virado. Em vez disso, ele se inclinou para um dos lados e ejetou o passageiro, que foi atingido pela hélice enquanto o barco era manobrado em círculos ao redor da vítima. O "acidente" foi reclassificado corretamente como homicídio.

Trabalho com programas de aconselhamento a residentes em campi universitários, e um dos maiores problemas são os "pais de velcro", que parecem não conseguir se desgrudar de seus filhos. Esses pais podem consumir uma quantidade incomum de tempo dos conselheiros com telefonemas ansiosos: "Não ouço nada do meu filho há 24 horas. Ele está bem?" O conselheiro pode ir olhar no quarto, mas não é função dele servir de governanta ou porteiro; se o estudante não estiver lá, geralmente o conselheiro não tem ideia de onde ele está. As faculdades são grandes, e os alunos exploram a sua recém-adquirida liberdade; muitas vezes não ficam prestando contas aos pais.

Um conselheiro não pode simplesmente dizer aos pais que o filho não está lá; isto não irá acalmá-los nem fazer com que eles parem de exigir prestações de contas dos filhos. Em vez disso, eu lhes ensino a empregar a busca da negativa pertinente que os investigadores usam quando tentam determinar se uma pessoa desaparecida é vítima de um sequestro ou fugitiva. Além da pessoa, eles procuram o que mais está faltando. Onde estão o celular, o laptop, a carteira, as chaves do estudante? Se estas coisas tiverem sumido, provavelmente a pessoa optou por sair e não corre perigo. Conselheiros podem usar a negativa pertinente ao avaliar o quadro geral do que poderia ter acontecido: o estudante é um solitário que não dá satisfações aos outros com frequência ou a ausência de uma conexão com pais e amigos está completamente fora do seu caráter e portanto é um sinal real de perigo?

O pessoal da área de medicina também pode dizer muita coisa a partir do que está faltando; a ausência de parentes e amigos no hospital diz muito sobre a vida de um paciente e seu sistema de apoio. Professores podem notar o mesmo no nível de envolvimento dos pais na turma da criança, ou na falta desse interesse.

Catalogar ativamente o que está faltando também pode ajudar a focar no que precisamos. A consultora organizacional Terry Prince recomenda olhar o quem, o quê, o onde e o quando a partir da "perspectiva daquilo que falta"[16] ao planejar um projeto. "De quem *não* precisamos? O que *não* devemos incluir? Aonde *não* vamos? Quando *não* estaremos fazendo isso?"

Uma adolescente em Michigan usava a negativa pertinente para ajudar os menos afortunados na sua cidade. Enquanto andava pelo centro de Detroit para uma marcha no Dia de Martin Luther King Jr., Hunter Maclean notou algo faltando em seus companheiros. Embora a temperatura naquela manhã de janeiro estivesse bem abaixo de zero, a maioria das pessoas que marchavam, inclusive muitas crianças, não usavam chapéu nem luvas. Determinada a reparar o problema, Hunter começou uma coleta em seu colégio. Sua instituição de caridade,[17] a Warm Detroit, desde então expandiu-se para cinco outras escolas e distribuiu mais de 2 mil chapéus e pares de luvas para os abrigos de sem-teto e mulheres da região.

Reconhecer o que não sabemos pode ser tão importante quanto identificar o que sabemos. Isto não inclui somente a negativa pertinente ou o que está faltando, mas também a informação subjetiva, pouco clara ou baseada em premissas que foi reunida. Não podemos agir como se essas coisas não existissem. Admitir sua existência e classificá-las corretamente pode conduzir aos dados adicionais necessários para transformar um "incerto" em "definido".

Muita gente deixa de fora o que não sabe por julgar equivocadamente que isto demonstra ignorância ou falta de trabalho. Perguntar "O que não sabemos?" não é o mesmo que dizer "Eu não sei". Na verdade, o que você está dizendo é: "Ninguém aqui, neste momento, sabe; e fui suficientemente observador para notar este fato importante e revelá-lo para que outros me ajudem a encontrar a resposta." Se reformularmos a nossa atitude em relação a isso, outros nos seguirão.

Nosso chefe ou gerente de projeto ou parceiro quer saber se algo não está caminhando na direção prevista, se algo não está funcionando e o que está faltando. Quanto mais cedo descobrimos algum problema, mais rapidamente ele pode ser reparado. Informar aos outros aquilo que está faltando não deve ser encarado por nós ou por nossos superiores como uma deficiência, mas como uma oportunidade de investigar e colaborar mais.

Administradores devem remover qualquer estigma para permitir que seus empregados se sintam à vontade chamando a atenção para o desconhecido. Uma cultura corporativa que não apoie observações e relatos honestos e objetivos devido a expectativas dos executivos levará os empregados a preencher as lacunas, o que não é bom para ninguém. Por exemplo, no capítulo 4, quando estudamos o risco das suposições, analisamos os achados do relatório da Comissão de Inteligência sobre o Iraque a respeito dos acontecimentos que conduziram à guerra naquele país. O relatório concluía: "Talvez o mais perturbador seja termos encontrado uma Comunidade [de serviços] de Inteligência na qual os analistas tinham dificuldade ... em identificar sem ambiguidade para os formuladores de políticas o que eles *não precisam saber*. Com exagerada frequência, analistas simplesmente aceitam essas lacunas; pouco fazem para ajudar os receptores da informação a identificar novas oportunidades, e nem sempre contam aos responsáveis pelas decisões o quanto o seu conhecimento é realmente limitado ... Analistas precisam estar dispostos a admitir o que não sabem para focalizar futuros esforços de coleta de informação. E, por sua vez, os formuladores de políticas devem estar preparados para aceitar incertezas e qualificações em julgamentos da inteligência e não esperar maior precisão do que os dados avaliados permitem."[18]

Imagine que a sua organização enfrentasse o mesmo escrutínio interno sofrido pela comunidade de inteligência. Como ela avaliaria a disposição dos funcionários de admitir o que não sabem e a disposição dos gestores de aceitar essa informação? Ao analisar dados, a chave é a colaboração. Todo mundo precisa saber o que sabemos tanto quanto o que não sabemos.

O que eu preciso saber?

A pergunta definitiva a ser feita em qualquer circunstância é: se eu pudesse obter mais informação sobre esta cena ou situação, o que especificamente eu gostaria de saber? Fazer esta pergunta pode nos ajudar a priorizar um potencial trabalho de acompanhamento, mostrando-nos a que dedicar o nosso tempo e os nossos recursos. É claro que a nossa necessidade de informação adicional vai variar, e depender da nossa experiência pessoal, tarefa e motivo de exame; um agente da lei buscará inconsistências diferentes das procuradas por um potencial empregador.

Vamos praticar com o *Automat* de Edward Hopper, na p.80. No capítulo 4 nós o avaliamos detalhadamente, e, no fim das contas, havia muitas coisas que não sabíamos.

Não sabíamos o seguinte:

- a identidade da mulher de casaco verde
- sua idade
- onde ela mora
- onde ela trabalha
- por que ela está no Automat
- o que está bebendo
- o que ela já comeu ou bebeu, se é que fez isso
- seu estado de espírito e sua personalidade de modo geral
- sua razão para estar fora de casa sozinha
- seu estado civil
- o nome do Automat
- onde está localizado
- que horas são
- onde está a outra luva da mulher
- por que a outra luva não aparece

Dê uma olhada nessa lista do ponto de vista do seu trabalho ou das suas responsabilidades cotidianas básicas. Agora, utilizando números, estabeleça a prioridade das respostas que seriam mais importantes para você – que respostas poderiam levar a outras respostas. Agora você tem uma lista personalizada de prioridades mostrando explicitamente em que coisas precisa trabalhar para descobrir primeiro.

Juntando tudo

Para ver em ação o método de priorização das três perguntas, vamos revisitar a minha surpreendente experiência de "atirar para matar" na sessão do Fats na Carolina do Norte e ver como priorizei a informação no terceiro cenário, com o homem segurando a sacola e correndo pela minha porta afora. Já venho fazendo isso há bastante tempo, e agora é uma segunda natureza para mim, mas eis o que brotou automaticamente no meu cérebro:

O que eu sei?
- Meu filho está em casa sozinho
- Há um homem estranho na minha casa
- Esse homem está fugindo às pressas e carregando algo

O que eu não sei?
- Em que parte da casa meu filho está
- Se meu filho está a salvo ou machucado
- Quem é o estranho
- Se o estranho está armado
- O que o estranho está carregando no saco

O que eu preciso saber?
- Se meu filho está bem

Neste exemplo, era a minha própria casa, meu filho estava gritando e eu tinha uma arma carregada. Sem que eu sequer percebesse, minhas prioridades guiaram minhas ações e resultaram na morte de um homem desarmado. O resultado poderia ter sido o mesmo para alguém com prioridades diferentes, mas sou grata ao fato de a experiência simulada ter me dado a chance de rever e praticar priorizações fora de um incidente na vida real. Saber quais são as nossas prioridades de antemão ou logo que a informação se apresente ajudará a todos os envolvidos, antes, durante e após o incidente.

Agora vamos praticar a priorização usando o nosso método das três perguntas na seguinte fotografia:

O que sabemos? Como vimos nos capítulos sobre avaliação, comecemos pelo quem. Há quatro mulheres brancas paradas de pé junto a um corrimão de madeira de acabamento grosseiro. Fácil, não é mesmo? Entretanto, não queremos tirar conclusões apressadas, mesmo a respeito de coisas simples. São mulheres? Sim, parecem ser. São quatro? Olhe de novo. A menos que uma delas tenha um braço biônico, há uma quinta pessoa que não podemos ver totalmente com o braço no ombro direito da mulher mais à esquerda. Então há cinco pessoas. Cada mulher que podemos ver está com a mão no rosto. Uma delas usa óculos. Todas elas estão usando vestidos de mangas compridas e trazem o cabelo puxado para trás em penteados semelhantes. A terceira mulher a partir da esquerda usa um relógio no pulso esquerdo.

Já tive participantes me dizendo que as mulheres pertencem a uma organização religiosa. Uma afirmou categoricamente que eram amish, já que tinha crescido na Pensilvânia e sabia como era a aparência dos amish. Embora pudesse ser um bom palpite, ainda assim era uma inferência. Com base somente nas nossas observações, não temos nenhuma prova de que sejam amish ou religiosas. Poderiam ser atrizes reencenando cenas históricas.

Que outros fatos sabemos? Que tal o onde? Elas estão no exterior da casa. Não podemos assumir que estejam num contexto rural ou em que tipo de construção se encontram, pois não é possível ver. E o quando? Alguém me disse que parece uma fotografia moderna, mesmo que as mulheres estejam trajando vestidos antigos. Podemos ver que é de dia, mas só isso.

Vamos dar uma olhada na segunda pergunta de priorização: o que não sabemos? Não sabemos nada sobre a relação dessas mulheres entre si. Não sabemos onde elas estão. Não sabemos quando a fotografia foi tirada; o que elas estão olhando; por que suas expressões registram emoção que poderia ser pesar, horror, descrença ou tristeza; e tampouco sabemos o que elas estão sentindo.

Por fim, o que queremos saber? Tudo, é claro, mas estabeleçamos prioridades. Olhando de novo o que não sabemos, que fato especial responderia à maioria das nossas perguntas não respondidas? A pergunta única que nos daria a maior parte das respostas é: o que aconteceu?

E acontece que eu posso lhes dizer. Em abril de 2008, as autoridades do Texas fizeram uma incursão no rancho Yearning for Zion, perto de Eldorado, um complexo de propriedade da Igreja Fundamentalista de Jesus Cristo dos Santos dos Últimos Dias, uma seita poligâmica comandada por Warren Jeffs. Mais de quatrocentas crianças foram tomadas em custódia. Esta foto mostra algumas das mães assistindo à cena que se desenrolava. Priorizando toda a informação que não sabemos e reduzindo-a a "gostaríamos de saber o que aconteceu", acabamos de responder à maioria das outras perguntas: quem são as mulheres, qual é a relação delas entre si, onde e por que isto aconteceu.

Enquanto outras pessoas poderiam ter buscado situações diferentes para rastrear quem eram as mulheres ou onde isto ocorreu, ao estreitar o nosso foco para aquilo que mais queríamos saber obtivemos a maioria das respostas no menor tempo.

Urgente versus importante

Ao priorizar informação, esteja ciente da diferença entre urgente e importante. Urgente diz respeito a algo que clama pela nossa atenção, mas geralmente só oferece soluções de curto prazo. Coisas importantes agregam valor no longo prazo. Enquanto às vezes tarefas urgentes[19] são também importantes, mais frequentemente o urgente obscurece o importante.

O presidente Dwight D. Einsenhower era conhecido por priorizar seus deveres diários separando o urgente do importante; atualmente os especialistas em gestão de tempo ainda recomendam a Matriz de Decisões Eisenhower. Brett McKay e sua esposa, Kate McKay, autores da série de livros best-seller *Art of Manliness* [A arte da coragem], explicam por que ela é tão efetiva: "Tarefas urgentes nos colocam num modo *reativo*, marcado por uma atitude mental defensiva, negativa, apressada e estreitamente focada ... Quando focamos atividades importantes, operamos em modo *responsivo*, que ajuda a nos mantermos calmos, racionais e abertos a novas oportunidades."

Quase todo mundo hoje opera com restrição de recursos – falta de tempo, gente e dinheiro. O urgente não tem probabilidade de ir embora. Reconhecer esse estresse pode ajudar a atravessá-lo.

Vamos dar uma olhada outra vez na fotografia da plantação de abóboras na p.169. A casa pegando fogo é decididamente um fato urgente, mas é o mais importante? Usemos a técnica tríplice de priorização para descobrir.

O que sabemos? Há uma casa amarela de dois andares pegando fogo e sendo atendida por um caminhão de bombeiros com uma escada telescópica atrás de uma plantação de abóboras no Mercado da Fazenda McLean no outono.

O que não sabemos? Onde estão localizadas a casa e a plantação de abóboras. Como o incêndio começou. Por que o freguês comprando abóboras parece tão despreocupado em relação ao fogaréu no fundo.

Qual é a peça de informação mais importante que precisamos saber para nos ajudar a responder à maioria das perguntas? A casa pegando fogo é urgente, mas o mistério mais importante diz respeito ao freguês indiferente.

Examinar mais detidamente o comprador pode nos ajudar a descobrir por que ele está tão indiferente em relação ao incêndio nas proximidades. Ele está vestindo um grosso casaco amarelo, o que, considerando que a temperatura pode estar baixa no outono, não é tão surpreendente. Está usando também um capacete e botas: botas de borracha com a inconfundível listra no alto do cano. Ele é um bombeiro. Analisemos este fato novo.

Por que, entre todas as pessoas, um bombeiro haveria de estar pegando abóboras diante de uma casa em chamas? Haveria a possibilidade de ele não saber do incêndio? Em contextos rurais como este, o corpo de bombeiros não inclui milhares de pessoas, como ocorre numa cidade grande, então é bem possível que ele saiba do incêndio. E ainda assim está fazendo compras. Quando é que um bombeiro não está preocupado com um incêndio? Quando sabe que foi provocado de propósito como exercício de treinamento.

O fotógrafo Joel Sternfeld deparou-se por acaso com esta cena quando viajava pelo país na sua perua Volkswagen. O título da famosa fotografia,[20] publicada na revista *Life*, revelava nada mais que uma data e um local: *McLean, Virgínia, dezembro de 1978*. Espectadores e críticos a interpretaram igualmente pelo que parecia ser: uma triste evidência de incompetência profissional, Nero em busca de abóboras enquanto Roma arde. Só mais tarde Sternfeld confirmou[21] que a foto na verdade retratava um exercício controlado de treinamento e um bombeiro fazendo uma pausa honesta. Se alguma pessoa, qualquer pessoa, seguisse o fato mais importante – um bombeiro descansando –, a verdade poderia ter sido descoberta muito mais cedo.

O que as nossas prioridades dizem sobre nós

O que é importante para uma pessoa pode não ser importante para outra, mas não se engane, a forma como você prioriza pode contar ao mundo – aos seus chefes, colegas de trabalho, sócios, amigos, filhos – muita coisa a seu respeito.

Durante as festas de fim de ano, um fotógrafo em Erie, Pensilvânia, na esperança de conseguir uma foto emotiva, visitou o depósito de uma instituição de caridade onde crianças locais tinham permissão de pegar quaisquer três coisas que quisessem. A maioria escolhia brinquedos ou bonecas. Alguns escolhiam novos pares de tênis. Mas a escolha de uma criança se destacou: ela escolheu cereais matinais, papel higiênico e pasta de dentes. Sem dizer uma palavra, a criança comunicou suas prioridades, e ao fazê-lo nos permitiu dar uma espiada na sua vida pessoal. Ao contrário das outras, que faziam parte do programa de cuidados no horário pós-escolar, esse menino era um sem-teto.

Antes de ser adquirida pela Delta, a Northwest Airlines tinha a reputação de priorizar o conforto dos passageiros acima do custo do combustível. Entusiastas da aviação[22] que acompanhavam os voos da Northwest registravam que a empresa contornava ao máximo as turbulências, enquanto aviões de outras companhias voavam diretamente através delas. As prioridades da Northwest ajudavam os clientes a decidir se usariam ou não a companhia com base nas suas próprias prioridades: se um voo tranquilo era mais importante do que um voo rápido.

Devemos ter consciência do que as nossas prioridades dizem aos outros. Nosso chefe sabe até onde somos capazes de ir para conseguir um novo negócio? Aqueles que amamos sabem que importam mais para nós do que a nossa profissão? Nossa namorada sabe que é mais importante do que aquele telefonema? Nossos filhos sabem que passar um tempo com eles é mais importante que tudo? Quer estejamos ou não conscientes de como anunciamos as nossas prioridades, nós as anunciamos.

Levei um grupo para ver o quadro *Dowager in a Wheelchair* [Viúva numa cadeira de rodas], de Philip Evergood, no Smithsonian American Art Museum. É um quadro muito grande – 90 × 120 cm –, e muito carregado, de uma mulher idosa bem-vestida sendo empurrada ao longo de uma movimentada rua de Nova York por uma também bem-vestida mulher mais jovem. Elas passam por mães com carrinhos de bebê, compradores carregando pacotes, pessoas levando cães para passear. À esquerda são ladeadas por carros e um táxi, e à direita por um prédio de apartamentos.

Philip Evergood, *Dowager in a Wheelchair*, 1952

O quadro é uma cacofonia de cor e movimento, e é pintado a partir de uma perspectiva incomum. Flores brotam de jardineiras junto a janelas. As costas nuas de uma mulher de sapatos vermelhos de salto alto podem ser vistas através da janela. A própria mulher na cadeira de rodas está coberta de detalhes. Ela usa um chapéu com padrão florido púrpura e laranja, com um véu de gaze sobre a face, gola púrpura, luvas compridas pretas que sobem bem acima de seus cotovelos e três pulseiras num dos braços. Ela calça sapatos de salto baixo com tira estilo Mary Jane. Há óculos sobre o seu colo. E seu vestido leve bege, debruado com renda ou revelando uma anágua por baixo, é transparente.

Há muitas coisas ocorrendo na figura. Como priorizá-las? Se a primeira coisa que você disser for "mamilos" em vez de "mulher velha numa cadeira de rodas", as pessoas podem se perguntar por quê. Seja honesto em relação àquilo que vê, mas saiba que a ordem em que você apresenta a informação o reflete. Dedique algum tempo para organizar suas observações e o que você acredita ser essencial, e seja capaz de respaldar seu raciocínio antes de torná-lo público.

PRIORIZAR INFORMAÇÃO, especialmente se não estamos acostumados a fazer isso, pode a princípio dar a sensação de que está nos atrasando, mas é um passo central na organização e análise da informação. Felizmente, como em todas as outras habilidades descritas neste livro, quanto mais estabelecermos prioridades conscientemente, mais rápido e automático o processo se torna. E, no final, poupará tempo e energia, porque ajuda a focar a ação futura na direção certa.

A priorização nos auxilia a ordenar o que já coletamos. Basta pensar com cuidado, especialmente em um contexto profissional, sobre o que acreditamos ser importante antes de apresentar nossos achados. O passo seguinte: aprender como articular efetivamente o que descobrimos.

PARTE III

Articular

A diferença entre a palavra quase certa e a palavra certa é realmente importante – é a diferença entre um vagalume e um raio.

Mark Twain

8. Tornar conhecido o seu desconhecido

Como evitar colapsos na comunicação

Em 2001, o desaparecimento de Chandra Levy, uma estagiária do governo de 24 anos, deflagrou um frenesi na mídia quando a investigação revelou que ela vinha tendo um caso com o congressista casado Gary Condit. Na ausência de informações sobre o seu paradeiro, Levy virou assunto para a cultura popular, inclusive piada em talk shows noturnos. Levou mais de um ano para seu corpo ser descoberto[1] e oito anos para seu assassino ser processado, mas como a maior parte do caso está vinculada a uma suposta confissão na prisão, foi-lhe concedido um novo julgamento.

Foi uma situação triste, prolongada e infeliz para todos os envolvidos, mas um aspecto se fixou em mim durante um longo tempo: que uma única palavra pudesse ter feito desandar toda a investigação.

Depois que Levy saiu de casa, seus amigos e família não tinham ideia de para onde ela poderia ter ido. Ela literalmente desapareceu sem deixar vestígio, deixando para trás celular, cartões de crédito e carteira de motorista. Levou mais de um mês para que se recuperassem os últimos resultados de busca em seu laptop, que indicaram um interesse no Rock Creek Park de Washington, DC, um enclave de setecentos hectares, aproximadamente quatro vezes maior que o Central Park de Nova York.

Em 25 de julho de 2001, 85 dias depois de ela ter desaparecido, dezenas de policiais de Washington reuniram-se para uma varredura na extensa área natural. Eles foram instruídos a vasculhar noventa metros de ambos os lados a partir de cada uma das estradas que cortavam o parque. No fim do dia, encerraram a busca sem terem encontrado nada.

Posteriormente, foi determinado que a ordem efetiva era explorar noventa metros a partir de cada uma das *trilhas* do parque. Alguém na cadeia de comando havia mudado uma ordem crucial. A premissa de que "estradas" e "trilhas" eram a mesma coisa reduziu a área de busca. O corpo de Levy levou mais de dez meses para ser descoberto – a setenta metros de uma das trilhas do parque. Uma única palavra mal comunicada provavelmente levou ao atraso na descoberta, e então a maior parte da evidência forense que talvez pudesse levar à identificação do assassino já havia sumido.

Ver o que os outros não veem ou o que poderia mudar tudo é só meia batalha. Podemos ter aptidões prodigiosas de observação e análise, mas, se não formos comunicadores efetivos, isso não adiantará nada nem para nós nem para ninguém. Uma descoberta é inútil para a sociedade até ser comunicada a outros. Podemos passar o tempo todo no mundo coletando e analisando dados, mas, se não os articularmos corretamente, ninguém mais, inclusive nós mesmos, extrairá algum proveito disso. E, no entanto, todos os dias, no mundo inteiro, a falta de comunicação e a má comunicação causam problemas que poderiam ser evitados, inclusive evidências perdidas, oportunidades perdidas, amores perdidos e até mesmo vidas perdidas.

Após uma operação no sul do Afeganistão em 9 de junho de 2014, um grupo especial de soldados americanos estava retornado à base quando sofreu uma emboscada de insurgentes. Um bombardeiro B-1 cedido pelos Estados Unidos respondeu ao seu chamado por socorro arremetendo e disparando dois mísseis... bem em cima das tropas que deveriam proteger. Num dos piores exemplos de fogo amigo no Afeganistão por mais de uma década, cinco americanos e seu aliado afegão morreram. A causa oficial: má comunicação.

Num relatório de trezentas páginas publicado pelo Pentágono, o major-general da força aérea Jeffrey Harrigian concluiu que "se a equipe tivesse ... se comunicado efetivamente, este trágico incidente poderia ter sido evitado".

Recentemente, levei um grupo de analistas a um museu em Washington, DC, e paramos diante de uma grande pintura – quase dois metros de altura por mais de quatro de largura – de James Rosenquist chamada *Industrial Cottage* [Chalé industrial]. O quadro mostra uma janela de moldura cinza no centro. À esquerda, contra um fundo vermelho vivo, duas fatias de bacon pendem de um varal ao lado de uma pá de escavadeira. O lado direito da obra tem em sua maior parte um fundo amarelo vivo pontuado por quatro brocas de furadeira. É uma imagem estranha e colorida, e há muita coisa para se absorver, mas o grupo com que eu estava *analisa situações como meio de ganhar a vida.*

"Como vocês descreveriam isto?", perguntei. Já tendo passado pelo exercício da pintura e da foto nº 1 e nº 16 que abordamos no capítulo 5, eles estavam prontos para apontar todos os detalhes, tanto os pequenos quanto os óbvios.

"Há três painéis", declarou um dos participantes.

Estávamos parados a alguns centímetros da obra. Sendo tão grande, ela fora pintada usando cinco telas distintas penduradas uma ao lado da outra. Os vãos não estavam pintados; eram claramente visíveis. Cinco painéis, não três.

"Bem, está pintada para parecer três painéis", ele emendou. "Quase a mesma coisa."

"Quase a mesma coisa" não é apenas um contrassenso coloquial e ambíguo; neste caso, está incorreto. Há uma diferença. Painéis físicos não são a mesma coisa que painéis temáticos. Três não é o mesmo que cinco.

Pense em todas as situações em que três versus cinco faria uma diferença enorme: em informação trocada entre comandantes militares e seus subordinados; médicos e seus pacientes, companhias farmacêuticas e seus clientes. Precisão na descrição objetiva é igualmente importante para jornalistas, professores, arquitetos, engenheiros, químicos, analistas, corretores de ações, gerentes de recursos humanos, pesquisadores, arquivistas, assistentes, até mesmo entregadores. Nenhuma pessoa ou negócio pode se permitir perder tempo e recursos com informação errada.

Em 2008, a empresa multinacional de análise IDC[2] pesquisou quatrocentas empresas nos Estados Unidos e no Reino Unido e calculou o custo total estimado de má comunicação em US$ 37 bilhões por ano. A perda anual de produtividade por empregado resultante das barreiras de comunicação: US$ 26.041. A IDC sustenta que esses números são baixos, pois não incluem o custo da má comunicação em marca, reputação e satisfação de clientes. E um total de 100% das empresas também reportaram que a má comunicação põe seus empregados ou o público em risco de ferimentos físicos, enquanto 90% revelaram que também põem em risco suas vendas e a satisfação dos clientes.

É claro que o trabalho não é a única área da vida que exige comunicação precisa. O mesmo vale para nossa atividade acadêmica, interesses pessoais e relacionamentos. Às vezes nossas palavras são mal compreendidas e acidentalmente repetidas de maneira incorreta; outras vezes elas já saem erradas logo de cara, enterradas em emoção ou simplesmente lançadas sem reflexão ou precisão adequada. A importância de que sejam corretas é ampliada pela moderna tecnologia da comunicação, já que a nossa conectividade instantânea, contínua e universal aumenta a probabilidade de uma má comunicação simples porém devastadora. E tais erros não vão desaparecer, já que a internet tem uma memória infinita. O CEO da Whole Foods,[3] John Mackey, ainda sofre as consequências de uma descoberta de 2007 de que ele havia criado uma identidade fictícia nos fóruns do Yahoo para elogiar sua empresa e a si mesmo. Numa transmissão de 21 de março de 2015, o apresentador Peter Sagal, do programa de rádio *Wait Wait... Don't Tell Me*, da NPR, relembrou a seus ouvintes: "Entre as muitas postagens [de Mackey][4] sobre a Whole Foods e que beleza de companhia ela é, ele dizia: 'Eu gosto do corte de cabelo do Mackey. Acho que ele fica bonitinho.'"

Uma mensagem curta como um tuíte pode ser desastrosa. Pessoas demitidas pelos seus tuítes[5] incluem um membro do conselho da Universidade de Nova York, um editor sênior na CNN, um diretor da Equipe de Segurança Nacional da Casa Branca e o chefe do departamento financeiro da empresa de varejo Francesca's Holdings. Bombeiros, atores, professores, jornalistas,[6] consultores em tecnologia de informação, garçons e até mesmo mecânicos estão entre as pessoas que se viram recebendo aviso prévio depois de enviarem um único tuíte. Um maldito post online pode não só ferir um empregado, como também provocar ridículo e prejuízo para uma companhia inteira – basta perguntar (ou consultar no Google) a Qantas, McDonald's, Vodafone, Kenneth Cole ou Chrysler.

Em março de 2015,[7] o ex-lançador da liga principal de beisebol Curt Schilling enviou um tuíte congratulando sua filha adolescente por se comprometer com o time de softbol de uma universidade católica. O universitário Adam Nagel e o recém-graduado Sean MacDonald, ambos da mesma universidade, tuitaram de volta para Schilling com uma mensagem que o *USA Today* polidamente qualificou de "violência e insinuação sexual". Nagel foi suspenso, intimado a depor perante um conselho de conduta para determinar ações disciplinares adicionais a serem tomadas e entregue à polícia. A ex-fraternidade de MacDonald o condenou publicamente, e ele prontamente perdeu seu emprego junto aos New York Yankees. Manchetes por todo o país proclamaram YANKEES DEMITEM EMPREGADO DEVIDO A TUÍTE VULGAR,[8] sem mencionar que MacDonald era recém-contratado, só dava expediente em meio período e havia trabalhado para o time por meras dezoito horas.

Mesmo quando não se originam na internet, os passos errados da má comunicação provavelmente ficarão ali registrados para que o mundo os leia e julgue ad infinitum. Por esta razão, nunca foi tão importante ser capaz de comunicar-se efetivamente em qualquer formato, porque tudo que escrevemos ou dizemos em público acabará sendo repetido, ridicularizado ou recompensado no ciberespaço.

Articular efetivamente o que vemos permite-nos corrigir percepções equivocadas antes que elas prossigam adiante. Nunca saberemos se a pessoa ao nosso lado viu algo de maneira diferente se não dermos voz às nossas observações e inferências tanto em instâncias pessoais como coletivas. Nossos parceiros não têm como ler a nossa mente. Poderíamos ter deduzido incorretamente algo sobre o candidato ao emprego. Poderíamos estar interpretando mal um possível doador. Exprimir as nossas percepções dá aos outros a oportunidade de direcioná-las ou redirecioná-las. A comunicação efetiva também ajuda a estabelecer expectativas. Se não pudermos articular o que esperamos dos outros, na melhor das hipóteses haverá frustração para nós e para eles, e, na pior, fracasso. Dar aos outros instruções, exigências e metas claras ajuda-nos a conseguir progresso, conclusão e sucesso.

Para afiar nossas habilidades e ajudar a evitar potenciais desastres de disseminação de informação, voltemos mais uma vez para o mundo da arte – embora desta vez cavando um pouco mais fundo para descobrir que os segredos da boa comunicação podem ser revelados ao se estudar como a arte é criada.

A arte da comunicação

Não creio que seja coincidência que dois dos mais famosos e ferozes comunicadores do século XX – Winston Churchill e Adolf Hitler – fossem ávidos pintores. Ao longo de sua vida,[9] Churchill e Hitler produziram centenas de obras: paisagens marinhas, naturezas-mortas de flores saindo de vasos, e até mesmo um ou outro retrato (Hitler pintou a mãe de Jesus, Maria, enquanto

Churchill representou sua esposa, Clementine). Isso faz sentido porque artistas são comunicadores por natureza, extremamente compelidos a partilhar sua mensagem com o mundo, custe o que custar. Ou, como dizia Georgia O'Keefe, a vida de um artista não é guiada pelo sucesso; "tornar conhecido o seu desconhecido é o mais importante".[10]

Artistas também sabem que são artistas não porque foram reconhecidos como tais, ou por terem um diploma ou por ganharem certos prêmios. Eles se identificam como artistas porque não conseguem evitar criar. A escultora Teresita Fernández articulou da seguinte forma: "Ser artista não tem a ver apenas com o que acontece quando você está no estúdio. O modo como você vive, as pessoas que escolhe amar e a maneira como as ama, sua forma de votar, as palavras que vêm à sua boca, o tamanho do mundo que você constrói para os seus, sua habilidade de influenciar as coisas nas quais acredita, suas obsessões, seus fracassos – todos estes componentes também se tornam a matéria-prima para a arte que você faz."[11]

Para aprimorar as nossas habilidades de comunicação, precisamos fazer a mesma coisa: reconhecer que não temos a palavra *comunicação* na nossa descrição de emprego ou nome de departamento para nos tornarmos comunicadores em período integral. Somos todos comunicadores porque estamos todos em constante necessidade de comunicar. Tudo na nossa vida, inclusive o que vemos e como escolhemos ver, torna-se matéria-prima para a nossa comunicação. Podemos nos certificar de que estamos usando isso sabiamente para criar obras-primas e não equívocos quando abordamos a comunicação da mesma maneira que o artista se prepara, executa e exibe uma obra de arte.

Independentemente de quanto o produto final possa parecer fácil e sem esforço, uma pintura, escultura ou qualquer outra obra de arte se apoia num processo específico e quase padronizado. Ainda que os detalhes do processo possam variar de pessoa para pessoa, essas diferenças são apenas superficiais; por exemplo, enquanto um escultor requer ferramentas diferentes das de um fotógrafo, ambos necessitarão aprender a melhor maneira de trabalhar com elas, ou seja, manejar o martelo ou manipular a câmera. O processo subjacente é, em última análise, o mesmo: o artista precisa casar um conceito com um meio, ou aquilo que ele quer dizer com o modo que usa para se expressar. De forma semelhante, descobriremos que, independentemente do que estamos comunicando e dos métodos que usamos para comunicá-lo, podemos construir a melhor mensagem com o mesmo estudo de planejamento, prática e execução cuidadosa. O primeiro passo: planejamento prudente.

Escolher com sensatez

Embora o produto acabado, particularmente em obras de arte modernas e de vanguarda, possa parecer ter exigido pouca reflexão, nem mesmo as pinturas abstratas de gotejamento de Jackson Pollock eram feitas ao acaso. Ele mesmo afirmou: "Eu posso controlar o fluxo de tinta: não há nada acidental."[12]

O artista precisa escolher deliberadamente que materiais usar. Pollock tinha de decidir que tipo de tinta seria melhor para expressar sua visão – escolhendo consistência, cor, quantidade, disponibilidade, durabilidade, até mesmo preço. Da mesma forma, ainda que elas possam vir a nós de maneira espontânea e aparentemente sem pensar, devemos encarar as nossas palavras assim como o artista encara a tinta: uma ferramenta que deve ser cuidadosamente ponderada e selecionada antes do uso. A decisão específica de quais cores utilizar é extremamente importante para o artista. Da mesma maneira, precisamos resolver de antemão que palavras usaremos para nos comunicar a fim de garantir que estejamos pintando o quadro mais acurado possível.

Pense nas palavras que você regularmente utiliza. De que cor elas são? São a melhor escolha para a sua mensagem? Você está cobrindo seus empregados com vermelho escuro quando um céu azul poderia ser mais efetivo? Você banha o seu filho adolescente em verde neon quando ele responderia melhor a um cinza sutil?

É claro que nenhuma cor é inerentemente boa ou ruim, tudo depende de quando e onde é usada. O amarelo pode ser perfeito para uma festa de aniversário, mas não para um funeral. As palavras que dizemos aos nossos amigos numa ocasião alegre provavelmente não funcionariam tão bem numa sala de reuniões. Para determinar se escolhemos o tom certo para a situação certa, basta nos perguntarmos se estamos usando palavras objetivas ou subjetivas. Palavras subjetivas podem ser usadas, ainda que com cuidado, em contextos sociais, enquanto palavras objetivas devem ser usadas para todas as demais situações.

Assim como devemos ser objetivos em nossas observações e inferências para manter a investigação focada em fatos, quando estamos numa situação pública ou profissional devemos nos comunicar usando apenas linguagem objetiva. Isto vale especialmente em avaliações de funcionários, recursos humanos e contextos educacionais, e, de forma intensamente emocional, em situações que envolvam crianças.

Uma ex-participante de meu curso,[13] Anne Charlevoix, professora de educação especial e membro da equipe multidisciplinar de avaliação da sua escola, recordou como certa vez uma professora compareceu perante o comitê insistindo que fosse criado um plano de intervenção para um de seus alunos de primeiro ano. Solicitada a descrever a necessidade de assistência do aluno, a professora disse o seguinte: "Ele é muito preguiçoso, reclama o tempo todo e nunca faz suas tarefas." Quando a equipe pediu exemplos específicos de tais comportamentos, a professora teve dificuldade para apresentá-los. Ela formara sua opinião sobre a criança, mas estava perdida ao explicar por quê. Não pensou que precisaria de mais razões do que dizer que ele era preguiçoso e vivia reclamando, mas essas razões eram suas opiniões subjetivas. Quando Charlevoix completou uma avaliação de classe do aluno e registrou informação objetiva sobre seu desempenho, comportamento e ações, o comitê concluiu que a criança tinha um conflito de personalidade com a professora, mas não necessitava de serviços especiais.

"O seu curso me deixou muito mais consciente", ela me disse mais tarde, "do poder da linguagem que usamos e da facilidade com que podemos criar uma impressão inacurada quando falamos de maneira subjetiva."

O modo mais fácil de garantir que estamos nos comunicando com objetividade é escolher conscientemente palavras objetivas. Infalíveis, palavras objetivas sempre seguras incluem números, cores, tamanho, sons, posição, localização, materiais e tempo. Em vez de dizer "demais", dê a quantidade real. Em vez de "grande", inclua uma medida, estimativa ou comparação.

Na maioria dos casos a linguagem subjetiva é fácil de identificar: baseia-se em opiniões, não em fatos. Existem, porém, algumas palavras subjetivas traiçoeiras que podem levar quem ouve a se desligar, ou, pior ainda, voltar-se contra nós, se não tomarmos cuidado. Eis algumas delas:

PALAVRAS E EXPRESSÕES SUBJETIVAS A EVITAR	POR QUÊ?	COMO EVITÁ-LAS
Obviamente Claramente	Porque muitas coisas neste mundo não são óbvias, muito menos claras. (Lembra-se da *Vaca de Renshaw*?)	Em vez de dizer "É claramente *x*", ou "obviamente *y*", tente usar "parece que *x* se baseia em *y* e *z*".
Nunca Sempre	*Nunca* e *sempre* não são palavras precisas; estatisticamente muito improváveis, são com frequência usadas em exageros.	Em vez de usar "nunca" ou "sempre", dê um número concreto, definido. Se isso não for possível, é melhor usar "frequentemente" e "raramente".
Na realidade	Em casos de correção, *na realidade* significa que quem fala está muito seguro de que a outra pessoa está errada mesmo antes que seja fornecida uma explicação. Começar com um possível insulto não é uma boa maneira de obter resultados.	Em vez de dizer "na realidade", tente usar "eu não acredito...".
Nem é preciso dizer...	Se algo é importante, então é preciso que *seja dito*.	Simplesmente elimine "nem é preciso dizer" do seu vocabulário.

Pode ser especialmente fácil escorregar para o subjetivo quando estamos criticando, corrigindo ou aborrecidos com a pessoa com quem estamos nos comunicando, mas ao fazê-lo corremos o risco de alienar a própria pessoa que estamos tentando ajudar. Por exemplo, considere o advérbio *mal*. *Mal* é uma opinião, aberta a interpretação, e tem uma conotação negativa. Usar a palavra *mal* para descrever como uma criança se comportou quando você estava ao telefone não é algo objetivo nem particularmente útil para ninguém envolvido, porque crianças não podem consertar o *mal*. (E sentir-se mal em relação a si mesmas pode levá-las a se comportar ainda pior.) Em vez disso, comunique-se usando fatos objetivos: "Você estava berrando quando eu estava ao telefone." Berrar é uma ação concreta, um comportamento que pode ser mudado. Relatar que alguém estava berrando não transmite um julgamento pessoal. E tampouco há lugar para discussão: ou a criança estava berrando ou não estava. O mesmo vale para uma situação de trabalho. Em vez de classificar as vendas trimestrais do funcionário de "terríveis", use fatos indiscutíveis: "Você ficou 30% abaixo da sua cota de vendas."

Outro truque que ajuda a podar o subjetivo é substituir palavras excludentes por inclusivas. Em vez de dizer "Isto não dá certo para mim", use "E se você tentasse...?" ou, melhor ainda, inclua a si mesmo no grupo dizendo "Por que *nós* não tentamos...?".

Como o artista que escolhe uma paleta de cores, nós escolhemos as palavras que funcionam melhor, mas precisamos ir além. O artista não vai à loja de tintas e simplesmente pede "tinta azul"; um artista de verdade é mais específico. A tinta pode ser aquarela, óleo ou acrílica. A tinta pode vir numa lata ou num tubo ou num spray de aerossol. A tinta pode ser espessa ou rala, tóxica ou até mesmo ingerível, de secagem rápida ou lenta. O azul pode ser índigo ou cobalto ou marinho.

Para evitar confusão semelhante com as nossas palavras, devemos adicionar especificidade. Em vez de dizer "carro", seja mais específico dizendo "SUV"; em vez de "cachorro", experimente "pastor-alemão". Da mesma forma, não devemos dizer "mãe" se não tivermos certeza; em vez disso, diga "mulher com criança". Dizer "deste lado" não é suficientemente específico, em especial para alguém que não esteja parado onde você está, e vendo o que você vê; em vez disso, dê uma posição: "na extrema esquerda". Em vez de "coisa" ou "negócio" ou "colorido", elucide com mais precisão.

A falta de especificidade[14] na comunicação custou caro ao artista Christian Alderete. Quando Alderete foi escolhido pela cidade de Pasadena, Califórnia, para participar no piloto do Programa Mural de Aprimoramento de Bairros, ficou entusiasmado. Respaldado por uma verba governamental, passou mais de dois meses criando uma obra-prima colorida de quase dois metros com temática maia e asteca, envolvendo também trinta crianças locais. A presidente da Comissão de Arte e Cultura Dale Oliver chamou o mural de "espetacular".[15]

Mas, pouco mais de dois meses depois de completado, alguém pintou totalmente por cima dele, cobrindo as assinaturas das crianças e tudo.

A dona da loja decorada pela obra de Alderete recebera uma carta do programa de observância do código de Planejamento e Desenvolvimento Comunitário de Pasadena avisando-a para remover a estranha simbologia e repintar "um muro em ruínas" ou enfrentar a possibilidade de fechamento. Não era especificado qual muro.

Jon Pollard, o responsável municipal pelo cumprimento do código, admitiu que houve "uma certa falta de comunicação".

Alderete colocou de outra maneira: "É como um chute na cara", disse ele. "Era uma coisa viva. Uma coisa que eu esperava que se tornasse um marco na cidade."

O empresário Joe Lentini também aprendeu com uma lição cara a importância da especificidade quando jantou no Bobby Flay Steak, no Borgata Hotel Casino, em Atlantic City, Nova Jersey. Ao pedir bebidas para sua mesa de dez pessoas, disse à garçonete que não entendia muito de vinhos e pediu-lhe que escolhesse uma garrafa para ele.

"Ela apontou uma marca na carta de vinhos. Eu estava sem meus óculos. Perguntei quanto custava e ela disse: 'Trinta e sete e cinquenta'",[16] recorda Lentini.

O Bobby Flay Steak tem uma carta de vinhos de 24 páginas que oferece mais de quinhentas opções. A maioria custa menos de US$ 100 a garrafa, com uma seleção de "50 por menos de US$ 50" destacada na primeira página; então, quando Lentini recebeu a conta e viu que em vez dos US$ 37,50 que estava esperando tinham lhe cobrado US$ 3.750,00, ficou apavorado. Chamou imediatamente a garçonete e explicou que nunca teria pedido uma garrafa de vinho tão cara. Ela por sua vez trouxe o gerente.

"Eu disse que a moça me falou que custava 'trinta e sete e cinquenta', não 'três mil setecentos e cinquenta dólares'", conta Lentini.

Embora a garçonete discordasse, outros convivas confirmaram o relato de Lentini. Don Chin, o cidadão sentado à esquerda de Lentini, recorda o que foi dito quando o vinho foi pedido. "Joe havia pedido uma sugestão de vinho e a garçonete apontou para um vinho",[17] ele conta. "Joe perguntou o preço e ela disse 'trinta e sete e cinquenta', não 'três mil setecentos e cinquenta', que é o que eu teria dito, então todos nós pensamos que era US$ 37,50. Todos nós tivemos um ataque cardíaco [quando veio a conta]."

Em vez de tirar o item da conta, a gerência do restaurante ofereceu-se para dar um desconto no preço da garrafa de Screaming Eagle, deixando-a por US$ 2.200,00. Lentini pagou, relutantemente, depois levou a história para a imprensa.

Quando o caso foi divulgado nacionalmente, o vice-presidente executivo do Borgata, Joseph Lupo, respondeu: "O Borgata confia que não houve mal-entendido referente à escolha. Nós simplesmente não permitiremos que a ameaça de uma história negativa que inclui tantas afirmações questionáveis e sub-reptícias denigra a nossa integridade e os nossos padrões, que o Borgata se orgulha de praticar diariamente."[18]

O restaurante explicou que outra pessoa na mesa foi informada do preço exato da garrafa antes de receberem a conta, o que essa pessoa confirma; entretanto, ela afirma que a revelação foi feita só depois que a garrafa foi aberta e o estrago já fora feito.

Só porque a gerência do Borgata alega que "não houve mal-entendido", isto não significa que é verdade. O fato de os dois lados – empresa e cliente – não concordarem sobre o motivo de o incidente ter ocorrido é a própria definição de mal-entendido. Então, vamos dar uma olhada na má comunicação envolvida.

Segundo múltiplos relatos, a garçonete informou o preço da garrafa de vinho usando um atalho vago: "trinta e sete e cinquenta". Sem a especificidade de dólares e centavos, há lugar para um mal-entendido. Dizer "três mil setecentos e cinquenta dólares" ou "trinta e sete dólares e cinquenta" teria evitado qualquer margem para erro.

A carta de vinhos do restaurante também não é tão específica quanto poderia ser para evitar problemas potenciais. Os preços das centenas de garrafas de vinho estão listados sem símbolos de dólar nem vírgulas decimais. Será que "900" significa novecentos dólares ou nove dólares? Levando em conta que o restaurante está localizado num destino turístico popular entre visitantes estrangeiros, a falta de especificidade dá margem à má comunicação.

Quando o gerente foi chamado para resolver a situação no próprio local, antes que ela se tornasse pública, ele tinha mais informação sobre a carta de vinhos do seu restaurante: das mais de quinhentas garrafas de tamanho normal listadas, apenas dezessete tinham preço acima de US$ 1.000,00, e apenas uma custava mais de US$ 3.750,00. Ele sabia que a garçonete servira alguém que confessava não entender nada de vinhos com o segundo vinho mais caro entre as quinhentas opções.

Embora se possa argumentar que tanto Lentini como o Borgata e o Bobby Flay Steak pagaram caro pela má comunicação – será que US$ 2.200,00 valeram o custo da publicidade negativa? –, o incidente de fato produziu um exemplo de comunicação excepcionalmente boa na forma de um artigo escrito pela repórter Karin Price Mueller. Em sua matéria para a NJ.com, ela reportou apenas os fatos do que tinha acontecido, onde, quando e com quem. Entrevistou as pessoas envolvidas diretamente e não nomeou ninguém que não quisesse ser nomeado, inclusive a garçonete. Chegou mesmo a apontar para seus leitores possíveis erros de percepção: "Não estávamos na mesa, então não sabemos o que foi dito quando o vinho foi pedido",[19] ou "Não sabemos o que a garçonete disse ou não. Só sabemos do que Lentini se lembrava, e do que o Borgata foi informado quando perguntou aos empregados que lá estavam".

A especificidade não só protege contra a má comunicação, mas pode também conduzir a um sucesso maior. Depois de fazer meu curso, o tenente Tom Holt, que coordenava a Força-tarefa de Furtos do Departamento de Polícia de Nova York, mudou a maneira como se comunicava com seus 24 policiais à paisana. "Em vez de dizer ao meu pessoal que o sujeito espiando um carro estacionado atrás do outro estava vestido de preto",[20] explicou, "eu podia dizer que ele estava usando um gorro de lã preto, um casaco de couro preto com borda de pele preta, um agasalho preto com capuz e coturnos pretos". Esta especificidade ajudou seu departamento a deter mais batedores de carteiras e ladrões de lojas e de bolsas que regularmente perambulavam pela área da Times Square.

Na busca da especificidade, porém, lembre-se de ter cautela com suposições. Ao descrever um quadro em voz alta numa das minhas sessões, um participante disse que o sujeito estava "ao lado de arquitetura europeia". Parece específico, não? "Como você sabe que o homem na pintura está na Europa?", indaguei. Ele não sabia. Podia ser um museu ou um pavilhão na Disney. Em vez de supor um local que não se pode verificar, descreva os pilares e arandelas que você vê.

Considere o público

Embora muitos artistas e escritores sonhem que seu trabalho seja visto por todo mundo, a realidade é que isto é impossível. Alguns públicos são maiores que outros, mas "todo mundo" não é uma meta realista. O espectador de um retrato encomendado de uma pessoa amada provavelmente será diferente de um participante do Festival de Arte e Música do Vale de Coachella, com uma mentalidade muito diversa.

Um artista que conhece o seu público e pensa sua obra em função do mesmo é uma marca de competência para agentes, editores e colecionadores tarimbados. A agente literária Susan Ginsburg comenta que um dos equívocos mais comuns que ela vê nas propostas que recebe, especialmente de autores de primeira viagem, é a promessa de que o livro vai interessar a "todo mundo".

"Os editores precisam saber que serão capazes de posicionar um livro de modo a vendê-lo bem num determinado mercado",[21] diz ela. "E não podem fazer isso se o autor nem sequer sabe quem é o seu público."

Assim como um escultor precisa planejar uma peça com base no lugar e na forma como será instalada e exibida – uma obra colocada num espaço público pode exigir materiais e ângulos de visão diferentes dos de uma obra projetada para ser vista numa galeria –, nós precisamos planejar para o nosso público ao elaborar uma boa comunicação. Nem todo mundo verá da mesma forma e nem todo mundo ouvirá as mesmas coisas, sobretudo se não estivermos produzindo a mensagem para a pessoa com quem estamos nos comunicando.

Após uma de minhas aulas, um estudante de medicina chamado Josh Bright me procurou e contou como a comunicação finamente sintonizada é parte essencial da interação com o paciente.

"Eu nunca pensei em mim mesmo como tradutor, mas é essencialmente isto que todos nós fazemos quando nos comunicamos de maneira efetiva: estamos traduzindo a nossa mensagem um para o outro. Quando atendo pacientes, eles descrevem para mim suas queixas e preocupações subjetivamente porque é como estão se sentindo. Eu então traduzo isso em sintomas objetivos que podem ser tratados", disse ele. "No entanto, se eu falar com eles a partir do meu próprio ponto de referência, pode ser que eles não entendam. Na verdade, a terminologia médica geralmente confunde ou assusta as pessoas. Eu tenho que traduzir a minha própria mensagem de diagnóstico em algo que seja fácil de entender a partir da perspectiva deles."

O mesmo se aplica a quase toda conversa que temos. Para assegurar que a nossa mensagem seja elaborada para as pessoas que estamos tentando atingir, pesquise quem são elas. Em 2001,[22] quando Sara Blakely criou a primeira meia-calça sem pés para sua nova empresa, a Spanx, pegou um avião para Londres a fim de entrevistar de surpresa compradoras da Harrods, Harvey Nichols e Selfridges, como fizera com muito êxito alguns meses antes nos Estados Unidos com a Neiman Marcus. Como seu único produto na época era um novo conceito – *você corta os pés das suas meias-calças?* –, ela gastava muito da sua energia tentando explicar o que era a Spanx e por que as pessoas precisavam dela.

Enquanto estava em Londres, também concedeu uma entrevista ao vivo na BBC. Ligeiramente atordoada por uma combinação de jet lag e nervosismo – a entrevista alcançaria mais de 1 milhão de pessoas –, Blakely esperava disfarçar sua ansiedade com o sorriso radiante que era sua marca registrada.

Seu entrevistador, tão confuso quanto todo mundo a quem ela tentara descrever seu novo artigo de modelagem corporal, que soava malicioso, foi direto ao assunto: "Então, Sara, conte-nos o que a Spanx pode fazer pelas mulheres no Reino Unido."

Blakely respondeu com um enorme sorriso de confiança: "Bem, tudo tem a ver com a *fanny*. Ela suaviza a sua *fanny*, levanta a sua *fanny* e firma a sua *fanny*."

Fanny não era uma palavra que ela costumava usar, mas ela achou que tinha um som seguro, britânico, e que ajudaria a tranquilizar as eventuais ouvintes mais rígidas. Quando a cor fugiu da face do entrevistador, ela teve a sensação de ter escolhido a palavra errada.

"Acho que você quer dizer *bum*", disse o entrevistador, interrompendo-a.

"Sim, claro. *Bum*", ela concordou, reconhecendo a polida palavra britânica para "traseiro".

Quando Blakely saiu do ar, descobriu que enquanto nos Estados Unidos *fanny* era um jeito especial de as avós americanas se referirem ao bumbum, na Inglaterra era um termo vulgar para "vagina". Querendo simplesmente descrever como seu produto era capaz de transformar discretamente a aparência das nádegas com celulite de uma mulher, ela acabou anunciando ao vivo no rádio que ele suavizaria, ergueria e firmaria a vagina da mulher... usando uma palavra chula para isso.

Pense no seu público. Eles chamam seus fregueses de hóspedes, cidadãos, membros ou usuários? Há certas palavras que estão fora dos limites do seu ambiente, como *fanny*? Elabore a sua mensagem de acordo com isso.

Quando o Escritório de Investigação do Colorado quis que detentos ajudassem a solucionar casos antigos não resolvidos, comunicou a informação pertinente a esses casos de uma forma incomum: imprimindo-a nas cartas de baralho que eram distribuídas gratuitamente nas cadeias regionais. A esperança era que os detentos seriam mais receptivos à informação se ela fosse apresentada de uma forma acessível, fácil de ler e, literalmente, nas pontas de seus dedos. A analista de casos pendentes do Escritório, Audrey Simkins, diz que a estratégia funcionou. "Recebemos cerca de cinquenta ligações, e estamos abrindo as portas para esses casos."[23] Atualmente utilizadas em dezessete estados pelo país, as cartas de baralho de casos pendentes já foram responsáveis por solucionar quarenta casos e gerar centenas de pistas.

Assim como fizemos com a perspectiva para juntar o máximo de informação possível, antes de nos comunicar devemos nos colocar no lugar do nosso público potencial e assegurar que estamos incluindo todos os fatos que seriam pertinentes a eles, mas também traduzindo esse conhecimento numa linguagem que possa ser prontamente entendida e aceita.

Prática concreta

Uma vez tendo selecionado seus materiais e considerado seu público, o artista está pronto para o passo seguinte: a prática. A prática na realidade apoia-se nos estágios de planejamento e execução, já que é um pouco de ambos: estamos planejando o produto final com uma execução precoce dele.

Enquanto esforços de prática recebem nomes diferentes em diferentes profissões criativas – esboço, rascunho, modelo, ensaio com figurino –, todos compartilham uma realidade física. Praticar arte não é somente pensar em algo, é fazê-lo. A escritora Dani Shapiro diz: "Pense numa bailarina na barra. *Plié, elevé, battement tendu*. Ela está praticando, porque sabe que não há diferença entre prática e arte. A prática é a arte."[24]

Do mesmo modo, devemos praticar nossas habilidades de comunicação se quisermos dominá-las. A prática não só nos ajuda a consertar o que não está exatamente pronto para o "horário nobre", mas também pode nos ajudar a ficar mais à vontade ao transmitir a nossa mensagem.

Nem todos são oradores natos. Alguns de nós são mais calados por natureza, alguns ficam paralisados pela ideia de abrir a boca, enquanto muitos ficam mais à vontade atrás de seus computadores ou em laboratórios. Felizmente, falar em público, falar quando estamos nervosos e falar quando não estamos acostumados são habilidades que podemos dominar com a prática. E para aqueles que têm medo de falar em público, o *media trainer* Bill Connor tem uma boa notícia: a prática pode sobrepujar a personalidade. "Já vi homens e mulheres com suprema autoconfiança subirem num púlpito cheios de bravatas, mas despreparados, e fracassarem completamente",[25] diz ele. "Eles tentam improvisar, e descobrem que seu material se esgota em trinta segundos. Também já vi gente tímida dedicar tempo a se preparar e praticar, e então transmitir mensagens comoventes, engraçadas, impactantes de um jeito capaz de influenciar o público e levar adiante suas próprias ideias."

Susan Cain, autora de *O poder dos quietos*, diz que a regra número um para falar em público, especialmente para introvertidos, é: "Pratique em voz alta, até sentir-se à vontade."[26] Para isso, basta apenas falar.

Parece elementar, e de fato é, sob muitos aspectos. Dizemos às crianças para "usarem suas próprias palavras", mas nós frequentemente não o fazemos, apoiando-nos em vez disso na eletrônica, em fotografias e gestos vagos. Precisamos dizer aquilo que vemos.

A professora de pré-escola do meu filho disse-me anos atrás que não achava que ele fosse suficientemente verbal. Avisou-me[27] acerca dos bem-documentados elos entre desenvolvimento da linguagem e alfabetização, e confessou que crianças com capacidade de comunicação inadequada eram mais difíceis de testar não só em termos de aptidão para o jardim de infância, mas também em relação a outras possíveis questões subjacentes, tais como desordens de desenvolvimento de linguagem ou autismo. Ela sugeriu que, para estimular sua comunicação verbal, eu praticasse em voz alta com ele meus exercícios de Arte da Percepção. Então, segui sua sugestão. Em todo lugar aonde íamos, em vez de só conversar com ele como normalmente fazia, eu o estimulava a descrever detalhadamente para mim o que ele via. Começávamos falando sobre todas as coisas que víamos e por que achávamos que tinham aquele aspecto, e desde então ele não parou mais de falar! Numa grande inversão de papéis, ao passearmos juntos pelas ruas de Nova York, meu filho pode dizer: "Você viu quem acabou de passar?" ou "Aposto que você não reparou no que acabou de acontecer do outro lado da rua". Ele me pega no meu próprio jogo, e muitas vezes pede: "Você poderia explicar isso um pouco mais claramente?"

Para praticar em voz alta a habilidade de comunicação, dê uma olhada no quadro seguinte. O que você vê? Escreva três ou quatro frases objetivas que melhor destilem a informação importante.

René Magritte, *A chave dos sonhos*, 1927

O quadro é de René Magritte, que frequentemente pintava palavras em suas imagens. (Já vimos dois outros trabalhos do artista, o presunto no prato com um globo ocular no capítulo 2 e o trem saindo da lareira no capítulo 7.) Magritte disse certa vez que tinha por objetivo fazer "objetos do cotidiano gritarem em voz alta"[28] – um objetivo adequado para uma comunicação melhor.

Este quadro, *A chave dos sonhos*, é parte de uma série na qual Magritte explora a natureza da representação. Das quatro imagens, três estão identificadas incorretamente pela legenda: apenas a do canto inferior direito está correta. A maleta está rotulada "o céu". A faca está rotulada "o pássaro". A folha está rotulada "a mesa". Apenas a esponja é aquilo que diz ser. A justaposição de imagens e palavras, especialmente apresentada no estilo de uma cartilha de vocabulário ou cartões ilustrados, nos proporciona uma pausa. Somos forçados a dar um passo atrás e repensar o que estamos vendo.

Agora, vamos fazer você falar. Pegue as frases que escreveu sobre o quadro, encontre alguém e leia em voz alta. Não mostre o quadro para a pessoa, pois com frequência é assim que nos comunicamos: transmitindo o que vemos para alguém que não pode ver o objeto descrito. Esta é uma prática simples, mas valiosa, de verbalização dos nossos achados.

Para testar o quanto você comunicou bem fatos objetivos, peça à pessoa para desenhar o quadro com base na sua descrição. Se você descobrir que não incluiu informação suficiente para a pessoa replicar o original, volte e escreva uma descrição diferente que transmita mais acuradamente a informação.

A importância de editar: por que dizer demais pode ser tão ruim quanto não dizer nada

Essa palavrinha no fim da seção anterior – "volte"– representa o terceiro, e talvez mais importante, estágio na criação tanto da arte quanto da comunicação: editar.

A arte é bem mais do que simplesmente adicionar tinta a uma tela; muitas vezes trata-se também de subtrair. O conselho de Teresita Fernández para estudantes de arte, que a docente do MIT Maria Popova chamava de "enobrecedora bússola moral para ser um ser humano decente em qualquer ramo da vida",[29] incluía a dica: "Expurgue regularmente. Destruir está intimamente ligado com criar."

Jan Frank, pintor nascido em Amsterdã, conhecido por seus intricados desenhos a tinta e pinturas enormes, modernas, sobre madeira compensada, concorda. Seu objetivo em cada trabalho é aplicar "o mínimo possível sobre a superfície".[30] Ele prossegue: "Quanto mais complexa a obra se torna, menos eu gosto." Como ele sabe quando uma pintura está acabada? "Quando tenho a sensação de que adicionar mais uma pincelada já seria demais."

Ralph Steiner, *American Rural Baroque*, 1930

Editar inclui saber quanto é demais e quando parar. Enquanto eu escrevia este capítulo, não me saía da cabeça uma famosa fotografia de 1930 de uma cadeira vazia. A obra, *American Rural Baroque* [Barroco rural americano], de Ralph Steiner,[31] capta uma cadeira de balanço de vime vazia projetando sombra numa varanda. A imagem é simples, contudo impressiona: os ornamentos da cadeira de balanço contrastam com as linhas retas da parede, piso, veneziana e coluna. Nós não esperamos que uma cadeira de balanço diga algo significativo, mas esta diz. Ela narra uma história sobre a eloquência do vazio, sobre o romantismo de uma época passada. Incluir a presença humana teria arruinado a imagem, figurativa e literalmente, pois o magnífico desenho da cadeira desapareceria.

Da mesma maneira, quando nos comunicamos, precisamos assegurar que não estamos obscurecendo nossa mensagem falando demais, usando palavras em excesso ou incluindo informação desnecessária. A ex-executiva de vendas Jess McCann, autora de *Was It Something I Said?* [Foi algo que eu disse?], acredita que a nossa tendência de exagerar na comunicação tanto pessoal quanto profissional acarreta desconforto; ficamos desconfortáveis ou por causa do ato de falar – devido à nossa personalidade ou por estarmos numa situação de alta pressão – ou por causa da informação que pretendemos transmitir. Podemos não ter problema em conversar com amigos num contexto informal, mas, quando solicitados a apresentar um relatório de resultados trimestrais fracos ou responder às perguntas dos nossos filhos sobre sexo, de repente caímos numa situação que McCann chama de "vômito verbal".[32] Para se contrapor a este problema comum, ela recomenda usar o princípio Kiss, acrônimo adotado pela Marinha dos Estados Unidos em 1960 para lembrar seus projetistas que em muitos casos menos é mais. Kiss significa *keep it short and simple* [mantenha a coisa breve e simples] e é aplicável quer estejamos redigindo um e-mail ou recusando uma proposta de encontro.

A especialista em questões legais Cara W. estava cheia de ansiedade em relação ao seu primeiro encontro com Dan. Ela se considerava "azarada" no amor e receava condenar a relação mesmo antes de começar. Como poderia falar sobre seus relacionamentos passados? Evitar monopolizar nervosamente a conversa? Informá-lo de que não queria avançar depressa demais? McCann lhe deu a mesma resposta para cada situação: preparar-se com o método Kiss.

"A maioria de nós tropeça ao falar sobre si mesmo porque não dedicamos tempo para nos sentar, pensar e preparar", diz McCann. "Sentimos essa necessidade inata de dizer mais, mas na maior parte dos casos não precisamos elaborar. Quando o fazemos, simplesmente acabamos confundindo a pessoa com quem estamos conversando."

Ela aconselhou Cara a fazer uma lista de questões sobre as quais estava mais preocupada, ajudou-a a editar as respostas até que fossem curtas e simples, e então a fez praticar respondendo-as. Em vez de dizer a Dan que ela tivera contato físico cedo demais em relacionamentos passados e se arrependia disso, McCann a instruiu a simplesmente dizer: "Eu realmente gosto de você, só gostaria de conhecê-lo um pouco melhor, tudo bem?" Em vez de responder à pergunta "Você está saindo com alguma outra pessoa?" com uma longa explicação sobre quem e há quanto tempo, seu medo de morrer sozinha, ou como tinha namorado metade do time de futebol americano da faculdade, elas elaboraram uma resposta de duas palavras: "Não exclusivamente." Quando enfim chegou a noite do grande encontro com Dan, Cara não estava nervosa como de costume porque tinha preparado e praticado o que dizer. Armada com suas respostas editadas, ela foi capaz de apreciar a noite e realmente se concentrar em estabelecer uma ligação com seu novo amigo.

Excelentes comunicadores são concisos. Fazem com que cada palavra conte. Para praticar a habilidade de destilar a linguagem precisamente, dê uma olhada na fotografia a seguir e descreva-a em uma frase apenas. Anote somente as suas observações, sem suposições ou inferências.

Você incluiu alguma das seguintes palavras: "mulher", "criança", "igreja", "banco de igreja", "sentada", "mão", "rosto"? Ótimo, pois estas são as mais importantes. Espero que você não tenha escrito "mãe" ou "sua filha", pois isto seria presumir uma relação que pode não ser verdadeira. E quanto a "doze", o número de pessoas que podemos ver? Ótimo. Você poderia ter diferenciado ainda mais a cena afirmando que das doze pessoas que temos como ver, dez estão de pé, enquanto duas, a mulher e a criança, estão sentadas.

Você pode ter notado outros detalhes verdadeiros, mas não suficientemente importantes para exigir inclusão numa sentença única, como: luzes circulares, botas, blusa listrada, jeans, pernas cruzadas. Lembre-se das prioridades.

Você usou o termo "afro-americana" na sua descrição? A maioria das pessoas usa, mas essa é uma inferência subjetiva, e não uma observação objetiva. Você está supondo que as pessoas estão nos Estados Unidos e que são de fato de ascendência africana. Você consegue dizer onde esta foto foi tirada? Há alguma pista que possa sugerir o local, tal como uma bandeira ou alguma coisa escrita? Não. Então, não podemos fazer suposições. As pessoas poderiam estar no Haiti, ou até mesmo nos Estados Unidos, mas serem de ascendência jamaicana. Muita gente se preocupa achando que usar o termo "negro" seria considerado racismo, enquanto "afro-americano" seria mais politicamente correto. Entendo essas preocupações, e devemos ter consideração e nunca ser ofensivos, mas ir longe demais com a correção política e a polidez também pode nos afastar da especificidade e da precisão. A menos que seja um fato sabido, "afro-americano" é uma suposição, e se forem cidadãos haitianos, uma suposição incorreta. Não se preocupe em ser politicamente correto, preocupe-se em ser *correto*. "Negro" é um termo descritivo. Negro é uma observação do que vemos. É uma observação perfeitamente aceitável e mais objetiva para descrever as pessoas nesta foto como "negras".

Você incluiu algumas das seguintes palavras para descrever a mulher: "aborrecida", "chorando", "triste", "agitada", "angustiada"? A garotinha *parece sim estar* confortando a mulher; sua mão no rosto dela é gentil, sua expressão é calma, possivelmente preocupada. Mas lembre-se de que a garotinha é uma criança. Ela pode não entender o que está presenciando. A mulher também está com a própria mão no rosto, contorcido de emoção, mas você consegue dizer que tipo de emoção? Ela está aborrecida, triste ou agitada? Está chorando? Pode ser que esteja, embora não dê para ver lágrimas.

É tentador ver a mulher no chão, sua face contorcida, e imediatamente supor que ela tenha desabado de angústia, mas trata-se de uma suposição. Pode ser verdadeira, mas necessitamos de fatos para respaldá-la. Vamos dar uma olhada no resto da fotografia. O que as outras pessoas em volta da mulher estão fazendo? Elas estão angustiadas? Podemos ver apenas as faces de quatro delas, mas nenhuma parece estar aborrecida. Duas têm um aspecto inexpressivo, e duas estão sorrindo, uma com as mãos no alto, abertas, ao lado da face. Estaria batendo palmas?

A linguagem corporal de todo mundo com exceção da mulher e da criança também é reveladora. Estão todos olhando para a frente, além da mulher. Ninguém olha para ela nem se agacha para ajudá-la. Se houvesse alguém angustiado, as pessoas ao seu redor não reagiriam? E o homem no centro ao fundo? O que está segurando? Houve gente que disse que era uma "arma", mas isso não é verdade. Olhe mais atentamente. Não é uma arma. Além disso, os bancos significam que o local é mais provavelmente uma igreja. A probabilidade de haver uma arma escondida numa igreja é pequena. O homem está na verdade segurando um microfone, possivelmente ligado a uma câmera.

O que está se passando na foto? As pessoas estão numa igreja, participando de um serviço, ou é apenas uma reunião? Onde fica a igreja? Por que as pessoas estão reunidas? Para quem ou o quê estão olhando? Quando é que isto está ocorrendo?

Esta é a informação importante que não sabemos, que se pudéssemos descobrir nos ajudaria tremendamente. Como se trata de uma foto e temos acesso ao fotógrafo, David Goldman, podemos obter respostas para algumas dessas perguntas. Vejamos se conseguimos montar a história com alguns fatos que faltam.

Quem é? A mulher sentada no chão é Latrice Barnes. A criança é sua filha Jasmine Redd, de cinco anos. Então temos confirmação da relação entre ambas. Já sabemos o que está se passando na foto? Não, mas, agora que possuímos uma identificação positiva, temos a possibilidade de contatá-la.

Onde é? Na Primeira Igreja Batista Coríntia no Harlem, em Nova York. Então estamos nos Estados Unidos, mas ainda não podemos pressupor que todos na fotografia sejam afro-americanos.

Quando é? Terça-feira, 4 de novembro de 2008. Será que esta data tem alguma significação? Sim, tem. Do *New York Times*: "Em 4 de novembro de

2008,[33] Barack Obama foi eleito o 44º presidente dos Estados Unidos, derrotando o candidato republicano John McCain. O sr. Obama, senador dos Estados Unidos pelo estado de Illinois, filho de pai queniano e uma mãe branca do Kansas, tornou-se o primeiro comandante em chefe negro." Note que o *New York Times* não chama Obama de primeiro presidente afro-americano, chama-o de primeiro presidente negro.

Latrice Barnes está no chão da igreja porque foi tomada de felicidade em relação aos resultados históricos da eleição. Ela pode estar chorando, mas são lágrimas de alegria e esperança, não de desespero ou angústia.

Não se espera de nós que saibamos mais do que podemos observar, mas devemos observar corretamente o que podemos. Nosso relatório não pode incluir suposições ou informação incorreta que leve alguma outra pessoa pelo caminho errado.

Vamos tentar outra foto, mas desta vez quero que você a descreva em apenas seis palavras. Você pode achar que não consegue dizer muita coisa com seis palavras apenas, mas foi exatamente isto que o redator da manchete fez quando esta imagem apareceu no *New York Times*. Se o redator pôde fazer isso, você também pode!

Você usou alguma das seguintes palavras: "adolescentes", "jovens", "sentados", "entrada", "sorrindo", "chinelos", "cinco"? Todas são boas! Eu ouvi "verão" por causa da roupa dos adolescentes, mas poderia ser um dia de primavera ou outono excepcionalmente quente; "quente" seria mais acurado. Espero que não tenha incluído nenhuma das seguintes suposições: "Nova York", "flertando" ou "família". Alguns dos exemplos que me foram dados incluem "adolescentes em entrada de festa de chinelos", "adolescentes na entrada curtindo o tempo quente", e a espirituosa mas não especialmente descritiva "quatro adolescentes e mais um segurando vela".

A verdadeira manchete de seis palavras para esta foto me chocou.

Dizia: "Verão de adolescentes, versão com jejum." O quê? A leitura da história que acompanhava a foto me esclareceu de muitas maneiras. A fotografia mostra cinco adolescentes observando o Ramadã, período de um mês durante o qual os muçulmanos jejuam do nascer até o pôr do sol. O artigo explicava que para conservar energia muitos jovens calçam chinelos durante o Ramadã, para se se sentirem tentados a participar de esportes. A manchete era brilhante no sentido de ser correta, objetiva e provocante. Ela me fez ler o artigo para ver do que se tratava (propósito maior de uma manchete de jornal), e eu mudei minhas suposições depois de lê-la. Tudo por causa de seis palavrinhas.

Não deixe tinta ruim secar

Mesmo com preparação e edição, nem sempre os artistas ficam felizes com sua obra acabada. No entanto, quando acham que alguma coisa que pintaram não está funcionando por qualquer motivo – um chapéu é grande demais,[34] uma mão está ligeiramente torta, uma baleia encalhada na praia parece um detalhe não muito apetitoso numa paisagem marinha a ser pendurada numa sala de jantar –, eles não se limitam a dar de ombros e deixar como está. Eles corrigem e retrabalham. Este processo ocorre com tanta frequência no mundo da arte que existe até um nome para ele: *pentimento*, da palavra italiana para "arrependimento". Quer os traços ofensivos sejam raspados ou recebam pintura por cima, eles precisam ser corrigidos o mais rapidamente possível para não se tornarem permanentes.

Quando John Singer Sargent tentava fazer seu nome na França, convenceu uma socialite, sua conterrânea americana Virginie Amélie Avegno Gautreau, a posar para ele. Como o resto de Paris, ele ficou enamorado da sua pele pálida, empoada, e o que ele chamou de sua "beleza impintável".[35] O retrato de mais de dois metros de altura debutou no Salon de Paris em 1884 e foi um escândalo instantâneo em parte porque a alça do vestido de Gautreau pendia solta no ombro direito, uma sugestão de sensualidade imprópria para uma mulher casada. A própria mãe de Gautreau exigiu que o quadro fosse removido da exposição antes do fim do primeiro dia, gritando: "Minha filha está perdida! Paris inteira zomba dela!"[36]

Temendo que a família o destruísse, Sargent levou o quadro de volta para o ateliê e o emendou, fazendo a alça assentar-se em segurança sobre o ombro de Gautreau, como está hoje. Mas foi tarde demais; sua carreira na França estava acabada. Sargent tivera esperança de que sua entusiástica modelo ficasse encantada com a recepção e lhe pagasse um preço mais alto do que ele habitualmente pediria. Enganou-se. Os Gautreau, e o resto de Paris, não quiseram mais saber dele. Ele fugiu para Londres,[37] dizendo aos amigos que estava considerando desistir totalmente da pintura. Sargent guardou o retrato no seu estúdio particular até 1916, um ano após a morte de Gautreau, quando o vendeu ao Metropolitan com a condição de que fosse rebatizado para apagar qualquer referência à modelo. Três décadas mais tarde, o revisto *Madame X* finalmente recebeu os elogios de crítica e público que merecia.

Da mesma maneira, devemos consertar nossos erros de comunicação assim que tomamos consciência deles. Se não o fizermos, as consequências de longo prazo podem ser desastrosas.

Em 2006, depois de trinta longas horas buscando por treze mineiros aprisionados após uma explosão subterrânea em Sago, Virgínia Ocidental, o International Coal Group finalmente tinha notícias para as famílias reunidas na igreja batista local nos arredores: doze homens foram recuperados com vida; apenas um morrera.

"Disseram-nos que eles viriam à igreja saudar suas famílias",[38] recorda o reverendo Jerry Murrell. "Até nos disseram por qual porta entrariam, como nos prepararmos, e que os familiares imediatos deveriam ser os primeiros da fila. As pessoas cantavam. Crianças dançavam nos corredores. A exuberância só tinha começado; era simplesmente incrível."

Cópia em albume de um álbum de recortes de reproduções fotográficas de pinturas de John Singer Sargent

John Singer Sargent, *Madame X (Madame Pierre Gautreau)*, 1883-84

Quando o reportado "milagre" fez os sinos da igreja tocarem à meia-noite, os executivos da companhia ficaram sabendo da devastadora verdade: a realidade era o contrário – apenas um homem tinha sobrevivido, e os outros doze perecido. Inacreditavelmente, esperaram *duas horas e meia* para corrigir o erro de comunicação. Quando as famílias foram informadas da verdade, a celebração se transformou num pandemônio. Pessoas desmaiaram, outras agrediram funcionários, algumas ameaçaram ir para casa e pegar suas armas. O demorado atraso na correção tornou uma situação ruim ainda pior. Um amigo de uma das famílias disse à CNN: "Nós esperamos e esperamos. Entes queridos e famílias se postaram no terraço, envoltos em cobertores, esperando a chegada de seus pais e irmãos para abraçá-los."[39]

"No processo de sermos cautelosos, permitimos que a comemoração continuasse por mais tempo do que deveria",[40] admitiu Bennett K. Hatfield, principal executivo do International Coal Group.

O péssimo manuseio de informação sensível levou a mídia a atacar ainda mais duramente a companhia de mineração e a falar de "crise atrás de crise".[41] O International Coal Group nunca se recuperou. As ações da empresa,[42] negociadas a onze dólares antes do acidente, caíram para pouco acima de um dólar em 2009. A companhia não existe mais, tendo sido adquirida pela Arch Coal em 2011.

Scott Baradell, executivo de relações públicas, diz que não precisava ter sido assim: "Hatfield deveria ter se reunido com as famílias logo que ficou evidente que uma falsa esperança estava se espalhando e ter-lhes dito o seguinte: 'Nós encontramos os homens, mas ainda não sabemos quantos estão vivos. Estamos verificando seus sinais vitais. Assim que soubermos mais, prometemos que vocês serão os primeiros a saber. Por favor, tenham paciência conosco.'"[43]

As pessoas são mais pacientes e propensas a nos perdoar quando admitimos os nossos erros e os corrigimos logo que são descobertos. Não deixe a tinta secar nem a poeira assentar sobre um erro de comunicação. Em vez disso, corrija-o assim que possível.

Certificar-se de que a mensagem seja recebida

Uma vez terminada a obra, o artista tem uma decisão final a ser tomada: como exibi-la para que seja recebida da melhor forma? Ela deve ser pendurada no nível dos olhos ou apoiada no chão? Deve ser emoldurada ou não? Uma moldura realçará a obra ou provocará distração?

Georges Seurat, conhecido pela sua técnica de pintura pontilhista – usar minúsculos pontos de cor para criar cenas grandes –, não deixava nada para o acaso. Desenhava molduras especiais para suas obras imensas,[44] e chegou a esticar sua tela original de 1,80 × 3 metros que retratava pessoas relaxando à beira de um lago, *Tarde de domingo na Ilha de Grande Jatte*, de modo a poder adicionar uma margem de pontos vermelhos, laranja e azuis e oferecer assim uma transição visual perfeita entre seu trabalho e o resto do mundo. Van Gogh também[45] era famoso pela obsessão em relação a como seus quadros seriam emoldurados, pintando molduras de madeira simples com frisos amarelos quando não podia se permitir as tradicionais molduras douradas. Matisse chamava os quatro lados de uma moldura de "as partes mais importantes de uma pintura".[46]

Sob muitos aspectos, a parte mais importante da nossa mensagem também é a maneira como a transmitimos, de modo que seja recebida corretamente. Toda a preparação do mundo não adiantará de nada se nos desligarmos do nosso público ou fizermos com que ele se desligue de nós. A primeira coisa à qual devemos prestar atenção é como emoldurar a nossa mensagem com a nossa linguagem corporal e comunicação não verbal.

Albert Mehrabian, professor emérito de psicologia na Ucla e pioneiro na pesquisa da linguagem corporal, calcula que "o impacto total de uma mensagem é cerca de 7% verbal (só palavras), 38% vocal (incluindo tom de voz, inflexão e outros sons) e 55% não verbal".[47] Como uma moldura gigante, dourada, que ofusca uma obra de arte sutil, nosso tom, expressão facial e postura podem modificar a maneira como alguém recebe a nossa mensagem. Nosso subtexto, intencional ou não, pode fazer a diferença entre envolver o ouvinte ou afugentá-lo.

Joe Navarro, especialista em linguagem corporal[48] e autor de *What Every Body Is Saying* [O que cada corpo diz], aconselha que, para fazer boa comunicação com boa comunicação não verbal, pelo menos nos Estados Unidos, precisamos cumprimentar os outros com um aperto de mão firme e olhar diretamente nos olhos. Ao dar a mão, o aperto deve ser firme, nem frouxo nem esmagador. Um aperto frouxo demais pode dar a impressão de que você é fraco ou não deve ser incomodado; por outro lado, um aperto forte demais pode dar a impressão de dominação ou agressão. Olhar a pessoa nos olhos ao se comunicar, seja como orador ou ouvinte, também é importante porque diz ao outro que você está envolvido e prestando atenção nele. É claro que não queremos olhar ninguém de cima a baixo, nem dar uma passada rápida de olhos; o tempo de duração certo para olhar outra pessoa no olho é o tempo necessário para reparar na cor dos seus olhos.

Se você costuma tratar com pessoas de outros países, deve pesquisar as dicas básicas de uma comunicação não verbal aceitável para aquela cultura. Eu tinha uma colega que frequentemente falava para plateias japonesas e ficava perplexa porque, ao contrário de outros grupos, eles nunca tinham perguntas após suas apresentações. Quando ela descobriu que no Japão as pessoas não costumam erguer a mão para chamar a atenção, mas simplesmente olham para o orador e esperam que ele perceba, sentiu-se péssima. Durante anos ela vira pessoas olhando com expectativa para ela, provavelmente ansiosas e cheias de perguntas não formuladas, e nunca chamou ninguém. Todo país e região tem a sua própria etiqueta, e a internet facilita mais do que nunca a pesquisa do que é apropriado ou não antes de você se comunicar com alguém de outra cultura.

Há um gesto a ser universalmente evitado: apontar. Os funcionários da Disney são treinados a nunca apontar em público, não só porque em muitos países o gesto é considerado rude, mas, talvez mais importante, porque é ambíguo e preguiçoso. Se um participante pergunta "Onde fica o banheiro mais próximo?" e o funcionário simplesmente aponta para longe, esse funcionário está dizendo que não se importa, que espera que o participante pergunte a outra pessoa pelo caminho, e não está fornecendo a ele efetivamente nenhuma orientação real. Em vez disso, os funcionários da Disney devem usar instruções específicas que incluam marcos de referência próximos. Uma resposta completa, mais útil, seria: "O banheiro mais próximo fica a uns sete metros do lado direito, logo depois de passar o portão de bambu. Se você chegar no camelo que cospe, é porque já passou." Apontar deixa muita coisa aberta a interpretação que não pode ser traduzida em palavra escrita. "Está vendo aquela coisa? Bem ali?" Que coisa? Onde?

Confiar no gesto de apontar também provoca um curto-circuito na vital análise dedutiva. Forçar articulação específica aumenta o nosso foco, transmite um relato mais detalhado e cria uma memória superior da observação. Isso é especialmente importante quando a informação é disseminada por anos, como ocorre quando uma testemunha ocular ou um policial, um encarregado de caso ou um professor, precisa repetir sua descrição de uma experiência mais tarde no tribunal.

A maioria das pessoas a quem ensino tem dificuldade real com a regra de não apontar. Até mesmo oradores que se presumiria serem naturalmente mais descritivos, tais como jornalistas, não conseguem evitar de apontar, sobretudo em ambientes visualmente estimulantes, como um museu. Pode ser um pouco difícil refrear as mãos, mas mantenha-as abaixadas ao falar.

Quando digo às pessoas que elas não podem apontar, invariavelmente alguém tenta contornar a regra movimentando a cabeça. Não adianta. Devemos ter consciência da nossa comunicação não verbal, mas não podemos deixar que ela substitua as nossas palavras. A linguagem corporal não é uma substituta ou abreviação aceitável para dizermos o que vemos.

O segredo

Eu estava num voo recentemente quando a tripulação da cabine contou uma piada: como evitar que uma comissária de bordo descubra um segredo? Anuncie no alto-falante. Como diria meu filho: "É engraçado porque é verdade." Ao contrário dos passageiros, que se prendem a cada palavra da cabine, as comissárias de bordo se desligam dos anúncios do alto-falante porque não são mensagens dirigidas a elas. Elas se comunicam com o comandante de outras maneiras, geralmente por luzes e aqueles sons que parecem campainhas de porta, codificados para não causar preocupação nos passageiros.

Mesmo que possamos fazer o nosso melhor para elaborar a mensagem sob medida para o nosso público, o conteúdo do que foi elaborado não é garantia de que escutarão. Para ajudar a assegurar que nossa comunicação seja recebida, precisamos dar alguns passos finais no envio da mensagem. O segredo para ter êxito nessa tarefa envolve o que eu chamo de três Rs: repetir, renomear e remoldurar.

O primeiro R: Repetir

Andy Warhol estabeleceu-se como o rei da pop art com uma ideia simples: a repetição de imagens. Sejam as latas de sopa Campbell ou um grid com faces de Marilyn Monroe, uma vez tendo visto uma imagem de Warhol você nunca mais a esquece – porque a viu mais de uma vez no mesmo lugar. Podemos aplicar este conceito à comunicação, não nos repetindo, mas pedindo ao receptor que ecoe a nossa mensagem.

Não basta simplesmente perguntar aos receptores se nos ouviram. O psicólogo organizacional dr. David G. Javitch avisa: "Não pergunte à pessoa se ela o ouviu ou compreendeu. A resposta para ambas as perguntas quase sempre é sim. Por quê? Porque ninguém quer que o patrão pense que você é ignorante ou não estava prestando atenção, ou que interpretou mal a mensagem."[49] Em vez disso, faça o que os controladores de tráfego aéreo fazem com os pilotos para assegurar que a mensagem foi recebida: peça aos que ouvem que repitam a mensagem com suas próprias palavras. Se a garçonete no restaurante Bobby Flay Steak tivesse feito o freguês repetir o preço, ouvir "trinta e sete e cinquenta" em voz alta poderia fazer com que ele ou um de seus companheiros de mesa questionasse o preço e pedisse um esclarecimento.

Se você não se sente à vontade para pedir a alguém que repita a informação ao pé da letra, pode induzi-lo pedindo que construa uma ordem classificatória. Javitch recomenda: "Pergunte ao receptor quais são os passos mais difíceis, mais fáceis ou complicados para executar a tarefa."[50]

O segundo R: Renomear

Nove anos depois de completar uma grande pintura a óleo mostrando cinco mulheres nuas com corpos angulares e desarticulados, finalmente Picasso estava pronto para deixá-la sair do ateliê para exibição pública. Como o trabalho retratava prostitutas de rua diante de um bordel em Barcelona,[51] Picasso o nomeara simplesmente *Le Bordel d'Avignon* [O bordel de Avignon], chamando-o abreviadamente de *mon bordel* ("meu bordel"). A obra em si[52] já era suficientemente chocante graças às poses primitivas, carnais, das mulheres, então André Salmon, amigo de Picasso e poeta, rebatizou-a para o Salon de 1916 como *Les Demoiselles d'Avignon* [As senhoritas de Avignon], a fim de torná-lo mais palatável ao público avesso a escândalos. O nome pegou, e o quadro, agora em exibição permanente no MoMA – Museum of Modern Art, é considerado uma das obras mais influentes de Picasso. A mudança de nome do quadro não alterou de modo algum seu conteúdo ou composição, mas permitiu que fosse mais bem recebido.

Quando chegamos a uma barreira de compreensão, uma simples mudança de nome pode ser tudo que é preciso para superá-la. O autor campeão de vendas do *New York Times* Harvey Mackay sugere: "Às vezes você pode conseguir o que quer dando-lhe outro nome. Digamos que o seu oponente não 'renegocia' contratos. Tudo bem. Que tal se chamarmos de 'extensão de contrato'? Seu oponente diz não a pagamento de indenização? Tudo bem, é um 'contrato de consultoria.'"[53] Contanto que seja um sinônimo acurado e não altere o significado, pense em Shakespeare: "Uma rosa com outro nome teria o mesmo doce perfume."[54]

O terceiro R: Remoldurar

Os curadores da National Gallery of Art em Washington, DC, sempre se orgulharam do fato de tantas obras na sua coleção serem exibidas em suas molduras originais, planejadas pelo artista. Entretanto, ficaram chocados ao descobrir na década de 1990 que nem toda moldura estava corretamente combinada com a obra de arte que lhe fora pretendida. Após um exame mais meticuloso, descobriram que a moldura original de Winslow Homer para *Right and Left* [Direita e esquerda] era na verdade pequena demais para o quadro e escondia importantes detalhes do mesmo. A moldura encaixava-se perfeitamente em outra obra de Homer que carecia de uma moldura original, *Hound and Hunter* [Cão e caçador]. A moldura foi trocada[55] e uma nova, maior, foi criada para permitir que *Right and Left* fosse plenamente apreciada.

Se a informação que você está tentando passar não ressoa entre o seu público, tente remoldurar a forma como você a está apresentando. Lembro-me de uma anedota de meados do século XX que ilustra perfeitamente o impacto de remoldurar a nossa comunicação.

Um cego idoso estava sentado numa esquina movimentada na hora do rush pedindo dinheiro. Ele tinha um cartaz ao lado da sua canequinha de lata que dizia: CEGO, POR FAVOR AJUDE. E a canequinha estava vazia.

Uma jovem redatora publicitária passou e viu o cego, seu cartaz e sua caneca vazia, percebendo que as pessoas passavam à sua frente sem se comover. Tirou uma caneta da bolsa, virou o cartaz do outro lado e rabiscou uma mensagem nova no verso. Deixou o cartaz com o cego e seguiu seu caminho.

Imediatamente as pessoas começaram a pôr doações na caneca. Quando ela ficou repleta, o cego pediu a um estranho para lhe contar o que dizia o novo cartaz.

O cartaz dizia: "É UM BELO DIA. VOCÊ PODE VÊ-LO. EU NÃO POSSO."

Mudar a forma como apresentamos a nossa informação pode mudar drasticamente o modo como ela é recebida. As pessoas sempre ficam surpresas quando lhes digo que em média um seminário da Arte da Percepção tem três horas de duração. Três horas é um tempo longo para escutar uma pessoa falando, e, ao mesmo tempo que tenho muita informação que quero transmitir, sou cuidadosa com as molduras que escolho: um monte de visuais interativos, exercícios colaborativos que requerem que os participantes levantem e conversem com os colegas e frequentes visitas a museus. No final, a maioria dos participantes me diz que poderiam ficar comigo mais três horas.

Um convite

Há pouco tempo, compareci a uma exposição de arte em Nova York intitulada *In the Studio* [No estúdio], que explorava como os artistas representavam artisticamente seus próprios locais de trabalho. Ao mesmo tempo que imensamente diferentes, as obras eram todas declarações pessoais da relação dos artistas com o sagrado local em que criam suas mensagens.

O artista britânico Lucian Freud, nascido na Alemanha e neto de Sigmund, retratou seu estúdio numa pintura chamada *Two Japanese Wrestlers by a Sink* [Dois lutadores japoneses junto a uma pia]. Em vez de mostrar uma sala serena com grandes janelas, cavaletes ou um único pincel, a imagem é quase inteiramente tomada por uma bacia comum, bastante suja; a pintura titular dos lutadores está deslocada para o lado e severamente cortada. A pia é mais central para esta pintura e para o processo que produziu a arte de Freud do que possivelmente qualquer outro elemento. Mostrando-a bem na frente e no centro, Freud nos lembra de que sua arte, sua comunicação criativa, não surgiu num passe de mágica, mas foi produto de planejamento, prática e propósito.

Em outra peça, *O pintor e o comprador*, o esboço de um autorretrato do século XVI de Pieter Brueghel, o Velho, o artista está no seu estúdio segurando um pincel diante de uma tela que não é vista enquanto um espectador espia por cima do seu ombro. É significativo que Brueghel tenha incorporado o espectador ao seu autorretrato, pois isso confirma o reconhecimento por parte do pintor de que sua comunicação não trata simplesmente do que ele quer criar mas igualmente do que os outros irão ver. Mesmo que o produto final de um artista possa parecer espontâneo e universal, não é nenhuma das duas coisas. Ao contrário, todas as obras – pelo menos as boas e memoráveis – são criadas deliberadamente levando em consideração o comprador, o usuário final ou o espectador.

Pieter Brueghel, o Velho, *O pintor e o comprador*, c. 1565

Richard Diebenkorn, *Studio Wall* [Parede de estúdio], 1963

Finalmente, tive de parar diante do quadro de Richard Diebenkorn de 1963. Achei-o notável porque, ao contrário de suas paisagens abstratas, *Studio Wall* é mais figurativo e acessível: mostra o trabalho do artista pendurado na parede e parece oferecer ao espectador um assento vago, convidando-o a entrar no estúdio, por assim dizer. É isto que tanto a arte como a comunicação constituem: um convite. Um convite para deixar os outros entrarem no nosso cérebro, deixá-los saber o que vemos e como vemos.

Agora que examinamos as habilidades da boa comunicação em situações regulares – lançamentos de produtos, coletivas de imprensa, interações em mídias sociais, parques temáticos, restaurantes e até mesmo encontros –, vamos explorar como manter nossa tranquilidade e continuar nos comunicando efetivamente em momentos de estresse e pressão.

9. A grande (nua, obesa) Sue e o diretor do colégio

Como ver e compartilhar verdades duras

ANALISAMOS OS princípios da boa comunicação para situações do dia a dia, mas e quando precisamos nos comunicar sem realmente querer – quando confrontamos as coisas difíceis ou estressantes, desagradáveis e até mesmo tabus que nos deixam inerentemente desconfortáveis? Por mais que queiramos, não podemos ignorá-las. Se é real, concreto, factual, aconteceu e está na nossa frente, temos de lidar com isso.

Durante séculos filósofos e psicólogos têm debatido por que os seres humanos, nas palavras do cético escocês David Hume, "evitam verdades desconfortáveis".[1] Será por egoísmo, hedonismo ou uma tentativa de maximizar a autopreservação? Ninguém possui uma resposta definitiva. Entretanto, como aprendemos ao aguçar as nossas habilidades de observação, só porque não sabemos o porquê isto não significa que não possamos lidar com a nossa capacidade inconsciente de virar as costas para as coisas de que não gostamos. E nós viramos as costas, sim. Negamos e desviamos, fingimos e passamos adiante, mas nenhuma dessas atitudes evasivas apagará o fato de que algo nos foi apresentado e não lidamos com ele.

Para evitar deixar informação para trás, temos de ser capazes de descrever as coisas acuradamente, não importa em que situação. Essa necessidade, porém, é ainda mais premente quando se trata de informação problemática, porque a recusa em reconhecê-la – e em observá-la, analisá-la ou articulá-la – pode piorar a situação. Ignorar coisas que nos preocupam não fará com que elas desapareçam. Do mesmo modo que uma fagulha pode se transformar num incêndio florestal, elas podem escalar e até mesmo explodir. E nós talvez sejamos responsabilizados por virar as costas para o problema quando ele era menor e mais fácil de ser resolvido ou contido.

Para evitar ser o capitão do *Titanic*, que ignorou as advertências em forma de gelo, temos de encarar de cabeça erguida até mesmo aquilo que é aparentemente impossível. Temos que nos acostumar a ficar confortáveis com o desconfortável, como dizem na marinha norte-americana. O veterano de guerra Brent Gleeson, hoje diretor de uma agência de marketing digital, explica: "Houve muitas vezes que eu, como diretor de uma empresa, estive em situações muito desconfortáveis. Podia ser uma conversa difícil com um membro da equipe, um processo judicial ou o trato com um membro exigente da diretoria. O desconforto vem em muitas formas. Mas quanto mais você o abraça como realidade, maior se torna a sua zona de conforto."[2]

Quanto mais confrontamos e nos comunicamos sobre aquilo que nos deixa desconfortáveis, melhores somos para enfrentar a dificuldade. Comecemos por lidar com as pinturas a seguir. Vamos simplesmente catalogar suas

Goya, *A maja nua*, c. 1795-1800

Lucian Freud, *Benefits Supervisor Sleeping*, 1995

semelhanças e diferenças. (Não se sinta mal se pensar "Antes e depois do casamento" ou "Esposa e sogra". Eu já ouvi isso tudo. Só não diga em voz alta!)

Ambas as pinturas mostram mulheres reclinadas num divã, embora em direções opostas. A mulher na primeira pintura está de olhos abertos, cabeça levantada e olhando em frente. A mulher na segunda pintura está de olhos fechados, a cabeça indolente e estirada no divã. Ambas têm cabelo castanho. Parece que o cabelo da segunda está despenteado.

E quanto aos divãs? Não diga que um é "coisa fina" e o outro "um lixo"; essas são expressões de julgamento. *Coisa fina* e *um lixo* significam coisas diferentes para pessoas diferentes. Em vez disso, seja específico. Fale sobre seda e veludo versus manchas e falta de almofadas. O divã na primeira pintura é tecnicamente uma *chaise longue* de um só braço, verde-escura, com lençóis de cor marfim e duas almofadas em fronhas de renda. A segunda pintura mostra um sofá tradicional, de dois braços, com padrão floral, sem almofadas e estofamento sujo e rasgado.

A primeira pintura exibe um fundo marrom e âmbar; não podemos ver o piso. A segunda tem ao fundo um lençol de tecido cinza e amarrotado; o piso tem textura de madeira.

Mais alguma coisa? Eu mostro essas duas imagens diariamente no país inteiro para milhares de profissionais e líderes, e uma das últimas observações sempre mencionadas é que *ambas as mulheres estão nuas*. Você pode dizer "nuas"; é um fato. Ambas estão viradas numa posição quase totalmente frontal sem nenhum trapo ou camuflagem para ocultar a nudez. A primeira mulher está com as mãos atrás da cabeça; a segunda tem a mão esquerda no encosto do divã e com a outra segura o seio direito.

E em termos de peso? Ninguém tampouco quer mencionar isso. "Não é uma coisa social mencionar que uma é magra e a outra nao é?", um participante me perguntou recentemente. Não, há uma importante diferença objetiva no peso delas. Para ser mais específica, a segunda mulher não está apenas acima do peso, ela é obesa.

Obesa é um termo clínico definido pelos Centros de Controle e Prevenção de Doenças para descrever o peso de um indivíduo com índice de massa corporal (IMC) acima de 30. Para uma mulher com pouco mais de um metro e setenta, isso significaria 93 quilos ou mais. É seguro dizer que a mulher na segunda pintura é obesa. Na época em que o quadro foi pintado, a modelo

Sue Tilley pesava 127 quilos. Você não está emitindo julgamento nem fazendo troça ao dizer isso, está simplesmente dizendo o que vê.

Certa vez, um médico ergueu a mão para me dizer que uma das mulheres era "perfeitamente saudável", enquanto a outra era "morbidamente obesa". Objetei sua descrição, mas não pela razão que você poderia imaginar. "Morbidamente obesa" é a terminologia para qualquer um que tenha IMC acima de 40, ou acima de 35 com condições de saúde relacionadas com a obesidade. E nem sequer é a classificação mais alta de obesidade; um IMC acima de 45 é tratado como "superobesidade". O médico não disse "repulsivamente" obesa; deu uma definição clínica. Era a sua escolha de palavras para a mulher na primeira pintura que continha uma inferência. Perfeitamente saudável? Como ele podia saber? Talvez ela tivesse esquizofrenia! (Logo depois, ele se desculpou pela inferência incorreta.) A comparação das duas obras de arte tem tanto a ver com a escolha de palavras quanto com a abordagem de temas sensíveis.

Nós acabamos ficando tão receosos de dizer alguma coisa que nos esquecemos do que são fatos. Fatos são verdades provadas, não opiniões. Uma boa maneira de estabelecer rapidamente a diferença? Diga o que vê, não o que pensa.

Diga o que vê, não o que pensa

Aqui cabe a repetição não só porque você precisa se ater a fatos objetivos mas também porque precisa dizer o que vê, mesmo quando não gosta do que vê. Comunicação efetiva significa ser capaz de falar sobre qualquer assunto pertinente, mesmo que seja desconfortável, inusitado ou inquietante. Você pode não gostar de uma coisa, pode ter aversão pessoal a ela, mas isso não quer dizer que possa ignorá-la.

Como mencionei, eu mostro essas pinturas a todo grupo, mesmo organizações religiosas. Certa vez, eu as estava apresentando para líderes educacionais de escolas de ensino médio em risco quando um diretor ergueu a mão e me disse: "Não quero olhar para essas figuras. Elas me repugnam!"

Expliquei que, embora a minha intenção nunca tivesse sido ofender ninguém, era irrelevante ele gostar ou não das figuras. Não podemos virar as costas para coisas das quais não gostamos. O fato é que as mulheres estão nuas. É preciso lidar com isso. Você não precisa gostar. Só posso imaginar as coisas difíceis e até mesmo desagradáveis com as quais um diretor de colégio numa cidade pequena se depara. Virar as costas para elas nunca é uma opção.

A arte, assim como a vida, nem sempre é bonita. As imagens anteriores não são artigos de pornografia; são pinturas icônicas que causaram furor no mundo da arte por motivos distintos. A primeira, *A maja nua*, de Francisco Goya, é considerada um dos primeiros casos na arte ocidental de um artista pintando uma mulher nua que não fosse uma figura mitológica, histórica ou alegórica. Pelo seu crime de "depravação" ao pintá-la, o artista foi levado diante da Inquisição. Pintada por volta de 1800, ela está no Museu do Prado em Madri desde 1901. A segunda pintura, *Benefits Supervisor Sleeping* [Supervisora de benefícios dormindo], é uma obra de Lucian Freud. Com frequência ela é coloquialmente citada como *Big Sue* [Grande Sue] em homenagem à modelo da vida real, Sue Tilley, uma assistente social que passou três anos posando para o retrato. Quando *Big Sue* foi vendida num leilão por US$ 33,6 milhões, em 2008, quebrou o recorde do mais alto preço pago num leilão por uma obra de um artista vivo.

A arte é o veículo perfeito para aprender como se comunicar quando você se sente desconfortável. É claro que o tema do qual ela trata pode ser controverso e impopular; porém, mais importante, a arte é o que é para todo e cada espectador. Ela não se move nem responde falando, não o segue no caminho de volta para casa. Ela é estática, atemporal e não o julga pela forma como você a interpreta. E aí portanto reside seu poder. O artista e fotógrafo JR explica que a arte tem a ver com "levantar perguntas e dar espaço para interpretação e diálogo. O fato de a arte não poder mudar as coisas faz dela um lugar neutro para trocas de ideias e discussões, permitindo então mudar o mundo".[3]

Em 2013, levei um grupo ao Metropolitan para uma exposição temporária numa galeria interativa chamada *The Refusal of Time* [A recusa do tempo], de William Kentridge. Não os avisei de nada, não paramos para ler as legendas, simplesmente entramos por uma porta numa sala escura onde havia uma instalação de vídeo de cinco canais com som, megafones e um respirador "elefantino". A sala estava extremamente escura e o som muito alto. Telas escurecidas enchiam as paredes com filmes que piscavam, a maioria em preto e branco, e apresentavam formas sendo sopradas de um lado a outro, silhuetas de pessoas dançando e rabiscos. Era tocada uma trilha sonora estrondosa, atordoante, com música e palavras faladas, enquanto uma escultura móvel semelhante a uma máquina de fábrica da época da Revolução Industrial com as engrenagens expostas e uma cabeça gigante trabalhava ruidosa e incessantemente no centro da sala.

Passamos direto pela exposição, e quando saímos eu me virei e perguntei ao grupo o que tinham observado. Era um bom teste para consciência situacional de curto prazo, e, mesmo estando no meio de uma aula sobre aguçar habilidades de observação e percepção, mais da metade da turma ficou completamente desligada, já que eu não tinha lhes dado instruções explícitas sobre aquilo em que deviam prestar atenção.

Um dos participantes sugeriu que a sensação era de estar aprisionado num velho desenho animado em preto e branco da série Sinfonias Tolas da Disney, na qual flores gigantes dobram os joelhos e dançam num ritmo perturbador. Criativo, sim, mas eu não queria saber a sensação que a obra de arte lhes provocava, queria saber o que tinham visto. Na ausência da riqueza de dados observacionais, outros alunos preencheram os vazios com suas opiniões: "Desconfortável", disse um deles. "Não tenho ideia do que era aquilo", disse outro. Um terceiro sentiu-se claustrofóbico e "não via a hora de sair". Outro simplesmente declarou: "Odiei."

Sim, era uma agressão aos sentidos. Podia facilmente deixar qualquer um desconfortável. E isso vale para uma série de coisas neste mundo. Mas não podemos deixar que o nosso desconforto supere a nossa necessidade de observar e ter consciência.

Vamos dar uma olhada num quadro que poderia ser descrito como opressor. Quinhentos anos antes da brincadeira *Onde está Wally?*, o artista holandês Hieronymus Bosch pintou *O jardim das delícias terrenas*, um imenso tríptico pintado em três painéis de carvalho de mais de sete metros de comprimento por mais de quatro de altura, retratando simbolicamente o jardim do Éden, a queda do homem e o inferno. (A obra se encontra na coleção permanente do Museu do Prado, e vale a pena vê-la pessoalmente se você puder.)

Hieronymus Bosch, *O jardim das delícias terrenas*, c. 1500-5

Como a pintura é muito grande, vamos fechar o zoom no detalhe do canto inferior direito:

Hieronymus Bosch, *O jardim das delícias terrenas* (detalhe), c. 1500-5

Não importa como nos sentimos em relação a esta imagem. Decididamente, é estranha. Mas, em vez de falar sobre o que pensamos, vamos falar sobre o que vemos.

Começarei com o mais importante: no canto esquerdo superior, há algo que parece ser um homem, que aparenta estar morto, sendo atacado por duas criaturas roedoras. Do lado direito temos um porco antropomórfico vestindo uma pequena capa que se assemelha a um hábito de freira. O porco está sentado ereto e encostando o focinho contra a orelha de um ser humano masculino adulto, também sentado, com a mão direita sobre a face do porco. O homem tem o que parece ser um pedaço de papel com algo escrito pendurado sobre a coxa esquerda, mas fora isto não parece estar vestindo nenhuma outra roupa. Na frente do homem e do porco há uma criatura com bico de ave, coxas similares às humanas e pés de réptil, vestindo um grande elmo fechado, do tipo preferido pelos cavaleiros medievais, que cobre a maior parte do seu corpo. A criatura tem a ponta de uma seta com penacho saindo da coxa direita e um pé cortado pendendo de um grande espinho curvo que se projeta de seu elmo. Há um tinteiro pendurado no bico da criatura, que sai do visor do elmo; neste tinteiro o porco mergulha uma pena que segura com a pata dianteira direita.

Veja, não é tão ruim se nos ativermos exclusivamente aos fatos. Vamos tentar outro quadro. O que você vê?

William-Adolphe Bouguereau, *Dante e Virgílio no inferno*, 1850

Este é geralmente o ponto em que as pessoas que não tiveram problema com as mulheres nuas e o porco vestido de freira começam a chiar um pouco.

Não importa se a pintura o deixa desconfortável ou traz à tona coisas nas quais você preferiria não pensar. É *especialmente* quando não gostamos de uma coisa ou desejamos desviar os olhos dela que se torna essencial que sejamos capazes de descrevê-la objetivamente, deixando de lado tanto suposições quanto emoções.

Olhe para a pintura de verdade. O que se passa nela? A sua percepção dos fatos muda à medida que você olha com mais intensidade e atenção? Se numa olhada rápida poderia parecer que dois homens nus estão lutando de brincadeira, como exibição de força ou atração, quando se olha mais atentamente vemos em lugar disso sinais de agressão: um joelho nas costas, dedos enfiados na carne, uma boca aberta mordendo o pescoço do outro. O quadro de William-Adolphe Bouguereau, de 1850,[4] é intitulado *Dante e Virgílio no inferno*, e retrata uma passagem do *Inferno* de Dante em que este e Virgílio percorrem o oitavo círculo do inferno e assistem a um herege lutando com um vigarista:

> *Eles se ferem mutuamente não só com as mãos,*
> *Mas com a cabeça e com o peito e com os pés,*
> *Arrancando um do outro pedaços de carne com os dentes.*

Tudo bem sentir-se desconfortável olhando para este quadro. Tudo bem não gostar dele. O que não é tudo bem é ignorá-lo, porque ele existe. Está na sua frente. É quando ignoramos os fatos ou escolhemos não acreditar no que vemos que coisas ruins acontecem.

Acredite no que você vê

Às vezes os fatos que nos são apresentados são tão desconfortáveis ou inacreditáveis que os bloqueamos, com resultados desastrosos. Psicólogos tomaram emprestada do Direito a expressão "cegueira deliberada"[5] – na qual a pessoa tenta evitar responsabilidade por algum ato ilegal não tomando propositalmente consciência dos detalhes – para denotar coisas que nós propositalmente escolhemos, mesmo de modo inconsciente, não ver. Como a nossa outra cegueira, a cognitiva, esta pode ser superada com a tomada de consciência. Ao contrário do que acontece no caso da cegueira cognitiva, a falha em superar esta outra pode ter consequências de longo alcance, como pode ser visto no caso que abalou Coventry.

Na Inglaterra, a expressão "enviado para Coventry" refere-se a alguém com quem não se pode mais falar porque essa pessoa merece isolamento total. Infelizmente, isso provou ser verdade para o residente local de quatro anos Daniel Pelka. Em março de 2012,[6] o garotinho loiro foi encontrado morto de inanição e surrado pelos pais – apesar de as autoridades terem sido chamadas à sua casa *26 vezes*.

Funcionários da escola haviam comentado que em diferentes ocasiões Daniel aparecera com um braço quebrado, dois olhos roxos e "quatro hematomas com forma de pontos"[7] em volta do pescoço. Ele se retraiu quando um assistente escolar revolveu de brincadeira o seu cabelo. Professores notaram que ele estava "se deteriorando", era só pele e ossos, com olhos afundados, as roupas "largas demais para ele". Documentaram que ele estava roubando comida das lancheiras das outras crianças e comendo restos cobertos de sujeira das latas de lixo e da caixa de areia da escola.

Seu padrasto alegou[8] que o menino havia quebrado o braço ao pular de um sofá. Foi determinado que ele tinha uma "obsessão por comida".[9] Sua mãe aparentemente carinhosa alegou que ele tinha uma condição médica que o deixava esquelético. Seu pediatra explicou seu fraco crescimento e peso como sintomas da sua condição médica. Embora a polícia visitasse a casa frequentemente para tratar de brigas domésticas violentas, nunca conversaram com Daniel nem consideraram abuso infantil (um exemplo perfeito do que acontece quando não fazemos perguntas, conforme aprendemos no capítulo anterior).

A investigação oficial sobre o caso considerou que "os profissionais envolvidos não estavam preparados para 'pensar o impensável', e tentavam racionalizar as evidências diante de si como não estando relacionadas com abuso".[10]

Daniel não morreu porque as pessoas não foram capazes de notar sua condição. Elas notaram, sim. E documentaram. E se importaram. Mas não quiseram acreditar no que viam no agregado. Não quiseram confrontar a aflitiva realidade do abuso ao analisar os fatos de que dispunham.

Precisamos acreditar no que vemos mesmo quando isto significa ter que pensar no impensável e dizer o indizível. Não podemos ignorar sinais de advertência porque parecem prognosticar o impossível. A crença de que não podia afundar contribuiu para a tragédia do *Titanic*. A crença de que o Lehman Brothers era grande demais para quebrar contribuiu para o seu colapso. Não podemos encobrir fatos que achamos desagradáveis, aflitivos ou perturbadores porque o inimaginável acontece todo dia. Temos de ser capazes de nos comunicar quando as coisas estão como devem estar, mas também nos preparar para o imprevisto, para a emergência, para o impossível.

Para praticar a análise objetiva tanto do "impossível" como do desconfortável, vamos chegar um pouco mais perto do *Jardim das delícias terrenas* de Bosch e analisar este detalhe:

Hieronymus Bosch, *O jardim das delícias terrenas* (detalhe), c. 1500-5

Ele não precisa fazer sentido nem se relacionar com a nossa vida para avaliarmos e analisarmos a pintura meticulosamente. O que se passa nesta figura? Anote algumas frases para descrevê-la.

Eis o que eu vi: uma criatura antropomórfica com cabeça de pássaro está sentada numa cadeira circular sobre estacas enquanto come o que parece ser um corpo humano nu. A criatura tem um caldeirão na cabeça e os pés dentro de duas urnas e está segurando a metade inferior do corpo humano na boca com a garra direita em torno das duas coxas humanas. Mais duas formas humanas parecem estar numa bolha sob a cadeira da criatura. E cinco pássaros negros, vistos apenas pelas suas silhuetas, saem voando das costas humanas semidevoradas.

Não penso que seja uma cena particularmente agradável, mas isso não importa. E tampouco acho que seja muito realista, mas ela é real – é uma imagem que realmente existe no mundo, então posso usá-la em termos de dados visuais e descrevê-la. E você também pode.

Mais importante, podemos traduzir essa habilidade de avaliar precisamente a arte que está fora da nossa zona de conforto para lidar com situações de difícil comunicação, porque enquanto olhar pinturas provavelmente não faz parte da sua rotina diária, administrar informação sensível faz. Todos nós temos de lidar com situações difíceis e discutir tópicos desconfortáveis. Profissionalmente, em algum momento vamos ter que pedir um aumento, questionar a política de uma nova empresa, repreender um funcionário ou resolver uma disputa. Pessoalmente, em algum momento vamos ter alguma conversa difícil com o nosso companheiro, o nosso filho ou os nossos pais. Mais uma vez, o problema de ignorar algo é que isso é perigoso. Treinar agentes de vigilância na comunidade de serviços de inteligência é um lembrete constante de que coisas sobre as quais não falamos não somem simplesmente. Na verdade, podem se agravar, causar mais dano e aumentar a nossa própria vulnerabilidade. Em contraste, a disposição de enfrentar assuntos e situações difíceis pode lhe valer a admiração do seu chefe, do seu cliente, do seu doador em potencial e até mesmo dos seus entes queridos.

Crianças, em particular, necessitam de comunicação franca e direta, sobretudo no tocante a questões problemáticas. Minimizar, deixar de lado ou negar as preocupações de outras pessoas não fará com que o problema desapareça e pode prejudicar a relação que temos com elas.

Certa vez orientei o diretor-geral de uma escola particular de elite em Manhattan que teve a tarefa nada invejável de contar aos pais de uma brilhante aluna adolescente que a sua querida filhinha vinha oferecendo favores sexuais no banheiro masculino. A conversa não correu bem porque os pais se recusaram a aceitar.

"Esta é uma acusação ultrajante!", refutou a mãe, colérica. "A nossa filha *jamais* faria isso!"

O diretor explicou que não era uma acusação nem uma suposição. A moça fora surpreendida por um membro antigo do corpo docente, digno de toda a confiança. Os pais saíram fumegando, recusando-se a continuar a conversa que poderia, em última análise, ajudar sua filha a receber o aconselhamento ou a disciplina de que precisava.

Os pais foram tomados de surpresa e possivelmente dominados pelas suas emoções e descrença. No entanto, virar as costas para isso não fazia com que o problema sumisse; na verdade, talvez tornasse a provação ainda maior, especialmente se varressem a situação para debaixo do tapete, da mesma maneira que tinham feito na sala do diretor. Segundo o terapeuta de família Ron L. Deal, quando os responsáveis viram as costas para uma situação complicada que diz respeito a um filho, a criança muitas vezes interpreta o ato como os adultos dando as costas para ela. Isto pode levá-la a se voltar permanentemente para dentro, agindo com comportamento negativo, ou perdendo a confiança de longo prazo na figura dos pais. Deal afirma: "Com o tempo a situação vai longe no sentido de aumentar a distância emocional na relação pais-criança e diminuir a voz dos pais com a criança."[11] Para evitar isto, os pais precisariam erguer-se acima do seu desconforto tanto com a filha quanto com os educadores da jovem e ter uma conversa objetiva sobre os fatos.

Quando estamos emocionalmente sobrecarregados e aparentemente não conseguimos pensar direito, sempre podemos cair de volta no mesmo modelo investigativo que aprendemos a usar para juntar fatos: quem, o quê, onde e quando. Em vez de deixar as emoções ditarem sua resposta, os pais da aluna poderiam ter perguntado: "Quem estava envolvido nas atividades da nossa filha?", "O que exatamente o incidente envolveu?", "Onde isso aconteceu?" e "Quando ocorreu?".

Verdadeiros líderes conseguem conduzir uma conversa desconfortável com a mesma facilidade que uma crise. Eles sabem como digerir e transmitir uma notícia ruim sem exibir subjetividade ou emoção, mesmo que não gostem. E, em todo curso que dou, posso identificar imediatamente essas pessoas. São elas que, quando todo mundo diz "Eu não gosto disso", ou cobre a boca com as mãos, ou vira para o outro lado, dizem com um meneio decidido: "Interessante." O cérebro delas está em ação, superando suas entranhas e sua linguagem corporal.

Eis como ser uma pessoa dessas.

Seja mais esperto do que as suas emoções

Assim como ocorre com as habilidades de observação, a coisa mais importante que podemos fazer para aprimorar nossas habilidades de comunicação, especialmente em momentos de estresse ou pressão, é separar o objetivo do subjetivo. Ao avaliar, separamos fatos de ficção. Ao analisar, separamos inferência de opinião. Na comunicação em situações de dificuldade, precisamos separar a mensagem de toda e qualquer emoção.

Os humanos são seres emocionais. Emoções são parte natural de quem nós somos. Conforme explica o psicólogo e pesquisador da emoção Paul Ekman, desenvolvemos emoções para lidar com ameaças antigas, tais como tigres-dentes-de-sabre, e como resultado frequente nós as experimentamos de forma inconsciente. "Elas precisam ocorrer sem pensar ou então você estaria morto",[12] diz Ekman.

Emoções são também aquilo a que nos conectamos para prestar atenção. Se não tivéssemos um medo instantâneo de virar banquete de tigre, nossas pernas não nos moveriam para tirar-nos do perigo a tempo. E em situações de estresse, em especial, as pessoas ficam mais sensíveis. Comunicar-se com elas emocionalmente fará com que respondam na mesma nota. Respostas emocionais não realizam trabalho concreto. Em vez de focalizar a informação ou tarefa em questão, as emoções podem nos levar a ficar remoendo o aspecto pessoal.

Quando transmitir informação, especialmente para pessoas que se reportam a você, escolha com cuidado suas palavras e solicitações. Se você incluir até mesmo uma insinuação mínima de emoção negativa – desapontamento, aversão, descrença, condescendência, sarcasmo, agressão passiva ou insultos velados –, é isto que os seus ouvintes escutarão primeiro, e é a isto que se apegarão por mais tempo.

Certa vez trabalhei com uma mulher particularmente talentosa para humilhar seus subordinados com reprimendas envoltas em insultos. Infelizmente, ainda que suas críticas pudessem ter sido válidas, seu tom de reproche e a reação de mágoa de quem as recebia faziam com que lhes fosse muito difícil registrá-las. Uma das destinatárias dos furiosos impropérios desperdiçava dias revivendo e introjetando a censura desnecessária antes de poder retomar seu trajeto e reparar as questões reais.

Comentários como "Trabalhe o tom!" passavam como berros embutidos. "Você precisa fazer melhor" era tomado como insulto. A redatora ficou obcecada pela reprimenda "Não é assim que se faz. Google e Wikipédia não são fontes válidas". Como especialista em comunicação corporativa com diploma de jornalista, a redatora sabia que Google e Wikipédia não eram referências dignas de crédito, e não as usou. A chefe achou que ela tinha usado? Ou era apenas uma censura depreciativa? Em vez de aprofundar sua pesquisa, como achava que tinha de fazer, ela passou horas preparando a defesa de sua aptidão. Ficou defensiva, irada e relutante em mudar alguma coisa.

Tanto a redatora quanto a chefe tinham o mesmo objetivo: um relato bem escrito e bem documentado feito de maneira apropriada. A má comunicação que ameaçava minar o trabalho era, em última análise, prejudicial a ambas as partes. A chefe não teria levado nenhum tempo extra para elaborar comentários mais proveitosos, tais como trocar "Não é isso que significa 'ambivalente'!" por "'Ambivalente' significa ter sentimentos mistos em relação a alguma coisa, não?". Fazer isso teria poupado a toda a equipe o tempo desperdiçado e o drama intersetorial.

Isto não quer dizer que não possamos expressar emoções. Se você precisa transmitir um sentimento – *Eu te amo* –, use a emoção. Quando você precisar transmitir um fato – *o seu desempenho está abaixo da média* –, elimine a emoção a não ser que seja isto o que você deseje em troca.

Como as nossas emoções podem aparentemente surgir do nada e nos tomar de surpresa – "Você pode nem perceber até que alguém lhe diga: 'O que está deixando você tão aborrecida?'",[13] observa Ekman –, o primeiro passo para adquirir domínio sobre elas é conhecê-las. Da mesma maneira como acontece com nossos filtros perceptuais subconscientes, introduzir uma consciência racional das nossas emoções no processo de comunicação ajuda-nos a superá-las.

Para começar, Ekman recomenda estar ciente das nossas expressões faciais, da nossa linguagem corporal e de qualquer tensão que possamos estar carregando. Se você se percebe apertando o maxilar ou enrijecendo os ombros, use isto como sinal de que pode estar involuntariamente manifestando emoções. Se você descobre que é isso mesmo, faça a mesma coisa que fazemos quando olhamos uma obra de arte: dê um passo atrás, analise e avalie. Pergunte a si mesmo: "Por que estou sendo emocional? O que será que deflagrou isso? Será que entendi mal alguma coisa?"

Devemos ter consciência dos nossos próprios gatilhos e sinais emocionais, porque outras pessoas ao nosso redor podem vê-los, às vezes mesmo antes de nós. Pacientes conseguem perceber quando não vemos a hora de sair do seu quarto. Crianças conseguem perceber se nós detestamos ajudá-las com a lição de casa. Aquele cliente consegue perceber se nós secretamente o consideramos um ignorante. E no instante em que eles percebem, comprometemos a qualidade da nossa relação, o cuidado ou conselho ou instrução que podemos oferecer, e talvez até mesmo a nossa integridade profissional ou pessoal.

Fingir que as nossas emoções não existem não é solução. Tentar suprimi-las[14] pode ser não apenas fútil – pesquisadores da Universidade de Tecnologia de Queensland, na Austrália, descobriram que pessoas tentadas a suprimir pensamentos negativos na verdade os difundiam ainda mais – como prejudicial à saúde. Um experimento de 2012[15] na Universidade Estadual da Flórida registrou respostas de estresse mais fortes com base no batimento cardíaco de pessoas que tentavam reprimir seus pensamentos negativos do que daquelas que não o tentavam.

Quando se trata de emoções ou pensamentos negativos, os especialistas aconselham: deixe que fluam para livrar-se deles.

Quando abordar uma situação pela primeira vez, antes de comunicar qualquer coisa, dê a si mesmo alguns momentos para trabalhar sua resposta emocional. Numa sessão na Frick Collection com estudantes de medicina, dividi o grupo em pares e atribuí a cada par uma obra de arte para observar, estudar e então apresentar para a turma. Pude perceber pela linguagem corporal que dois rapazes – estudantes de medicina do primeiro ano – não apreciaram o retrato de uma mulher, o *Portrait de la Comtesse Daru*, de Jacques-Louis David, que lhes pedi para analisar. Encaravam o quadro com olhar vazio. Ajeitavam-se e mudavam de posição. Finalmente eu lhes disse: "Se vocês não gostam, tudo bem. Sejam apenas capazes de me dizer por quê."

De repente abriram a boca. Eles me disseram que achavam a mulher pouco atraente; ela era vesga, o chapéu parecia uma touca de banho e o vestido era feio.

"Ótimo", retruquei. "*Agora* me digam o que estão vendo objetivamente."

Jacques-Louis David, *Portrait de la Comtesse Daru*, 1810

Reconhecer e externar os pensamentos subjetivos permitiu-lhes libertar-se da sua relutância e reticência, e fazer o que precisavam fazer. Eles puderam então declarar que o olhar da mulher não ia ao encontro do deles, suas bochechas pareciam exageradamente infladas, seu colar de grandes gemas verdes era proeminente demais; que ela tinha rugas horizontais no pescoço que contrastavam com os brincos verticais que estava usando; que usava um vestido branco com cintura império e mangas com padrões ornamentados; e que seu braço direito estava envolto num tecido estampado e o espectador podia ver a sugestão de um leque fechado na mão direita.

Na vida como na arte, não vamos gostar de tudo ou de todos. Quando você conhece alguém com quem precisa trabalhar, um colega ou uma testemunha, um aluno ou fornecedor, e instintivamente não gosta dele, dê um passo atrás e pergunte-se por quê. Por que você não gosta dele? Especificamente, do que você não gosta? Você pode descobrir que é porque ele lembra um ex-namorado ou o professor que o humilhou no segundo ano. Mas, uma vez tendo reconhecido isto, você será capaz de ver o quanto é subjetivo e sem importância, e então seguir adiante.

Seguir adiante

Podemos nos preparar e praticar e fazer o nosso melhor para sermos objetivos, mas ainda assim haverá ocasiões em que nos encontraremos no meio de uma acalorada discussão emocional. Como chegamos a esse ponto? As possibilidades são infinitas: uma percepção errônea, um mal-entendido, algumas palavras mal escolhidas interpretadas do jeito errado. Porém, qualquer que seja a razão, ali estamos nós, fitando a desconfortável pintura de uma criatura em forma de pássaro comendo um homem com mais pássaros saindo das costas. E precisamos cair fora. Mas como? Usando as mesmas técnicas que aprendemos no capítulo anterior: repetir, renomear e remoldurar.

Repetir

Assim como buscamos confirmação de que a nossa mensagem foi recebida fazendo com que a outra pessoa a repita de volta para nós, podemos usar a mesma estratégia para virar a maré de um debate acalorado. Para fazer isto, o filósofo Daniel C. Dennett aconselha: "Você deve tentar reexpressar a posição do seu alvo com tanta clareza, vividez e correção que ele próprio diga: 'Obrigado, eu gostaria de ter colocado dessa maneira.'"[16] Dennett sugere então declarar quaisquer pontos de concordância e qualquer coisa que você tenha aprendido da outra pessoa.

Charles Richards e sua esposa, Caroline, colocaram este conselho em prática e descobriram que ele os mantinha afastados de incontáveis discussões circulares e dolorosas. Eles me contaram como, certo dia, Charles ouviu Caroline chamar seu nome do pé da escada. Não havia engano no tom: ela estava perturbada. Ele saiu correndo do quarto e parou no alto da escada, acima dela;

"O que há de errado?", perguntou ele.

"Eu não aguento mais", ela respondeu.

"O quê?"

"Isto", ela retrucou, apontando para um par de meias e um livro no primeiro degrau.

"O quê?", repetiu ele, ligeiramente confuso. Ele viu os objetos, mas não o problema.

"São seus, não são?" Ela suspirou. "Você deixou suas meias ao lado da porta dos fundos quando chegou em casa da academia, e o seu livro estava na sala. Eu peguei os dois quando estava fazendo a limpeza e os coloquei aqui para você levar para cima."

"Desculpe", disse ele, "eu não os vi aí."

"Mas você passou direto por eles", insistiu Caroline. "Por que você sempre faz isso?"

"Faço o quê?", ele indagou. "Não levo minhas coisas para cima?"

"Sim!", foi a resposta dela. "Você nunca leva. Simplesmente deixa aí para eu levar. Sempre."

"Eu faço isso?", disse ele em tom de dúvida. "Você põe as coisas na escada de propósito para eu trazer para cima?"

"Não especificamente você", ela respondeu. "O primeiro que subir. Mas você passa direto."

"Sinceramente, eu não vi", disse ele.

"Como é possível que você não tenha visto se teve de passar por cima deles?", ela retrucou.

Charles e Caroline admitiram que estavam ambos ficando cada vez mais nervosos. Para amenizar a situação, Charles resolveu que, em vez de permanecer se defendendo ou dizendo à esposa como ela estava errada, ele tentaria simplesmente repetir a preocupação dela.

"Então você deixa as coisas na escada para a próxima pessoa que subir lhe poupar de ter de ficar sempre subindo e descendo", disse ele, "e, quando eu passo direto sem pegá-las, isso irrita você, certo?"

"Certo", disse ela. "Irrita muito."

"Eu realmente não noto. Poderia muito bem ser invisível para mim", ele continuou. Aí mergulhou mais fundo na questão. "Mas nao para você, não é? É o contrário. Você não só vê as coisas, mas as vê como um insulto ou algo que eu faço de propósito?"

Caroline hesitou porque ele estava certo – era assim que ela via. Para maior clarificação, ela então repetiu as palavras dele.

"Você realmente não vê as coisas na escada?", indagou. "Como se fossem invisíveis? Isso é muito louco, porque a pilha de coisas na escada é tão óbvia para mim que é como se estivesse brilhando. Praticamente gritam na minha cara."

"É mesmo?", Charles respondeu. "Incomoda você tanto assim? Para você é como poluição visual."

"Sim", ela concordou, aliviada por ele ter compreendido. Na verdade, ele explicou melhor do que ela. Para ela, era como poluição visual. E ele nem sequer via. "Eu não tinha ideia de que você não via", ela prosseguiu. "A escada é o seu ponto cego, então?"

Agora foi a vez de Charles ficar aliviado. Pilhas de meias no chão realmente não eram registradas no seu campo de visão, e ele ficou contente pelo fato de a esposa ter compreendido.

Em vez de deixar a conversa degringolar, Charles e Caroline conscientemente optaram por se comunicar melhor, cada um repetindo as preocupações do outro. Ao fazê-lo, não só evitaram uma briga, como chegaram a uma compreensão mútua melhor e aprenderam algo novo sobre a forma como o outro via o mundo.

Renomear

Outro jeito de tentar nos desenredar do emaranhado de uma discussão do tipo "ele disse, ela disse, o que será que eles realmente quiseram dizer" é renomear. Em vez de prolongar debates sobre o que aconteceu exatamente para que se chegasse a esse ponto e de quem foi a culpa, embrulhe tudo – todos os comentários e sentimentos e insinuações e suposições – num único pacote e dê um novo nome. Faça um pedido de tempo, como nos jogos esportivos, e então resuma toda a confusa situação naquilo que ela realmente é e dê o rótulo adequado. Em vez de referir-se ao problema como bagunça ou desastre, ou até mesmo problema, renomeie-o como má comunicação.

Eu já estive na situação de vítima de planos destruídos, ligações perdidas e confusões provavelmente com a mesma frequência que os causei. Nós não somos perfeitos. Às vezes esquecemos ou estragamos as coisas, ou simplesmente dizemos algo errado. Numa das minhas últimas calamidades, uma nova cliente voou de Los Angeles para Nova York a fim de participar de uma das minhas sessões para uma futura oportunidade de negócios, e não apareceu ninguém para a minha apresentação. Ninguém. Como se não tivesse sido programada. E eu havia sido meticulosa – tinha marcado e confirmado!

E essa simpática mulher da Califórnia atravessou o país de avião para me ver em ação, e em vez disso foi obrigada a me encontrar numa sala vazia. Eu fiquei muita coisa: envergonhada, chateada, decepcionada e até mesmo um pouco zangada, e creio que ela também. Mas nenhuma dessas emoções subjetivas iria mudar a realidade. A Arte da Percepção não aconteceria nesse dia. E a cliente ia deixar a cidade no dia seguinte. Berrar com a encarregada da programação não iria consertar isso. Nada consertaria.

Infelizmente, por mais que eu quisesse, não podia mandar a situação embora ou fingir que ela nunca acontecera. Tinha acontecido, sim. E eu estava preocupada com os danos resultantes: será que ela pensaria que sou desorganizada ou pouco profissional? Eu poderia ter feito um escândalo dizendo que a culpa não era minha, tentando identificar de quem era a culpa, mas isto poria em risco a minha relação com a empresa que havia me contratado. Deixar a situação sem lidar com ela poderia trazer confusão adicional ou alimentar possíveis animosidades ocultas. Eu tinha que encarar a questão e resolvê-la de uma maneira que não comprometesse a reputação de ninguém. Para fazer isso, rapidamente rotulei todo o acontecimento como falha de comunicação.

Uma falha de comunicação é um fato. Não há culpa nem vergonha nesse fato. Quando você se encontrar numa situação extremamente tensa, deixe de lado todo o drama, opiniões e expressões do tipo "e se" – os "você não me disse" ou "nós não estaríamos aqui se" – e concorde em chamar o cenário inteiro de falha de comunicação. Fazer isto proporciona a todo mundo uma saída e ao mesmo tempo uma razão para abandonar o envolvimento emocional com quaisquer pontos subjetivos. Uma vez que estamos lidando com um fato, podemos seguir adiante.

A cliente, a empresa e eu ficamos aliviadas quando tomei a iniciativa de renomear a situação. De repente, a pressão cedeu. Falhas de comunicação acontecem. Com todo mundo. Felizmente, são falhas que geralmente podemos consertar e tentar prevenir.

Remoldurar

Encontrar uma solução requer apenas mais um passo: remoldurar quaisquer preocupações excepcionais como perguntas em vez de problemas. Perguntas fazem da comunicação um dar-e-receber; há uma questão e uma resposta. Perguntas dão para a pessoa com quem você se comunica opções e saídas. Perguntas também protegem você, o indagador, da possibilidade de ter informação incorreta ou estar trabalhando com uma suposição.

Em vez de dizer "X está errado", ponha numa moldura nova: "É verdade que...?" ou "Você quis dizer que...?". Em vez de pedir a alguém "Posso falar com você um minuto?", o que imediatamente implica conflito ou problema, peça: "Você pode me ajudar numa coisa?" Remoldure a questão nos melhores termos possíveis, e a resposta será mais positiva.

Eu quis saber o que tinha acontecido com o meu grupo para estar mais bem preparada caso aquilo acontecesse de novo, então perguntei à pessoa que havia programado a sessão. Em vez de dizer "Eles deviam estar aqui!", remoldurei na forma de uma pergunta: "Aonde foi todo mundo?" E fiquei sabendo que os funcionários daquela empresa com frequência são chamados para tratar de emergências imprevistas que abarcam todo o departamento. Saber disso não ajudou a trazer a minha sessão de volta e não garantia que a situação não fosse se repetir, mas me impedirá de convidar pessoas para um evento com aquela empresa numa próxima vez.

Agradeci à representante da empresa e fui embora, levando a cliente para almoçar. No fim, tivemos um dia ótimo, nos conhecemos melhor e eu voei para Los Angeles no mês seguinte para conduzir outra sessão, da qual ela pôde participar.

Uma vez tendo aprendido a reconhecer e então eliminar a emoção na informação que transmitimos, podemos aplicar as boas técnicas de comunicação que aprendemos no capítulo anterior.

Uma colherada de açúcar

Se repetir, renomear e remoldurar não derem certo e a pessoa com quem você estiver se comunicando ainda assim não se contentar enquanto não se atribuir culpa a alguém, vá em frente e atribua – à situação. Experimente: "Sinto muito *que tenha havido* uma má comunicação/má interpretação/que as coisas não tenham ficado claras." Algumas pessoas não largam o osso até ouvir um "Sinto muito", e, ao mesmo tempo que você não está dizendo que a culpa foi sua, está fazendo uma concessão real, já que as chances são grandes de que você realmente sinta muito por estar numa situação dessas.

Tenha em mente também o famoso conselho de Mary Poppins: "Uma colherada de açúcar faz o remédio descer." Pôr uma cobertura doce nas suas palavras pode ajudar a outra pessoa a recebê-las mais facilmente. Enquanto escrever alguma coisa – um relatório, um release, um livro – tem sua cota de desafios e a pressão do prazo final, talvez não haja nada tão enervante quanto mostrar a alguém o seu primeiro rascunho. Felizmente, ao contrário de outras pessoas com quem tive a desventura de trabalhar, meu editor, Eamon Dolan, é ótimo em dar notícias difíceis com uma liberal dose de gentileza. Numa das primeiras comunicações que me enviou, ele escreveu: "Os meus comentários têm um tom muito prosaico, mas, por favor, imagine um 'por favor' na frente de todos eles. Adoto um estilo muito direto nas minhas observações na margem do texto por questão da clareza e eficiência, e peço desculpas de antemão se alguma delas se desviar para um tom rude." Essas duas frases no começo da nossa relação profissional tornaram meses de críticas, que de outra forma seriam difíceis de ouvir, não só suportáveis porém muitas vezes deliciosas, porque ele eliminou quaisquer dúvidas que eu tivesse sobre suas intenções.

A ponta receptora

Nós estamos a caminho de nos tornarmos especialistas em comunicação objetiva. Mas é igualmente importante abordar a boa comunicação quando a mesa vira, quando estamos na outra ponta, a ponta receptora de uma invectiva emocional e necessitamos de uma resposta perfeita para salvar uma situação de outra maneira insustentável.

Primeiro e mais importante, não importa o quanto a comunicação seja perturbadora, não reaja emocionalmente, seja oralmente ou por escrito. Em vez disso, faça o que fez quando estava tomando consciência das suas emoções: absorva, processe, deixe fluírem os sentimentos negativos, depois abandone-os. Provavelmente é mais difícil deixar de lado a emoção quando é você que está se sentindo insultado, em especial se o insulto vem de alguém acima de você, mas esse é o único jeito de ir em frente e ganhar respeito.

Se as pessoas que se comunicam com você não dedicaram tempo para isolar suas emoções, você tem de fazer isso por elas. Ignore o aspecto subjetivo do que elas estão lhe dizendo e se concentre nos fatos. Defenda-se de quaisquer acusações reais, mas esqueça a emoção na qual estão embrulhadas. Deixar o insulto sem resposta não faz de você uma pessoa inferior. Pelo contrário.

Se o turbilhão emocional continuar vindo da mesma pessoa, tente avaliar e analisar essa pessoa objetivamente. Procure os fatos. Pergunte a si mesmo: quem é esta pessoa? De onde ela vem? Por que faria isso? Pode ser que você descubra algum fato obscuro – sobre sua formação, vida particular ou histórico profissional – que ajude a explicar suas atitudes. Pode ser que a pessoa não mude, mas pelo menos você terá uma nova perspectiva para ajudar a informar a sua percepção dela – o que pode ser suficiente para desarmar quaisquer bombas emocionais futuras.

Bruce Vincot, gerente de vendas da Unicore, uma empresa do ramo da informática, não conseguiu acreditar no que viu. Quando recebeu a ligação de um freguês importante cancelando um contrato, o representante encarregado da conta não lidou bem com a situação.

"Não é culpa minha!", o vendedor gritou para o chefe. "Não vou levar a culpa por isso!" O rapaz então saltou da cadeira e saiu da sala de Vincot batendo a porta atrás de si.

As emoções de Vincot foram imediatamente deflagradas. "Esse cara é doido", pensou. "Não era assim que fazíamos as coisas vinte anos atrás. Tamanho desrespeito..."

Ainda que a reação inicial de Vincot tivesse sido ir atrás do funcionário e demiti-lo no ato, ele sabia que precisava dar a si mesmo alguns minutos para se acalmar. Não era a primeira explosão temperamental do representante de vendas, mas era ele quem tinha o melhor desempenho em toda a empresa. Demiti-lo seria um alívio emocional, mas um erro financeiro. Vincot sabia que teria momentos difíceis para explicar a seus próprios chefes por que se desfizera do vendedor número um por causa de um ataque de raiva.

Ao ponderar sobre como lidar com a situação, veio-lhe à mente uma imagem do seu treinamento na Arte da Percepção: os dois homens lutando em *Dante e Virgílio no inferno*. Mesmo não tendo se ligado no quadro ao vê-lo pela primeira vez, de repente ele foi capaz de estabelecer uma relação. Sentiu que seu representante de vendas o estava atacando enquanto seus chefes ficavam de lado, friamente desligados, assistindo, o que o deixava impotente.

Para definir sua resposta emocional, Vincot pegou uma folha de papel e usou seu treinamento; olharia para a situação exatamente como olharia uma pintura, simplesmente listando os fatos objetivos. Começou com aqueles que o incomodavam mais:

- O representante de vendas bateu a porta da minha sala.
- O representante de vendas levantou a voz e agiu de maneira não profissional.

E aí ele empacou. Será que designar os berros como "não profissionais" era objetivo ou subjetivo? Ele tinha uma boa certeza de que o ato seria considerado não profissional pela maioria dos profissionais, mas, como não era algo que pudesse provar, riscou a segunda parte:

- O representante de vendas levantou a voz.

Esse fato podia falar por si mesmo, e qualquer um que lesse seu relatório poderia escolher rotular a conduta de não profissional, imatura ou maluca. Assim, o que tinha causado a explosão?

- O freguês X cancelou seu contrato.
- O freguês X era atendido pelo representante de vendas.

Ambos fatos reais e objetivos. Agora, e quanto ao porquê?

- O freguês X sentiu que os nossos preços eram altos demais

Anotar este fato obrigou Vincot a fazer uma pausa. Era um fato; ele próprio conversara com o cliente. O cliente cancelara o contrato por causa do preço, não por causa do representante de vendas, não porque o representante de vendas gritara com ele ou batera a porta da sua sala. Havia alguma relação entre o cancelamento e alguma das atitudes do representante? Sim, havia. Vincot anotou:

- O representante de vendas não apresentou a nova lista de preços pessoalmente; em vez disso, mandou-a por e-mail.

Vincot sabia disso porque o representante lhe dissera quando ele perguntou – com evidente aversão – "como diabos" o contrato estava perdido.

Anotar os fatos objetivos ajudou Vincot em muitas coisas. Deu-lhe tempo para se acalmar e deixar que suas próprias emoções amainassem antes de agir; com efeito, o simples ato de anotar apenas os fatos diluiu boa parte dos seus próprios sentimentos. E esclareceu a sua própria parte no desentendimento – *Teria ele gritado antes? Teria ele deflagrado a explosão do representante de vendas?*; além disso, separar sistematicamente o objetivo do subjetivo botou tudo em perspectiva. Os fatos não eram tão ruins. O representante de vendas não o tinha agredido nem gritado com ele na frente de um cliente ou de colegas de trabalho. Havia levantado a voz e batido a porta. Será que era realmente algo tão grave? O próprio Vincot já tinha estado nas trincheiras da frente de batalha por 25 anos; conhecia o estresse do trabalho de representante de vendas. Dedicou um instante para se recordar das coisas precipitadas que fizera nos seus dias de juventude, quando suas emoções o dominavam.

E, o mais importante, o exercício fez Vincot perceber que vinha priorizando as coisas erradas. Ele tinha listado o comportamento do representante, quando o fato essencial era que um cliente importante fora perdido. Focalizar este fato ajudou Vincot a criar uma lista secundária de passos necessários para retificar o verdadeiro problema e impedir que ele voltasse a acontecer. Será que o procedimento de vendas padrão da empresa, de apresentar os preços pessoalmente, fora comunicado com clareza para sua equipe? Será que precisava ser revisto? Será que os representantes precisavam de mais treinamento?

Catalogando o que era objetivo, Vincot foi capaz de eliminar a emoção, encontrar uma nova perspectiva e priorizar o que era de fato importante para o sucesso de sua companhia, de sua equipe e dele mesmo.

Aborde o difícil na vida da mesma maneira que você aborda o difícil na arte. Dedique tempo para juntar os fatos. Analise-os e estabeleça prioridades. Dê um passo atrás e considere as coisas de perspectivas alternativas. Considere a sua linguagem corporal e comunicação não verbal, bem como a dos outros. Seja objetivo e acurado. E saiba que o resultado de aprender a separar emoções subjetivas de comunicação objetiva é a confiança.

Saí para jantar recentemente com uma de minhas ex-alunas, uma gerente de companhia farmacêutica, e ela revelou que não ficava mais intimidada por conversas difíceis.

"Eu costumava ficar apavorada toda vez que sabia que precisava ter uma", ela me contou. "Se tivesse que criticar um desempenho ruim ou despedir alguém, passava mal durante dias antes, preocupada. Mas o que aprendi em relação a me concentrar no objetivo e deixar o subjetivo de lado é que fatos dão confiança. Fatos são a verdade. Encontrei segurança e confiança sabendo que teria apenas de lidar com fatos."

Se podemos descrever factualmente um porco vestindo um hábito de freira e beijando um homem pelado, uma criatura em forma de pássaro comendo um ser humano com mais pássaros saindo das suas costas, dois homens nus lutando na frente do diabo e Big Sue segurando o próprio seio, provavelmente podemos navegar pela redução de pessoal nas empresas, por orçamentos trimestrais, diagnósticos médicos ruins, avaliações de funcionários e até mesmo conversar com os nossos filhos adolescentes sobre sexo.

Agora que dominamos os princípios da boa comunicação, mesmo em situações ruins, na próxima seção, a final, vamos ver quais comportamentos não intencionais precisamos reconsiderar e quais talvez precisem de mudança. Aprendemos como avaliar, analisar e articular informação. Agora devemos usar essas habilidades no mundo real, um mundo que não é estático nem objetivo. Para fazer isso, precisamos nos adaptar: ao que está ao nosso redor, a circunstâncias longe das ideais, aos nossos próprios pensamentos e comportamentos.

PARTE IV

Adaptar

Nós não vemos as coisas como elas são. Nós as vemos como nós somos.
Anaïs Nin

10. Nada é preto e branco

Superar os nossos vieses inerentes

Mesmo tendo sido[1] enfermeira do Departamento de Saúde do estado de Nova York por mais de dez anos, Lucy Agate nunca havia tido de investigar um caso como aquele. Ela chegou ao Centro de Enfermagem East Neck em Long Island, Nova York, com uma pasta de papel pardo contendo as acusações – ESCÂNDALO DE STRIPPER EM CASA DE REPOUSO, ABUSO DE IDOSOS E PROVOCADOR DE IDOSOS, gritavam as manchetes –, junto com uma cópia do processo judicial contra a instituição movido pelo filho de uma das residentes.

O *New York Post* acabara de publicar a história – "Idosos residentes de uma casa de repouso em Long Island viram suas mesas de jogos substituídas por abdomens masculinos bem-definidos quando foram sujeitos a um strip-tease barato na sala de recreação da instituição"[2] – junto com uma grande fotografia em cores de uma senhora numa cadeira de rodas aparentemente colocando notas de dólar na cintura de um homem grande e musculoso debruçando-se sobre ela e vestindo nada além de uma sunga.

"Um ultraje!",[3] Agate me diz em seu característico sotaque de Long Island. "Recebemos cartas indignadas do país inteiro. Os donos da casa de repouso estavam horrorizados: 'Não tínhamos a menor ideia de que estivesse ocorrendo uma coisa dessas!'" Agate foi chamada para investigar o que havia de fato acontecido.

Segundo o processo judicial, Franklin Youngblood estava visitando a mãe na casa de repouso quando descobriu a escandalosa foto entre os pertences dela na gaveta de um criado-mudo. Quando questionou a equipe acerca daquilo, Youngblood alega que investiram contra ele, tentando tirar a foto de suas mãos. Ele também quis saber como a mãe tivera acesso ao dinheiro quando supostamente seus recursos deveriam estar depositados numa conta controlada.

Youngblood, seus familiares e seu advogado convocaram uma coletiva de imprensa diante da casa de repouso. Youngblood declarou que a mãe, "uma senhora batista tradicional, trabalhadora",[4] fora "corrompida" pelo incidente. O processo afirmava que quando "os funcionários da casa de repouso a sujeitaram a essa infame perversão sexual",[5] a mulher "foi colocada em situação de iminente e degradante agressão física, pois ficou confusa e atordoada quanto aos motivos de um homem musculoso, quase nu, estar abordando-a e pondo seu corpo e membros por cima [dela]". E ia além, declarando que a "vil" ocorrência fora organizada para "diversão e prazer pervertidos da equipe da acusada".

Os advogados da casa de repouso convocaram a sua própria coletiva de imprensa, durante a qual alegaram que as residentes haviam desejado o evento, e que a namorada do próprio Youngblood estivera presente ao striptease acompanhando a senhora. A Associated Press noticiou que a família de Youngblood havia negado este fato, mas escreveu num tom decididamente parcial: "Em todo caso, isto não significa que Bernice Youngblood não tenha sido prejudicada pelo que viu."[6]

Muita coisa dependia do que a enfermeira Lucy Agate veria ao chegar para determinar se a instituição falhara em atender aos padrões do estado de Nova York para qualidade de serviços de saúde.

Agate entrevistou todos os envolvidos: residentes, cuidadores, a equipe de enfermagem, a gerência, os donos da instituição, Apollo – o stripper –, a agência do stripper e a velha senhora na fotografia, mãe de Youngblood. Os fatos objetivos vieram à tona quando ela, sistematicamente, fez perguntas para descobrir o que não sabia e precisava descobrir.

Como é que um stripper chegara a entrar na casa de repouso? Os residentes votavam numa atividade mensal que desejavam, e naquele mês escolheram um stripper masculino.

"Uma comissão de residentes fez o pedido, e então todos votaram democraticamente para aprová-lo",[7] diz Agate. "Os residentes são adultos. Eles têm permissão de votar."

Os residentes foram forçados a ir ao show de strip? Não. Na verdade, a casa de repouso ofereceu uma atividade alternativa para aqueles que não quisessem comparecer.

Esse entretenimento era discriminatório contra os residentes homens? Só mulheres tinham permissão de ir? Não, os homens também foram convidados, e um deles compareceu.

Alguém se aproveitou financeiramente dos residentes por terem de pagar pelo stripper? Não. Os residentes não pagaram com seu dinheiro; a casa de repouso assumiu a conta. Isto significa que houve uma destinação fiscal indevida para o dinheiro dos contribuintes? Não, o dinheiro veio do orçamento de atividades da casa de repouso. A equipe pediu à associação licença para o stripper, e ela foi concedida.

E as gorjetas que as residentes estavam distribuindo? Esse dinheiro veio de suas contas controladas? Novamente, não. Agate descobriu que os residentes tinham seu próprio dinheiro vivo para pequenas despesas.

"Elas têm o direito de enfiar notas de dólar na sunga de um cavalheiro se quiserem",[8] diz Agate. "*Não* lhes permitir isso seria uma violação de seus direitos de residência."

E o mais importante: mesmo tendo votado a favor da atividade, as residentes se sentiram abusadas? Agate entrevistou cada uma delas.

"Todas elas disseram a mesma coisa do show",[9] revela Agate. "Que a casa de repouso devia receber o dinheiro de volta. Até a senhora na cadeira de rodas disse que foi a pior *lap dance* que já recebera! Disseram que o sujeito era horrível. Tinha recebido instruções de não se roçar, não se esfregar, não tocar ninguém, ou seja, basicamente não fazer nada. Todas ficaram decepcionadas!"

Como é que os canais de mídia de todo o país caíram na história devassa de um stripper sendo impingido a residentes idosas numa casa de repouso? Porque as nossas percepções e vieses internos afetam o modo como agimos e esperamos que os outros ajam.

"Todo mundo acreditou rapidamente que a foto provava o abuso de idosos porque não queremos ver uma senhora idosa numa cadeira de rodas tendo desejos sexuais",[10] conclui Agate. "O fato é que as residentes são todas adultas, têm direitos e permissão para ver um stripper se quiserem."

Até agora, lidamos com os nossos filtros perceptuais como cegueiras e estudamos como podem afetar as nossas observações. Agora, sabemos que, quando algo que vemos não está em sincronia com as nossas expectativas, podemos fazer subconscientemente com que se alinhe com elas, seja perdendo detalhes importantes ou fazendo suposições que os encaixem ou simplifiquem.

Para refinar o nosso modelo e melhorar nossas habilidades de observação e comunicação, devemos ver como esses filtros inerentes podem produzir mais do que apenas nos fazer perder algo com base na nossa história, estado de espírito ou afiliação política. Precisamos examinar como as nossas percepções podem levar a vieses que afetam nossas ações, e aprender como nos ajustar a elas adequadamente.

Antes de podermos aprender a superar nossas tendências, porém, precisamos entender o que são elas. Uma tendência, um *viés*, pode significar muitas coisas – embora sua conotação geralmente seja negativa e, portanto, ninguém queira admitir uma tendência conhecida. Peço a quase todos os meus alunos para erguerem a mão se forem tendenciosos. De vez em quando uma ou outra mão se levanta, não sem hesitação. Digo a eles o que lhe direi agora: *todos* nós temos vieses. Nascemos com muitos deles, e nem todos são ruins.

Em termos científicos e sociológicos, um viés é um filtro perceptual que não só muda a forma como vemos as coisas, mas pode afetar as nossas *ações*. Por exemplo, o viés a favor de filmes de ficção científica pode nos levar a comprar ingressos para uma nova superprodução do cinema independentemente das primeiras críticas. Nosso viés contra praças de alimentação de shoppings nos levará a ir a algum outro lugar para jantar. Um viés pode ser o que evitamos e aquilo para o qual somos atraídos.

Somos biologicamente sintonizados para ter vieses, e eles não são inerentemente negativos. O problema surge quando nos recusamos a reconhecê-los, identificá-los, e então superar aqueles que se baseiam em crenças inverídicas, inúteis ou injustas com outros. Ignorar vieses não é uma bênção, pois eles existem em *todos* nós e, quando não examinados, podem levar a estereótipos e fanatismo.

Biologicamente somos todos tendenciosos com as coisas de que gostamos, as coisas com as quais crescemos, as coisas que nos são familiares. Nosso cérebro identifica-se prontamente[11] com coisas que refletem situações da nossa vida porque essas são caracteristicamente as coisas que também significam certeza, segurança e conforto. Do ponto de vista evolucionário, este viés de afinidade, ou desejo de estar com pessoas como nós, surgiu porque aqueles no nosso grupo ou tribo ou clã ou caverna tendiam a se parecer conosco.

Pessoas com aparência diferente podiam ser agressores perigosos. Mais uma vez, como muitos dos nossos inerentes sistemas de identificação do mundo à nossa volta, identificar alguém que reconhecemos como seguro era feito de forma automática, sem pensar. No mundo multicultural de hoje, quase sem fronteiras, os mesmos parâmetros de segurança não se aplicam, e precisamos superar o nosso viés natural de afinidade para evitar excluir "outros" valiosos.

Além de sermos atraídos para pessoas como nós, outro viés que assusta as pessoas – não ser capaz de diferenciar rostos de um grupo racial não familiar: por exemplo, "para mim todos os asiáticos têm a mesma cara" – também é inato. Cientistas documentaram o que chamam de "efeito da outra raça"[12] e notaram sua presença desde a infância. Este efeito é apenas um de uma hoste de vieses que abrigamos involuntariamente.

Viés inconsciente

Como o cérebro é exposto a mais informação do que jamais poderíamos processar, existem atalhos, muitos dos quais já estudamos, que nos ajudam a filtrar e priorizar automaticamente. Vieses inconscientes são um desses atalhos, e todos nós os temos. Eles existem para preencher rapidamente as lacunas para nós, para que o nosso corpo esteja preparado para lutar ou fugir antes do nosso processo mais lento e consciente de pensamento. Se os nossos ancestrais não os tivessem, poderiam ter acabado presa de algo ou alguém antes de sequer perceberem o que estava acontecendo. Vieses inconscientes nos ajudam a tomar decisões, quer saibamos ou não.

Nossos vieses inconscientes se aplicam a situações, informações e coisas – é por isso que, quando você está de dieta, repara subitamente em todos os comerciais de comida na TV, ou, quando está grávida, tem a impressão de que há mulheres grávidas por todo lado –, mas é quando são dirigidos a pessoas que precisamos ter cautela, porque as nossas preferências podem se transformar em preconceitos.

José Zamora descobriu a facilidade com que um viés inconsciente pode levar a preconceito. Ele vinha procurando emprego havia meses, enviando de cinquenta a cem currículos por dia. Embora tivesse sólida experiência em vendas, não recebia nenhum retorno... até que lhe ocorreu um pensamento:

ele precisava mudar o currículo. E assim ele fez, deixando intacta toda a sua formação e histórico profissional, mas deletando apenas uma letra: o *s* no seu primeiro nome. José virou Joe. E as entrevistas choveram. Zamora sabiamente concluiu: "Acho que às vezes as pessoas não sabem ou não se dão conta de que estão julgando, mesmo que seja só um nome, mas penso que todos nós fazemos isso o tempo todo."[13]

Ele está certo. Até mesmo num processo de contratação cega, o nosso cérebro acha jeitos de buscar o confortável e eliminar aquilo que nos deixa desconfortáveis.

Imagine que você esteja andando por uma rua em Londres e de repente veja a seguinte situação. O que você acha que está acontecendo aqui?

Como acabamos de falar em preconceito, tenho certeza de que você não quer saltar para a conclusão de que o homem negro é um criminoso sendo perseguido pelo policial branco. Mas, se o fez, não está sozinho. Trabalhei tanto com policiais brancos como negros que prontamente admitiram que sim, foi isso que viram, e tive participantes brancos e negros me dizendo o contrário. O importante a ser notado é que pessoas diferentes com históricos diferentes terão interpretações diferentes. A nossa cultura e as nossas experiências pessoais influenciam a forma como percebemos o que está acontecendo.

No entanto, como vimos ao longo deste livro, não podemos nos basear em interpretações ou percepções. Precisamos de fatos. Vamos avaliar e analisar objetivamente a fotografia.

Quem está na imagem? Agentes da lei na minha turma notaram um homem uniformizado do lado esquerdo, e um homem negro não uniformizado do lado direito. O homem branco está usando um capacete, o capacete tradicional usado pelos guardas na Inglaterra; ele parece ser algum tipo de policial. O homem negro está vestindo calças compridas e um casaco de mangas longas sobre a camisa. Onde eles estão? Numa esquina perto de um prédio de concreto com a fachada degradada e grafites, possivelmente numa área urbana, embora não possamos saber exatamente onde. Quando isso está ocorrendo? Parece ser no período diurno e, pelo casaco do negro, um dia mais frio. Suas roupas sugerem final do século XX. O que estão fazendo? Muitos participantes da turma ficam ansiosos para dizer que o branco está perseguindo o negro. Por quê? Não sabemos.

Mesmo que estejamos vendo um policial, não podemos presumir que tenha sido cometido um crime. Tampouco podemos presumir que o negro seja culpado de qualquer coisa. Não podemos sequer presumir que um esteja perseguindo o outro. Na verdade, *ambos* são policiais. O homem da direita é um detetive disfarçado. Ambos estão indo para o mesmo lugar, ambos perseguindo um suspeito que não se vê.

A foto era parte de uma campanha de propaganda da Polícia Metropolitana de Londres com o título: "Outro exemplo de preconceito da polícia? Ou outro exemplo do seu preconceito?"[14] A campanha não visava censurar o público, mas recrutar novos policiais. O texto continuava: "Você vê um policial perseguindo um criminoso? Ou um policial assediando uma pessoa inocente? As duas alternativas estão erradas. São dois policiais, um deles à paisana, perseguindo uma terceira pessoa. Isso ilustra bem por que estamos procurando mais recrutas de minorias étnicas."

Outra razão pela qual é importante conhecer nossos vieses, especialmente aqueles que são capazes de levar a preconceitos, é que eles podem ser transferidos a outros, consciente ou inconscientemente. A convergência no local de trabalho ocorre devagar e sutilmente quando pessoas que trabalharam juntas por algum tempo começam a pensar da mesma maneira. Até mesmo cães farejadores de drogas e bombas[15] são suscetíveis a pistas mínimas, não intencionais, dos seus condutores. Reconhecer isto pode nos ajudar a trabalhar nosso preconceito ou viés, negativo ou positivo, que talvez estejamos adicionando automaticamente a uma situação que é então tomada e espalhada por outros.

Como no caso dos nossos filtros perceptuais, para identificar nossos vieses precisamos olhar para dentro. Quais são os nossos preconceitos? Eles ajudam ou prejudicam as nossas observações? Estamos vendendo a solução de um problema porque é a resposta correta ou porque se alinha com os nossos vieses e desejos?

Para ilustrar este ponto, mostro às minhas turmas esta fotografia de um bebê nos braços de uma mulher mais velha:

O que podemos ver? A mulher está sorrindo. Ela usa brincos, o cabelo puxado para cima, os olhos são castanhos, a pele é mais escura que a da criança. O bebê tem pele muito clara e cabelo loiro. O bebê parece ser menino, mas não podemos confirmar isto. O bebê veste uma camisa com listras brancas e escuras, e está de boca aberta.

Qual poderia ser a relação dos dois? Recebo todo tipo de resposta a essa pergunta. Ela é a mãe, a babá, uma vizinha, a madrinha, uma professora, uma cuidadora… há infinitas possibilidades. A única que não aceito é uma situação de refém, porque ambos parecem à vontade juntos.

Serão geneticamente relacionados ou não? A cor da pele é diferente, os traços faciais são diferentes, mas os genes são capazes de coisas engraçadas.

Uma mulher em Nova Orleans me disse: "Ela decididamente é a mãe biológica! Os dois têm o mesmo nariz!" Eu lhe disse que não, eu sabia que a mulher na foto não era a mãe do bebê. Ela respondeu: "Você está sendo racista ao dizer que ela 'não pode ser' a mãe do bebê."

Essa é uma suposição e tanto, e garanto que não é nem um pouco verdadeira. Expliquei que eu não tinha dito "não pode ser" a mãe do bebê, e sim que eu "sabia" que não era. Tenho 27 horas de trabalho de parto e uma cicatriz de cesariana provando que isso não é verdade. Esta foto mostra o meu filho e a adorada babá que tivemos desde os três meses de idade dele.

A mulher se desculpou e explicou que tinha tido a experiência oposta com uma amiga, uma mulher negra com um bebê de pele clara, que era constantemente tratada, na sua opinião de forma injusta, como a babá do próprio filho. As experiências da mulher foram sua base para me confrontar. O mesmo acontece com todos nós, quer percebamos ou não. O cérebro preenche as lacunas de informação para formar nossos vieses, pegando dados similares de coisas que já vivenciamos – para melhor ou para pior.

Viés de experiência

Quando mostrei a mesma foto do meu filho e de sua babá num grande hospital urbano, o chefe do setor de emergências levantou a mão e me disse: "Esse bebê tem síndrome de Down."

"E que evidência você tem para respaldar isso?", indaguei.

"Nenhuma", foi a resposta, "mas eu sei quando vejo."

Outro médico me disse que o bebê tinha um problema de tireoide, porque o "pescoço estava comprimido por cirurgias múltiplas". Desculpe, mas meu filho era apenas um bebê gordinho com papada. Ouvi que meu filho era albino, obeso e tinha enfisema por causa do seu "peito arredondado". Nada disso é verdade.

Nós não queremos nos divorciar totalmente das nossas experiências porque elas podem ser valiosas quando estamos buscando informação, mas precisamos ter o cuidado de não deixá-las distorcer radicalmente aquilo que vemos. Decisões importantes são calcadas em responsabilidade, e se saltamos diretamente para as conclusões a que desejamos chegar sem articular as observações e percepções que nos levaram até lá, podemos ser acusados de má condução pelos nossos vieses.

Para apreciar o efeito que a experiência tem sobre as nossas tendências, olhe a próxima imagem. O que você vê? Anote ou diga em voz alta tudo que você observa nesse quadro. Não siga adiante antes de tê-lo efetivamente explorado.

Claude Monet, *A ponte japonesa*, 1899

O QUE VOCÊ VIU? Uma ponte? Sim. Uma ponte de pedestres, para ser mais específica. Árvores, sendo uma decididamente um salgueiro penetrando na água. É um lago, uma lagoa ou um braço de mar? Não sabemos. Há plantas e touceiras crescendo nas margens. Leitos de nenúfares flutuam sobre a superfície da água; alguns têm flores. A ponte parece ser feita de madeira e é curvada para cima. Não podemos ver nenhuma das extremidades: o lado esquerdo está coberto pela folhagem; o direito conduz para a lateral da pintura. Sim, é uma pintura.

Montes de verdes, amarelos e azuis. Na água pode-se ver o reflexo das árvores. Não há pessoas nem animais no quadro. É uma visão de perto da natureza, mas não podemos ver o céu. E se você for amante da arte ou já tiver visto uma sombrinha ou caderno com esta imagem particular, talvez saiba que é um Monet.

Mas qual? Claude Monet pintou 250 quadros de nenúfares durante a vida; há um em quase todo museu do mundo ocidental. Em dezoito deles[16] aparece a ponte japonesa de madeira sobre um laguinho perto de sua casa em Giverny, na França. Todos eles têm nomes bastante parecidos – *Nenúfares, Lago com nenúfares, Ponte sobre um lago com nenúfares* –, de modo que o título não faria muita diferença para nós mesmo que o soubéssemos. À primeira vista, as pinturas de nenúfares feitas por Monet podem parecer muito similares, mas há definitivas diferenças entre elas.

Com quanta atenção você observou? Sem voltar a página, escolha qual dessas três pinturas de Monet é a mesma que você examinou anteriormente.

Costumo fazer esse exercício nos meus cursos, mas divido a turma em pares, fazendo com que uma pessoa fique virada para a frente da sala e a outra de costas. Uma delas precisa descrever a pintura em voz alta, enquanto o parceiro que não pode vê-la faz um desenho da mesma. Geralmente, metade dos pares escolhe a pintura certa. Os pares que acertam dizem que é porque especificaram que a ponte era azul-esverdeada com toques de rosa, o que a diferencia da ponte nos outros dois quadros. Alguns atribuem o acerto à descrição no espaço circular na água cercado de leitos de nenúfares no primeiro plano da pintura. Menos de dez já o atribuíram à menção da sombra sob a pintura original, o que a distingue imediatamente das outras. Com que atenção você observou? A resposta correta é a pintura do meio.

Você viu esta sombra? Em caso negativo, volte e olhe de novo agora. Isso faz parte da pintura? Tecnicamente, não. Mas eu pedi que você anotasse "tudo que observa". A sombra está lá. Ela existe. Não estou tentando enganar ninguém; só quero ilustrar que devemos olhar tudo, não só o que está bem na nossa frente. Temos de olhar fora da área fechada, nos cantos e fora da página. Às vezes é ali que está a resposta.

Quando fiz este exercício com um dos mais prestigiosos grupos de oficiais da inteligência militar do país, um deles em particular ficou arrasado por ter deixado de ver a sombra. Afundou na cadeira, pôs a cabeça entre as mãos e ficou resmungando: "Meu Deus, não posso acreditar que não vi a sombra!"

Uma sombra não é muita coisa para a maioria de nós, mas, na linha de trabalho dele, era de enorme importância. Deixar de ver a sombra podia significar a diferença entre sucesso e fracasso num salvamento, entre vida e morte.

Mais tarde, ao ponderar sobre sua reação, dei-me conta de que todos naquela sala eram militares. Por que ele foi o único a ficar visivelmente aborrecido? Talvez porque houvesse um incidente no seu passado, ou no de alguém que ele conhecia, em que uma sombra ou algum outro detalhe havia feito toda a diferença. Provavelmente sua experiência deu cor à sua reação. O que vemos devido a nossas experiências pode ser benéfico ou desastroso, *dependendo de como lidamos com isso.* Deixaremos que nossas experiências nos levem a agir cegamente, como a mulher que me chamou de racista num evento público? Para evitar tais erros de julgamento, devemos reconhecer o papel que as nossas experiências desempenham e procurar nos desligar delas numa tentativa de buscar os fatos da maneira mais objetiva possível.

O fato de que todos nós somos originários de perspectivas diferentes e trazemos diferentes experiências e diferentes olhares para cada situação é o que torna tão importante a colaboração. Veja este quadro de Caravaggio. O que você acha que está acontecendo aí?

Policiais geralmente tentam determinar que tipo de crime está ocorrendo; analistas financeiros pensam em contagem de dinheiro; e terapeutas enxergam uma desavença familiar. Fazer com que pessoas diferentes apresentem suas diferentes experiências ajuda-nos a ter novos pontos de vista que talvez jamais considerássemos sozinhos. Mas a primeira pessoa em qualquer uma das minhas turmas a identificar corretamente esta cena foi um clérigo. Tendo estudado pinturas de santos, ele sabia que o quadro retratava Cristo chamando são Mateus para ser seu discípulo.

Nem sempre teremos um sacerdote com a resposta certa quando precisarmos dele, mas as experiências que outras pessoas trazem para uma situação ou problema podem acrescentar um novo nível de compreensão capaz de nos conduzir a todos rumo a uma solução ou ao sucesso. Essas experiências e perspectivas são capazes de nos ajudar a tomar decisões melhores e mais bem-informadas.

Considere a foto a seguir, tirada pelo fotógrafo da Casa Branca, Pete Souza:

Fotografia da Sala de Crise da Casa Branca

Há muita coisa acontecendo nessa cena. Podemos ver os rostos de treze pessoas, onze homens e duas mulheres, junto com o cabelo de mais uma e o cotovelo de outra. Sete pessoas estão de pé, enquanto seis estão sentadas em volta de uma mesa marrom, retangular, com tampo de madeira reluzente, onde há cinco laptops abertos, um bloco de papel e pelo menos quatro folhas impressas, pastas de arquivos, dois copos descartáveis e um par de óculos. Todo mundo está trajando roupas profissionais, exceto um dos homens sentado à mesa, que veste um uniforme militar azul-marinho, altamente condecorado. Todos na sala estão olhando algo à esquerda fora do campo da imagem, exceto o militar, que olha para baixo, para o teclado do computador à sua frente.

Quando perguntei a uma turma formada por membros do Grupo de Guerra Assimétrica do Exército dos Estados Unidos o que viam, um dos participantes arriscou: "O único sujeito na foto fazendo algum trabalho é o cara de uniforme." Isso é o que vê um militar; essa é a sua perspectiva. É verdade que só o militar está trabalhando? Talvez sim, talvez não. Esse é um fato objetivo? Uma vez que não podemos prová-lo, não é; é um viés baseado na experiência dele. Mas temos duas opções: podemos usar sua experiência para fazer suposições adicionais – *militares são sempre os únicos que trabalham* – ou para cavar mais fundo em busca de fatos, como fez Lucy Agate na saga do stripper na casa de repouso – *por que parece que o militar é o único que está trabalhando?*

Olhar a foto deste ângulo nos dá uma perspectiva diferente que podemos não ter considerado. O militar é simplesmente uma das treze pessoas na sala. Fixar o foco nele e no que poderia estar fazendo que os outros estão assistindo nos ajuda a descobrir mais sobre a situação. Na verdade, estamos vendo a Sala de Crise, que fica no subsolo da Casa Branca. O atual governo norte-americano e sua equipe de segurança nacional estavam recebendo atualizações sobre a missão para encontrar Osama bin Laden em 1º de maio de 2011, e assistindo a transmissões ao vivo dos drones sobre o esconderijo de Bin Laden. Agora faz sentido que o oficial esteja olhando para baixo, com as mãos no teclado, e todo o resto das pessoas assistindo; ele era o encarregado da Operação Lança de Netuno, e estava apresentando os progressos da mesma.

A experiência pessoal é um recurso válido que podemos e devemos usar para explorar fatos visuais em busca de mais fatos – contanto que nos atenhamos a três regras simples:

Três regras para trabalhar com (e contornar) nossos vieses

Regra 1: Tomar consciência dos nossos vieses e descartar os ruins

Nossos vieses existem porque somos programados para tomar decisões inconscientes sobre os outros com base naquilo que percebemos imediatamente como seguro, igual ou confortável. O primeiro passo para superá-los ou usá-los a nosso favor é reconhecê-los. Saber que nossos vieses são normais, universais e não inerentemente ruins pode nos ajudar a lidar com eles de maneira sensata. Há um poder na aceitação. Se somos honestos em relação a nós mesmos e conscientes da maneira como vemos o mundo, podemos reconhecer os vieses com os quais precisamos trabalhar, a favor ou contra. Ninguém precisa saber com o que estamos lidando dentro das nossas cabeças; é uma autorrevelação privada que pode nos ajudar a ser melhores observadores, melhores comunicadores e geralmente melhores pessoas.

Uma vez tendo reconhecido os vieses em nós mesmos, podemos então olhar para eles e determinar se podem ser usados produtivamente para colher mais informação factual. Para isto, pergunte a si mesmo: os meus preconceitos ou o meu modo de ver as coisas estão limitando a forma como escuto e me comunico com os outros? Os meus vieses são úteis ou prejudiciais a mim e ao meu sucesso? Se você achar que são prejudiciais, separe-se deles antes que causem algum mal. Se não conseguir eliminá-los, livre-se da situação.

Muitos oficiais militares, as mesmas pessoas que garantem a nossa democracia, abstêm-se de votar em eleições presidenciais para evitar sua própria dissensão interna. Eles reconhecem como afetaria suas percepções, atitudes e comportamento se o seu candidato perdesse. Quem quer que seja eleito presidente será o seu comandante em chefe. Eles optam por manter suas preferências políticas pessoais à parte para serem os melhores funcionários possíveis.

Regra 2: Não confundir vieses com fatos; em vez disso, usá-los para encontrar fatos

Nossos vieses não são fatos verificados. São sentimentos e experiências que nos fazem querer acreditar em algo, mas não são suficientes para gerar uma conclusão. Em vez disso, use-os como ponto de partida para examinar além.

Como fizemos no capítulo anterior com a comunicação desconfortável, podemos transformar quaisquer inferências questionáveis levantadas pelos nossos vieses em perguntas reais, e então usar essas perguntas para investigar mais em busca de fatos. Transforme "Os residentes idosos se sentiram abusados pelo stripper" em "Os residentes idosos se sentiram abusados pelo stripper?". Transforme "O sujeito de uniforme é o único que está trabalhando" em "Por que parece que o homem em traje militar é o único que está trabalhando?".

Regra 3: Passar nossas conclusões por outras pessoas

Como estamos muito próximos dos nossos vieses, e muitos deles são inconscientes, precisamos que outras pessoas nos ajudem a discernir quais das nossas conclusões são falhas e quais não são. A agente especial aposentada do FBI Jean Harrison,[17] com quem trabalhei por muitos anos, me contou uma história sobre como fazia exatamente isto.

Harrison foi chamada para investigar um homicídio na comunidade vietnamita ultrafechada de uma grande cidade. Uma das mulheres que o FBI entrevistara na cena era arredia e praticamente sem expressão. Os colegas da agente especial Harrison estavam convencidos de que seu comportamento "distante" significava que ela estava mentindo. Harrison sentiu uma outra coisa. Por algum motivo, acreditou que a mulher estava dizendo a verdade. Sabia que não podia saltar para essa conclusão sem fatos, então examinou o material com o qual estava trabalhando: tanto os dados visuais à sua frente quanto a sua própria experiência pessoal.

Primeiro, Harrison olhou a mulher com mais afinco. Pôde ver por que sua conduta e linguagem corporal pareciam deslocadas para seus colegas. Seu treinamento em linguagem corporal lhe dizia que havia a possibilidade de a mulher não estar sendo sincera, mas algo no seu interior lhe dizia que não. Que viés poderia estar tendo em relação à vietnamita? Então percebeu que era de uma experiência passada. Ao crescer, Harrison fora exposta a muitas culturas diferentes, inclusive a do Vietnã. Recordou-se de várias interações pessoais nas quais o comportamento tímido, cauteloso e reservado das mulheres vietnamitas que conheceu era erroneamente interpretado pelos americanos como defensivo ou enganador.

Harrison explicou seu viés e sua experiência passada aos colegas e perguntou se eles achavam que era possível que a mulher estivesse sendo mal interpretada. Seus colegas concordaram que sim, e a incentivaram a abordá-la de uma perspectiva diferente. Harrison fez isso e descobriu que a mulher estava dizendo a verdade. De fato, a mulher vietnamita, uma vez que se sentiu suficientemente à vontade para se abrir, foi adiante e veio a se tornar a principal testemunha da promotoria, ajudando a solucionar o caso.

Harrison não jogou fora sua experiência pessoal; em vez disso, analisou-a, passou-a pelos outros e se certificou de que era uma fonte válida de informação e não a única razão para uma conclusão. Usou sua experiência para encontrar uma conclusão, e uma conclusão boa de que sua organização necessitava.

Todos nós temos vieses cognitivos moldando as nossas decisões e orientando as nossas ações. Tal como a percepção e a perspectiva que temos, nossos vieses são únicos e moldados pelas nossas próprias experiências, crenças e biologia. Precisamos estar abertos à mesma informação de outros, tanto para conhecer sua perspectiva quanto para equilibrar a nossa.

Para observar, perceber e comunicar verdades factuais com efetividade, devemos ser capazes de assumir responsabilidade pelos nossos vieses e, em muitos casos, superá-los. E, felizmente, a ciência mostra que podemos fazê-lo de modo consciente. Nilanjana Dasgupta, psicóloga da Universidade de Massachusetts Amherst, passou mais de uma década documentando intervenções bem-sucedidas sobre nossos vieses implícitos, e confirma: "Essas atitudes podem se formar rapidamente, e mudar rapidamente, se reestruturarmos nossos ambientes de modo a eliminar associações estereotipadas e substituí-las por associações igualitárias."[18] Jennifer Raymond, professora associada de neurobiologia e deã associada na Agência de Diversidade e Liderança da Escola de Medicina da Universidade Stanford, acrescenta: "Do mesmo modo que uma pessoa pode superar hábitos físicos tais como roer as unhas ou dizer 'hmmm' sempre que alguém está falando, pode suprimir hábitos mentais indesejáveis tais como o viés de gênero por meio de estratégias deliberadas e conscientes."[19] Pesquisadores da Universidade de Queensland[20] descobriram que o treinamento perceptual durante a primeira infância previne a emergência do "efeito da outra raça", que é inato; bebês aos quais eram mostradas regularmente fotografias de faces diferentes mais tarde foram capazes de efetivar um nível de reconhecimento e diferenciação impossível para bebês não treinados.

O cérebro humano é maleável. Podemos mudar nossas percepções, formar novas ligações neurais e treiná-lo a pensar de forma diferente. Agora vamos dar o passo final e ver como podemos usá-lo para navegar em águas incertas.

11. O que fazer quando as macas acabam

Como navegar através da incerteza

Em 2012, fui convidada a fazer uma sessão para enfermeiras do Hospital da Universidade do Colorado em Aurora. Seis semanas antes, as unidades de trauma e cuidados intensivos haviam enfrentado as consequências de um assassinato em massa num cinema local, e ainda estavam se recuperando do episódio. Durante a exibição da meia-noite[1] do filme *Batman: o Cavaleiro das Trevas ressurge*, um homem vestindo roupas militares de campanha tinha soltado granadas de gás lacrimogêneo e disparado contra a plateia com uma pistola, um rifle e uma metralhadora, matando doze pessoas e ferindo outras setenta.

Elas me contaram como lidaram com o súbito influxo de feridos mesmo com o esgotamento de itens básicos, tais como macas com rodas. Uma das enfermeiras, uma moça que parecia recém-saída da faculdade, me lembrou que, quando estavam em plena crise, eles sabiam menos sobre o que tinha acontecido do que as pessoas em casa assistindo aos noticiários. A equipe do hospital, encarregados de emergência, passantes, família e amigos não sabiam se era um atirador solitário ou parte de um ataque maior, se era terrorismo doméstico ou internacional, ou se o assassino ou assassinos tinham sido capturados. Esta enfermeira em especial, ainda trêmula, recordava-se de não ter sabido o que fazer, de não ter tido nenhuma informação naquela hora, e de simplesmente ter desejado abandonar tudo.

Como ela podia evitar sentir-se assim numa próxima vez? Ela não queria jamais voltar a se sentir tão despreparada, perdida e impotente quando as coisas dessem errado.

Eu queria lhe dizer que as coisas nunca mais dariam errado para ela na vida. Quero dizer a mesma coisa ao meu filho e a todos de quem gosto e com quem trabalho. Mas coisas vão dar errado para todos nós. A vida nos apresentará muitas incertezas e pouquíssimas macas com rodas. Chamo esse lugar de área cinzenta. Na área cinzenta as coisas não são claras. Em vez disso, são esquisitas, confusas, barulhentas e caóticas. Os limites entre bom e mau, culpado e inocente, racional e irracional, intencional e acidental, são borrados.

A área cinzenta é perigosa porque se presta a sensacionalismo e sentimentalismo. Basta cometer um erro e as revistas de fofocas garantem que todo mundo fique sabendo. Você pode ir da má comunicação ao controle de danos e até mesmo um desastre num piscar de olhos. As manchetes estão cheias de histórias sobre situações em que não fica claro quem estava certo e quem estava errado, e as opiniões subjetivas coletivas podem causar dano real, desde prolongadas investigações e negócios perdidos até ameaças de morte para os envolvidos. Quanto mais tempo vivemos e mais alto chegamos em nossas carreiras, com maior frequência nos vemos sendo obrigados a negociar nesta região nebulosa, a tomar decisões difíceis em situações estarrecedoras.

Treino muitos socorristas de emergência da área médica e policial, mas na verdade todo mundo é socorrista de emergência em algum momento da vida. Como vimos no capítulo 4, esse é o caso por exemplo dos comisários de bordo. Também dos pais e professores. O mesmo pode ser dito de empregados, patrões, estudantes e qualquer um que esteja em público. As primeiras pessoas numa cena de emergência, crise ou crime geralmente não são as equipes ou encarregados de emergências. São pessoas comuns, como você e eu.

Tirei meu microfone, desci até a plateia e sentei-me junto com a enfermeira e suas colegas. Contei-lhes a minha própria história de socorrista de emergência, como no 11 de Setembro eu estava exatamente onde ninguém quer estar: bem ali em Nova York. Vi, cheirei e ouvi coisas que nunca mais quero vivenciar. Toda semana, ao entrar num avião, perguntava a mim mesma: "Será que é este que vai ser derrubado?" Toda vez que dou um beijo de despedida no meu menino, penso: "Se alguma coisa acontecer, como vou chegar a ele?" Eu estive lá. Todos nós já estivemos ou estaremos. Mas precisamos seguir em frente.

Como fazemos isso? Como seguimos em frente na vida apesar das coisas que não podemos "des-ver" ou desfazer? Como podemos estar confiantes em todos os cenários, mesmo em face de pressões e caos? Como tomar decisões numa área cinzenta onde nada parece fazer sentido? Com o mesmo processo organizado e metódico visto nos capítulos anteriores.

Em qualquer situação, mas especialmente na área cinzenta, devemos focar naquilo que sabemos e deixar de lado o que não sabemos. A enfermeira que conheci estava emperrada no desconhecido "por quê". Mas, como vimos, não precisamos saber o porquê para seguir em frente. Essa é a última peça do quebra-cabeça observacional, e às vezes uma peça que nunca chega a se encaixar. Na nossa lista de prioridades, "por quê" ocupa um lugar bem perto do fim. Em vez de ficar parado esperando respostas do porquê, focalize e lide com aquilo que você pode ver: quem, o quê, onde e quando. Foi o que fizeram os líderes de uma cidadezinha do sul no ano anterior a Trayvon Martin ser baleado, e é por isso que você nunca ouviu falar de Jasmine Thar.

Em dezembro de 2011, dois meses antes de o assassinato de Trayvon Martin provocar comoção em todo o país, a menina de dezesseis anos Jasmine Thar foi morta quando estava parada na entrada da casa de sua madrinha. Dois dias antes do Natal. Ela morreu diante da mãe, do irmão mais novo e de outros familiares e amigos. A bala que a matou também atingiu e feriu duas mulheres. Veio de um rifle de alta potência do outro lado da rua. Quando a polícia[2] foi até a casa do atirador, encontrou uma bandeira confederada, uma corda de armadilha e material neonazista.

Como a polícia local conseguiu manter a paz na cidade sem que a situação descambasse para um incidente nacional? Escolhendo conscienciosamente a coleta de informação e comunicação aberta, inclusiva e objetiva.

O tempo era essencial, mesmo que a moça já tivesse morrido.

As tensões estavam elevadíssimas. Percepções e preconceitos[3] abundaram quando o atirador, um homem branco de 23 anos, sustentou que a arma tinha funcionado mal, enquanto a família negra de Jasmine acreditava que os tiros haviam tido motivação racial. A princípio, a ideia de um homem que possui de material neonazista atingir acidentalmente uma adolescente negra do outro lado da rua parecia improvável, mas, antes de fazer qualquer suposição ou acusação, o chefe de polícia em Chadbourn, Carolina do Norte, teve a presença de espírito de mandar a arma para os peritos em balística do FBI para testar o mau funcionamento.

Quando estamos trabalhando na área cinzenta, devemos ser ultracuidadosos, porque é provável que outros estejam conferindo meticulosamente as nossas ações. Para se antecipar à crise, os agentes da lei locais convidaram os líderes espirituais da comunidade para participar de cada passo da investigação.

Quando o FBI informou[4] que a arma tinha de fato disparado acidentalmente, o atirador não foi indiciado. Nem todo mundo na comunidade ficou satisfeito com o resultado – ele não traziam Jasmine de volta à vida –, mas as autoridades na Carolina do Norte haviam de fato confrontado de antemão as difíceis percepções, articulando-as e mantendo todas as partes a par da investigação. Elas separaram cuidadosamente os fatos objetivos das inferências subjetivas. Mantiveram o quadro geral em foco – o pesar da comunidade e a necessidade de respostas – enquanto cuidavam de pequenos detalhes, tais como ter a arma examinada de imediato. Fazendo isso, mantiveram-se fora do noticiário nacional da melhor maneira possível.

A Johnson & Johnson oferece outro exemplo de navegação bem-sucedida através da área cinzenta. Em 1982, quando saiu a notícia de que sete pessoas tinham morrido depois de ingerir cápsulas de Tylenol extraforte, o pânico se espalhou rapidamente. As vítimas morreram em minutos após consumir o analgésico contaminado com 65 miligramas de cianeto; apenas sete microgramas já são fatais. O papa da comunicação Jerry Della Femina disse ao *New York Times*: "Não creio que algum dia eles possam vender outro produto com esse nome."[5]

A situação tinha muitos desconhecidos. Como o medicamento foi contaminado? Quem fez iso? Seria terrorismo químico, um envenenamento proposital de alguém de fora da Johnson & Johnson ou falha do fabricante? (O cianeto era acessível nas fábricas do produto.)

Em vez de esperar pelas respostas ou tentar fugir à responsabilidade, a Johnson & Johnson agiu depressa e com decisão. O presidente da empresa, James Burke,[6] priorizou as duas questões mais importantes que a companhia estava enfrentando: primeiro, "Como protegemos os consumidores?", e segundo, "Como salvamos este produto?". Então, empenharam-se em respondê-las.

A empresa parou imediatamente a produção e propaganda do produto e organizou um recall das cápsulas de Tylenol no mercado – aproximadamente 31 milhões de frascos avaliados em mais de US$ 100 milhões. E também se ofereceu para trocar todos os milhões de cápsulas de Tylenol que já estavam nas casas dos consumidores. Indo mais além, ofereceu aconselhamento terapêutico e assistência financeira às famílias das vítimas. Estabeleceu uma recompensa para qualquer informação sobre os comprimidos envenenados e garantiu que não colocaria nenhum produto Tylenol no mercado até que estivesse seguramente protegido. Gastaram dinheiro e tempo desenvolvendo uma nova embalagem à prova de manipulação, que incluía cola mais forte nas caixas e selos impressos de plástico e carimbos nos frascos. A Johnson & Johnson fez tudo isso antes mesmo de se determinar se a culpa tinha sido da companhia.

A empresa também[7] abriu linhas de comunicação com todos os órgãos de mídia para assegurar que fossem distribuídos avisos ao público e estabeleceu relações com os departamentos de polícia locais, o FBI e o FDA, órgão que controla, entre outras coisas, os medicamentos.

A Johnson & Johnson nunca conseguiu descobrir o "por quê". O caso nunca foi resolvido e incitou diversos crimes copiados através do país. Mas, em vez de deixar que o desconhecido a paralisasse, em vez de ficar obcecada pelo que não sabia, a empresa estabeleceu suas prioridades cuidando do que era possível, e, como resultado, gerou um milagre corporativo. A Johnson & Johnson recuperou totalmente sua fatia de mercado e restabeleceu o Tylenol como uma das marcas mais confiáveis nos Estados Unidos. Como? Lidando com os fatos objetivamente e não deixando que o subjetivo os arrastasse para baixo.

Problemas subjetivos, respostas objetivas

O fato de algumas situações não serem fáceis de constatar e talvez não terem respostas definitivas não significa que não podemos enfrentá-las. Quando o problema, cena ou desafio que encaramos é nebuloso, moralmente ambíguo ou se inclui de alguma outra maneira na área cinzenta, pense nele como um problema subjetivo, depois lide com ele objetivamente.

Um problema é um problema. Lide com os subjetivos da mesma forma que aprendeu a lidar com os objetivos. Reúna os fatos que puder olhando ao mesmo tempo para o quadro geral e para pequenos detalhes, dê um passo atrás, considere outras perspectivas, analise, priorize, faça perguntas e comunique-se clara e concisamente.

Em 1993, um restaurante da cadeia Denny's nos arredores de Washington, DC, foi acusado de discriminação racial contra clientes. Seis agentes negros e uniformizados do Serviço Secreto alegaram não terem sido servidos com a mesma rapidez que seus colegas devido à sua raça. A garçonete alegou que o atraso fora causado pelo grande contingente do Serviço Secreto – 21 pessoas entraram juntas no restaurante, com os seis agentes negros sentando-se a uma mesa –, pela complexidade dos pedidos e pelo fato de os agentes negros terem pedido por último. A prova do alegado preconceito? A garçonete foi vista revirando os olhos depois de ter deixado a mesa dos agentes negros. O resultado? Um processo coletivo da categoria.[8] Discriminação é difícil de provar. A garçonete fez de propósito? Só ela sabe.

A Denny's não perdeu tempo com o subjetivo – a garçonete discriminou ou não? –, mas, em vez disso, lidou imediatamente com a situação de forma objetiva, compreendendo que deveria superar a desconfiança do público de imediato mostrando uma oposição clara ao racismo e um respeito pelos seus clientes em geral. A Denny's assumiu a responsabilidade,[9] pediu desculpas, pagou uma indenização, instituiu novas políticas e comunicou diretamente ao público que, quer as acusações fossem verdadeiras ou não, a companhia não aceitaria sequer a aparência de um viés racial em seus restaurantes.

Áreas cinzentas diferem em tamanho, importância e contexto, mas surgem tanto na nossa experiência profissional como pessoal. Em qualquer uma das situações, uma resposta subjetiva pode aumentar o risco de uma escalada negativa e, ainda mais perigoso, obscurecer os fatos. Devemos responder objetivamente mesmo que a situação em si seja subjetiva. Agindo assim, pode ser que não sejamos capazes de eliminar problemas difíceis de resolver, mas podemos minimizar nossos riscos quando as coisas ficarem mais complicadas.

Ser criativo quando os recursos são esticados ao máximo

Adaptar nossas habilidades para o sucesso num mundo longe de perfeito significa não só administrar as áreas cinzentas, subjetivas, em volta e dentro de nós, mas também fazer o melhor que podemos com aquilo que temos. Em situações com deficiências chocantes – em informação, tempo, material, força de trabalho humana, dinheiro –, líderes não podem se omitir nem ir embora. Numa crise, não vamos preencher um relatório burocrático nem reclamar com nosso chefe. Fazemos o que for preciso sem o luxo de toda a informação, e num prazo aflitivamente curto. Ninguém tem dinheiro suficiente. Ninguém tem tempo ou recursos humanos suficientes. Os recursos de todo mundo são esticados ao máximo. Mas isso não precisa ser uma coisa ruim.

Como a necessidade é a mãe da invenção, assim também as pressões podem trazer o melhor de dentro de nós. Circunstâncias difíceis nos forçam a repensar, remoldurar e fazer as coisas de maneira diferente, em vez de conduzir os negócios como sempre.

El Anatsui, *Skylines* [Linhas do horizonte], 2008

Em arte, isto é chamado de "objet trouvé": fazer arte nova a partir de artefatos comuns tirados de seu contexto. O artista ganense El Anatsui é famoso por isso. Como você pode ver, ele cria magníficas peças do tamanho de salas que de longe parecem cintilantes mosaicos e são juntados para parecer tecido. De perto, vê-se que são feitos de minúsculos e incontáveis pedaços de metal torcidos e moldados, presos entre si com fio de cobre. Chegue ainda mais perto e você poderá ler palavras no metal: Dark Sailor, Top Squad, Chelsea.

Um dia, numa varredura rotineira em busca de material gratuito, local, com que pudesse trabalhar, El Anatsui descobriu seu meio. Havia uma profusão de material à beira das estradas na África Ocidental, jogado fora junto com o entulho: tampas metálicas de garrafas de bebida. Usando-as para fazer arte, ele por sua vez declara uma posição. São muitas as camadas de sua obra:[10] trata-se de uma beleza reaproveitada; de um comentário sobre temas do mundo, tais como refugo industrial; de uma empreitada comunitária realizada por grupos de pessoas; a obra é infinitamente flexível, nunca sendo exibida duas vezes da mesma maneira; é barata, criada literalmente a partir de lixo; é grande e poderosa e ainda assim suficientemente portátil para ser dobrada e enfiada numa mala.

Se o filho de um pescador nascido na Costa do Ouro pode fazer isso com fio e tampas de garrafas descartadas, o que podemos fazer com os nossos infinitos recursos? Até onde podemos ser criativos?

El Anatsui, *Oasis* (detalhe), 2008

A necessidade de ser criativo não aparece simplesmente com verbas trimestrais. Ela está sempre presente nas nossas finanças pessoais, nas nossas necessidades como pais, no nosso sistema de educação, no nosso governo e especialmente em emergências. Podemos ter confiança em face do caos quando sabemos que temos condições de ser criativos com os nossos recursos, qualquer que seja a situação. Para provar que podemos lidar efetivamente com um déficit, vamos usar as habilidades de observação, percepção e comunicação que aprendemos ao longo deste livro para analisar obras de arte que não estão terminadas.

A ansiedade do inacabado

O Metropolitan Museum of Art[11] em Nova York tem mais de duas dezenas de obras inacabadas em exposição – não escondidas em depósitos ou jogadas de lado, mas penduradas nas paredes, ao lado de seus tesouros acabados. Por quê? Porque os historiadores da arte acreditam que podem nos proporcionar a oportunidade de estudar o processo e apreciar o trabalho árduo, o talento e o pensamento inspirado que precedem o objeto completo. A vida, afinal de contas, é uma obra em progresso, e nem tudo está sempre acabado com um belo laço em cima.

Porém, nem todo mundo gosta de ver obras inacabadas. Espaços vazios onde deveria haver rostos, mãos faltando e rabiscos visíveis podem deixar alguns visitantes extremamente nervosos. Eles se sentem desconfortáveis não porque tenham transtorno obsessivo-compulsivo, mas porque são humanos.

Os seres humanos anseiam por completude, tanto que alguns psicólogos afirmam que temos um complexo em relação ao "incompleto". Sejam e-mails não abertos, pontas soltas no trabalho ou projetos de reformas da casa não executados, as coisas não acabadas se assentam sobre nós como um peso e assombram os cantos da nossa mente. O inacabado ocupa[12] o nosso cérebro porque os humanos, conforme evidenciado por numerosos estudos ao redor do mundo, têm a necessidade de terminar uma tarefa uma vez começada. A busca de encerramento provém da preferência do cérebro pela eficiência. Uma tarefa completa é uma laçada fechada. Uma tarefa incompleta é uma laçada aberta que utiliza energia cognitiva para buscar uma solução ou preocupar-se com a não existência de uma, ainda.

O fenômeno das tarefas incompletas dominando nosso pensamento é chamado de "efeito Zeigarnik". É batizado[13] com o nome da psicóloga russa Bluma Zeigarnik, que na década de 1930 estava num café quando notou que os garçons tinham memória excepcional apenas para os pedidos ainda não atendidos; no instante em que serviam a comida e a bebida, ficavam aliviados da pressão de pensar nelas. Muitos acreditam que é por causa do efeito Zeigarnik que programas de TV que acabam em cenas de suspense nos convencem a assistir a eles da vez seguinte, e a razão de programas de perguntas e respostas nos atraírem tanto. O dr. Tom Stafford, dos departamentos de psicologia e ciência cognitiva da Universidade de Sheffield, no Reino Unido, escreve: "Você pode não se importar com o ano em que a BBC foi fundada ou com a porcentagem de países no mundo que têm pelo menos uma lanchonete McDonald's, mas no momento em que alguém lhe faz a pergunta torna-se estranhamente irritante não saber a resposta (aliás, 1927 e 61%, respectivamente)."[14] Stafford, autor de *Mind Hacks* [Explorando a mente], chega a atribuir ao efeito Zeigarnik o duradouro sucesso do jogo Tetris. Inventado por um cientista russo em 1984 e ainda forte trinta anos depois, o Tetris tem sido jogado por um número estimado de 1 bilhão de pessoas porque "tira proveito do prazer básico da mente em fazer arrumação – usando-o contra nós".[15]

Coisas incompletas nos causam estresse. No seu livro *A arte de fazer acontecer*, o consultor de produtividade David Allen argumenta que a principal causa de ansiedade cotidiana é que todos nós sentimos ter coisas demais para fazer e tempo insuficiente para fazê-las, o que nos deixa frustrados, porque o nosso cérebro é subconscientemente obcecado com o incompleto. Segundo Allen, a obsessão é relativamente democrática em relação a todas as tarefas, incluindo "tudo desde itens realmente importantes como 'acabar com a fome no mundo' até o mais modesto 'contratar um novo assistente' ou uma tarefa mínima como 'substituir o apontador de lápis elétrico'".[16]

Coisas incompletas que ameaçam a nossa produtividade não se limitam a tarefas do tipo "por fazer". Incluem também tudo que internamente nos propusemos a fazer, tal como o subentendido implícito de que devemos responder a todo e-mail, retornar toda ligação telefônica e responder a toda pergunta que nos é feita. A aflição do incompleto pode afetar gerentes corporativos e editores de noticiários tanto quanto estudantes ou pais que ficam em casa. Não precisamos manter uma lista consciente de quantas coisas incompletas estão circulando pela nossa mente para saber que elas minam a nossa energia e atenção. Coisas acumuladas nos deixam loucos.

E assim como acontece com outras coisas que nos causam desconforto, nós as evitamos. O que as torna ainda piores.

Em vez de fugir das tarefas incompletas, vamos iludir o nosso cérebro para não ser apanhado nesse infinito círculo vicioso; o que faremos é lidar com elas como se estivessem completas. E o faremos – você já adivinhou – usando arte.

Acabando o inacabado

Famosas obras de arte são deixadas inacabadas pelos mesmos motivos que projetos, promoções e problemas nos locais de trabalho deixam de ser executados, preenchidos e resolvidos: política, desastres, indecisão, mudanças de orientação vindas de cima, morte ou doença, falta de tempo, dinheiro ou recursos. A capacidade[17] de assumir algo no ponto em que outra pessoa o abandonou é inestimável, especialmente agora, quando a rotatividade anual no emprego em todas as indústrias está acima dos 40%, nos Estados Unidos, e espera-se que novos trabalhadores completem com êxito projetos que não foram iniciados por eles. Se pudermos separar a nossa emoção subjetiva referente a um projeto inacabado – nossa decepção ou frustração em ter de trabalhar com o menos-que-perfeito – dos fatos objetivos, descobriremos que, sob muitos aspectos, trabalhar com o incompleto não é diferente de trabalhar com o completo.

Dê uma olhada nesse esboço inacabado de Gustav Klimt:

Podemos avaliá-lo e analisá-lo objetivamente? Sim. Os elementos importantes estão todos aí.

Quem é? Uma mulher de cabelo escuro, face alongada, olhos claros, sobrancelhas escuras e nariz fino. Podemos ver os dedos magros da mão direita pousados sobre o colo; a mão esquerda não está visível. Ela parece estar sozinha. Veste uma gola de renda com uma fita preta que sugere que ela seja do início do século XX, ou pelo menos está vestida no estilo da época.

O que ela está fazendo? Está sentada, olhando bem em frente, como se posando para um retrato. Onde ela está? Parece estar num recinto interno, possivelmente um ateliê ou outro local que não pode ser descrito.

Quando se passa a cena? Provavelmente durante o período diurno, a julgar pela iluminação. Não podemos saber a época do ano.

O que não sabemos? Seu nome, sua relação com o pintor, onde ela está posando, qual é a aparência do restante do seu vestido ou da sua cobertura, por que ela está ali, por que a pintura não foi acabada.

O que gostaríamos de saber acima de tudo se pudéssemos obter mais informação? Aquilo que responderia à maioria das perguntas? Quem ela é.

Mesmo que o quadro em si esteja inacabado, podemos usar os fatos objetivos que conhecemos para descobrir mais.

Sabemos que a obra é de Klimt. Por que foi completada só até a metade? Investigando no que Klimt trabalhava perto do fim da vida, podemos descobrir que o esboço é o começo de um retrato que ele pintou em Viena entre 1917 e 1918. Foi deixado inacabado quando ele morreu subitamente de um derrame aos 56 anos.

Então agora temos um tempo e um lugar. Seguindo essas pistas, com um pouco de pesquisa histórica podemos descobrir que o retrato no qual Klimt estava trabalhando em 1917 era de uma mulher chamada Amalie Zuckerkandl, e a partir daí a história floresce.

Amalie Zuckerkandl conhecia todas as pessoas certas. Era cunhada da boa amiga de Klimt Berta Zuckerkandl – crítica de arte, jornalista, organizadora de um salão literário e amiga de Therese Bloch-Bauer, cunhada de um dos maiores patronos de Klimt, o barão do açúcar judeu Ferdinand Bloch-Bauer. Ferdinand Bloch-Bauer encomendou o retrato de Amalie junto com pelo menos sete outros, inclusive dois de sua esposa, Adele. Os nazistas entraram em Viena em 1938, espalhando o caos tanto para os cidadãos judeus quanto para os artistas residentes. Enquanto sua filha Hermine conseguiu se esconder a salvo na Baviera, Amalie foi executada num campo de concentração.

O quadro estava na época pendurado com outros Klimts no palácio de Ferdinand Bloch-Bauer em Viena. Embora Bloch-Bauer tenha conseguido fugir para seu castelo na Tchecoslováquia, contratou um advogado em Viena para proteger sua propriedade; o advogado acabou se revelando um oficial de alta patente da SS, que então ajudou a entregar seu patrimônio para os nazistas. O palácio vienense de Bloch-Bauer acabou se tornando um centro ferroviário alemão e hoje é a sede ferroviária austríaca.

A pintura de Amalie ficou perdida por alguns anos, mas acredita-se que tenha sido adquirida pelo genro não judeu de Amalie, que a vendeu a uma negociante de arte. Esta conservou o quadro em sua coleção particular e o doou à Galeria Austríaca em 2001, quando morreu com a idade de 101 anos. Em 2006,[18] um painel de arbitragem austríaco determinou que todas as obras roubadas, inclusive o *Retrato de Amalie Zuckerkandl (inacabado)*, voltassem para os herdeiros de Bloch-Bauer, mas depois mudou de ideia e decidiu que Amalie devia permanecer na Áustria.

Jamais teríamos desencavado esta rica e fascinante história se tivéssemos nos mantido longe do Klimt por estar inacabado. Em vez disso, o abordamos da mesma maneira que abordamos uma obra acabada: com plano e processo metódicos. Estarmos preparados para usar nossas habilidades em circunstâncias longe de ideais, nas quais faltam coisas importantes, pode nos preparar para sinucas de bico capazes de assustar outras pessoas: demissões, afastamentos, partidas súbitas, más contratações, mudanças drásticas em política, regras e regulamentos. Precisamos agir diante dessas situações mesmo tendo apenas informação ou recursos incompletos. Fiz exatamente isso tarde da noite num hotel em Washington, DC, e fiquei mais do que satisfeita com o resultado, que possivelmente salvou uma vida.

Estou sempre em Washington por razões profissionais, e costumo ficar no mesmo hotel no centro com tanta frequência que eles chegam a me dar presentes de aniversário. Entretanto, durante uma estada fui acordada às duas da madrugada por gritos do lado de fora da porta.

"Não vou deixar você fazer isso comigo de novo! Vou ligar para a emergência, juro que vou!", uma voz de mulher berrava no corredor.

Saí da cama e espiei pelo olho mágico; não vi nada. Como viajante solitária experiente, sabia que era melhor não abrir a porta e me colocar em risco. Os gritos continuaram.

Eu tinha um quadro bastante incompleto do que estava se passando. Não sabia quem estava envolvido, como se conheciam ou o contexto da sua comunicação. Mas podia ouvir o tom de voz da mulher, e disse a mim mesma que ela podia estar em apuros.

Liguei para a recepção e relatei o que tinha ouvido. Tomei muito cuidado de articular somente o que sabia: o que tinha ouvido sendo dito, onde e quando. A recepção chamou a polícia.

Uma hora depois recebi uma ligação do hotel perguntando se eu daria meu depoimento para os policiais que estavam lá agora. Eu era a única "testemunha auditiva" da discussão, a única pessoa no hotel que tinha ligado para reportar o incidente. Tenho certeza de que não fui a única pessoa que ouviu a gritaria. Havia sido muito alta e durado bastante tempo. Acredito que outros hóspedes não tenham tomado a iniciativa por causa da informação incompleta. Não sabiam o que estava acontecendo, então ignoraram o fato. Eu também não sabia, mas toda a minha carreira profissional, de advogada a chefe de educação e presidente da Arte da Percepção, tinha me ensinado a não ignorar nada.

Durante a minha entrevista, fui franca e direta sobre o que sabia ou não. O que eu tinha ouvido era incompleto, assim tanto as minhas observações quanto percepções eram incompletas. Mas a falta de informação não me impediu de cooperar. Transmiti os fatos que sabia, deixando de fora o subjetivo, minhas opiniões e suposições: aproximadamente às 2h15 da manhã, acordei com gritos no corredor do lado de fora do meu quarto, 226; fui até a porta, espiei pelo olho mágico e não vi nada; ouvi uma voz de mulher gritando e contei exatamente o que tinha ouvido, como eu me lembrava; também ouvi uma voz masculina junto com ela, mas não consegui discernir o que dizia; a gritaria e a discussão continuaram por pelo menos quinze minutos.

A polícia encontrou a mulher escondida no saguão de entrada atrás da mobília. Ela era empregada a contragosto como profissional do sexo e estava brigando com seu cafetão. Porém, em vez de ser uma situação do tipo ele-disse, ela-disse, a polícia tinha uma terceira parte imparcial confirmando que a mulher dissera o que dissera, que não era uma briga de amantes como o homem alegava. Como resultado, a polícia foi capaz de interceptar uma cadeia de prostituição que vinha operando fora do hotel.

Podemos empregar as mesmas técnicas com outras coisas incompletas em nossas vidas. Por exemplo, digamos que a longa lista de e-mails não lidos na sua caixa de entrada esteja atualmente entupindo o seu cérebro. Em vez de deixar o subjetivo tomar conta – *Nunca vou conseguir ler todos eles! É demais!* –, procure fatos objetivos do mesmo modo que os procuraria numa obra de arte acabada. Comece com números. Conte quantos você recebe por dia, e calcule quantos consegue responder razoavelmente. Determine quando eles entram, e então programe um horário todo dia para não se concentrar em nada além de e-mails.

Pergunte a si mesmo quais são as diferenças entre o completo e o incompleto neste caso. E-mails incompletos são lidos e não lidos, mas igualmente não respondidos. E-mails completos são lidos e respondidos. Você pode fazer algo para tratar os incompletos como se fossem completos? Talvez você possa ler todos os e-mails de uma vez, sem respondê-los, mas visando separá-los e priorizá-los. Não tem tempo de responder todos com a rapidez que gostaria? Elimine esse estresse fazendo o que faria para completar: responda-os com uma autorresposta automática. O colunista Kevin Daum da *Inc.* sugere: "Obrigado, recebi o seu e-mail. Só estou um pouco ocupado, mas responderei em um ou dois dias."[19]

Surpreendentemente, o simples fato de planejar introduzir este novo protocolo de e-mail, de atacar o incompleto como se fosse completo, alivia grande parte do estresse que nos leva a evitar a situação, quer tenhamos êxito em implantá-lo ou não. Numa série de estudos em 2011,[20] psicólogos da Universidade Estadual da Flórida descobriram que o mero ato de planejar não só eliminava a interferência mental causada pelas metas não realizadas, mas liberava recursos cognitivos, o que, em última análise, facilitava a realização da meta. Ou, como diz o dr. Stafford: "[Nossa] mente adora quando um plano é montado – o simples ato de planejar como fazer algo nos libera do fardo de tarefas inacabadas."[21]

Como vimos ao longo deste livro, a capacidade de ver com clareza, processar e comunicar-se em qualquer situação traz enormes benefícios, tanto no âmbito profissional quanto pessoal, inclusive em termos de segurança no trabalho, segurança pessoal, ganho financeiro e respeito universal – gratificações imensas para um processo fácil e quase automático que qualquer um, com um pouco de prática, pode dominar.

Conclusão: A sua obra-prima

Quando o futuro herói da CNN Derreck Kayongo saiu do chuveiro do seu quarto de hotel com questões sobre um minúsculo sabonete, jamais sonhou que uma pequena observação poderia ter um impacto internacional tão grande. Em cinco anos, desde que se inspirou para fundar o Global Soap Project, Kayongo viu sua ideia inicial de reutilizar refugos multiplicar-se muitas e muitas vezes. O que começou com o simples ato de pegar sabonetes descartados por hotéis americanos, desinfetá-los e distribuí-los para pessoas de sua nativa Uganda que não tinham meios sequer de lavar as mãos se transformou rapidamente numa revolução de higiene. Sua instituição beneficente desde então evoluiu para ajudar a conter a propagação do ebola em Serra Leoa e trabalhar com parteiras para prevenir infecção puerperal evitável, também conhecida como "febre de berço", que regularmente mata, nos países em desenvolvimento, mães que acabaram de dar à luz. E, numa iniciativa que fecha o ciclo de sua jornada empreendedora e humanitária, Kayongo agora oferece microempréstimos para fabricantes locais de sabão, como seu pai, para que possam contribuir tornando suas próprias comunidades mais saudáveis.

O mais surpreendente, porém, são as transformações que Kayongo testemunhou pessoalmente. Durante sua primeira entrega de 5 mil sabonetes recém-reciclados para uma aldeia em Kisumu, no Quênia, as coisas não correram conforme o planejado.

Ele se recorda: "As mães fizeram fila com suas crianças, sorrindo e dando risadas, enquanto eu empilhava os sabonetes sobre pequenas mesas. Eu lhes contei a história do sabão. Disse: este não é um sabonete comum. Ele foi feito com amor por voluntários americanos especialmente para vocês. Este é o sabão da esperança."

Quando retornou na manhã seguinte para ver se as mulheres tinham gostado do sabão, ficou sabendo que a maioria havia tido medo de usá-lo.

"Você disse que era o sabão da esperança", alguém afirmou. "Que foi feito com amor especialmente para nós. Não podíamos usar uma coisa tão preciosa!"

"Ah, não!", ele se lembra de ter dito. "Eu disse a elas: vocês precisam usar! Vocês precisam ir tomar banho!"

Então uma das aldeãs, uma mulher magra com grandes olhos, veio a ele e confessou que tinha usado o sabonete, mas não do jeito que ele imaginava.

Ela disse: "Peguei o sabonete, e o cheiro era tão maravilhoso que eu pus um pouco de água nele e apliquei sobre todo o meu corpo."

"Sobre o corpo inteiro?", Kayongo perguntou.

"Sim, no corpo inteiro", disse ela, sorrindo. "E não enxaguei para tirar."

"Por quê?", indagou ele.

E ela respondeu: "Por que nunca antes eu tive cheiro de menina."

Kayongo ficou atordoado ao compreender que, quando reconhecemos e agimos até mesmo sobre as menores coisas, temos o poder de mudar vidas.

Esta é a verdadeira lição de ver o que realmente importa – que perceber o despercebido, o comum ou o aparentemente sem importância pode não só ajudar a resolver o nosso problema inicial ou cimentar o nosso sucesso, mas também produzir efeitos colaterais inesperados, lindos, capazes de mudar paradigmas. Efeitos colaterais que causam impacto sobre nós e o mundo ao nosso redor mais do que julgávamos possível. O sabonete desembrulhado salva vidas. Uma fotografia granulada de uma vaca evoluiu de uma aula sobre acuidade visual para um programa de treinamento militar que detectava acuradamente aeronaves inimigas durante a Segunda Guerra Mundial. Um zíper sem zíper inspirado por carrapichos na natureza mudou a indústria da moda, mas também possibilitou a vida e o trabalho no espaço.

O que eu ensino não é ciência espacial. Com todo o devido respeito aos cientistas espaciais do mundo, penso que é ainda melhor. Porque quando você redesperta os seus sentidos e remobiliza o seu senso de inquirição, as possibilidades de mudança transformativa são infinitas.

Mesmo tendo recebido ao longo dos anos milhares de testemunhos de participantes que passaram pela Arte da Percepção, fiquei surpresa e encantada quando recebi o primeiro para este livro, antes mesmo de ser publicado. Veio da única pessoa que podia tê-lo dado, já que ninguém mais podia ter lido o livro ainda: meu editor, Eamon Dolan, um comunicador profissional de primeira categoria que eu não imaginava que pudesse precisar de aulas adicionais de percepção.

Depois de meses imerso no meu mundo (e nos meus originais), ele estava no metrô indo para o trabalho quando notou uma mulher do outro lado do corredor que parecia estar desconfortável. Ela buscava freneticamente algo na bolsa, e parecia estar soluçando. Quando começou a tossir e engasgar, algumas pessoas lhe perguntaram o que ela tinha, mas ela não conseguia falar. Quando o trem parou na estação, alguns passageiros simplesmente se entreolharam como que se perguntando o que fazer, e um deles tentou confortar a mulher.

Eamon saiu correndo do vagão e foi pela plataforma até o meio do trem, onde encontrou a condutora com a janela aberta.

"Você precisa tirar este trem de serviço agora e chamar a assistência médica", disse Eamon. "Há uma mulher no segundo vagão – acho que ela está tendo um ataque de asma, e não consegue achar a bombinha de inalação."

O trem permaneceu na estação, e então chegaram a polícia e os paramédicos, que cuidaram da mulher. Quando a ajudaram a descer do trem, ela ainda respirava com dificuldade, mas tinha parado de tossir e conseguia falar. Confirmou que estava tendo uma crise de asma e não conseguia localizar sua bombinha. Como 80% das mortes por asma podem ser evitadas com tratamento médico normal mas muitas vezes ocorrem quando adultos se esquecem de levar a bombinha, Eamon pode ter salvado a vida da mulher.

"Antes de editar o seu livro", ele me contou depois, "eu não teria feito isso. Não porque não desse a mínima, mas porque não teria observado com tanta atenção como observei, agido tão depressa como agi ou me comunicado tão bem como me comuniquei. Trabalhar no seu livro criou em mim o hábito de observar melhor as coisas à minha volta – então eu sabia que a mulher e eu estávamos no segundo vagão a partir do meio do trem, notei a mulher respirando de um jeito esquisito e me lembrei que os condutores ficam no meio do trem e geralmente abrem a janela na estação, ao contrário dos motorneiros, que se sentam na frente."

Inteligência visual não apenas aguçou as habilidades de observação de Eamon; também o ajudou a estabelecer um novo padrão de pensamento. Ao listar os processos com os quais se envolvera instantaneamente, ele podia muito bem estar me acompanhando através dos capítulos do livro. Reconheceu que outros passageiros viam a situação de maneira diferente, e não permitiu que isto alterasse a sua própria percepção (capítulo 3). Notou o quem, o quê, o quando e o onde da cena (capítulo 4). Percebeu detalhes tais como o número específico do vagão em que havia embarcado (capítulo 5), analisou a cena de diferentes ângulos (capítulo 6) e reconheceu o que estava faltando: a bombinha de asma (capítulo 7). E também me disse que a lição do capítulo 7 sobre priorizar informação havia permanecido com ele, então soube dizer ao condutor a coisa mais importante primeiro: parar o trem em vez de deixar a estação. E empacotou suas observações com uma mensagem confeccionada especialmente para sua interlocutora (capítulo 8).

"Você me tornou mais alerta para a escolha de palavras", disse ele. "Então usei a linguagem da companhia do metrô – 'fora de serviço', 'assistência médica' – para a condutora absorver a mensagem com mais facilidade e rapidez."

Ele concluiu que *Inteligência visual* lhe dera a coragem de agir depressa e oferecer um palpite embasado sobre o que estava fazendo mal à mulher, apesar de ter informação incompleta (capítulo 11). Este último pedaço eu entendi muito bem – assim como a sensação de felicidade que vem junto –, porque foi desse jeito que me senti depois que a polícia me contou que eu tinha ajudado a desmontar uma rede de prostituição no hotel. Quando você mexe com a sua inteligência visual, você se transforma – num superdetetive, num solucionador de casos e num anjo da guarda, tudo numa coisa só. Você sente que descobriu um mundo secreto que estava ali o tempo todo.

Todo dia tenho a felicidade de ver pessoas do mundo inteiro – professores do ensino médio, analistas de inteligência, CEOs citados na revista *Fortune*, estudantes, servidores públicos, pais – descobrirem um poder que não sabiam que tinham. O mesmo poder que você tem. É por isso que não posso parar de ensinar A Arte da Percepção, e é por isso que fico tão entusiasmada de compartilhar com você estes mesmos segredos. Mal consigo esperar para saber como você vai mudar a sua própria vida e a vida das pessoas à sua volta usando as faculdades e habilidades fantásticas com as quais nasceu.

Na sua busca pelo quadro geral, lembre-se de não perder de vista os pequenos detalhes.

Não tenha medo da complexidade, e não se apresse em julgar. Dê um passo atrás e separe as coisas, uma camada de cada vez, da mesma forma que faria com uma obra de arte complexa. Comece do ponto zero. Priorize segundo a importância. Certifique-se de ter considerado todos os dados possíveis. Você deixou de ver uma mesa de mogno?

Sempre faça perguntas, especificamente sobre si mesmo. Não importa quão "óbvio" algo lhe pareça, declare o que vê, porque é possível que ninguém mais veja. Não se esqueça do básico; diga que uma cena é uma foto e a outra, uma pintura. Para cristalizar a sua comunicação, assuma que a pessoa com quem você está se comunicando não consegue ver nada do que você está vendo. Pergunte a si mesmo: "Eu fui o mais claro possível? Fiz as perguntas certas para extrair as respostas de que necessito?"

Assegure-se de estar lidando apenas com fatos objetivos. Descreva o que vê sem deixar emoções e suposições bloquearem a sua percepção. Não se divorcie da experiência, mas esteja ciente dela e de como ela pode afetá-lo, de modo a não se deixar levar por suposições falsas.

Quando escolhemos ver o mundo de maneira diferente, com olhar crítico, estamos escolhendo ser excepcionais. Para ajudá-lo a perceber quão longe chegou e o quanto agora é excepcional, convido você a voltar e olhar um dos nossos primeiros quadros, *O retrato*, de René Magritte, na p.41. O que era a princípio uma natureza-morta simples, ainda que estranha – ou talvez uma figura traçada sem muito pensar –, está agora plena de possibilidades. Note as relações e justaposições, as manchas e reflexos agudos, as texturas, os cheiros, o realista e o fantástico. O que você vê agora que não viu antes? A pintura em si não mudou. Você mudou. Agora você está vendo o que importa.

Notas

Introdução (p.11-18)

1. Christine DiGrazia, "Yale's Life-or-Death Course in Art Criticism", *New York Times*, 19 mai 2002.
2. Ellen Byron, "To Master the Art of Solving Crimes, Cops Study Vermeer", *Wall Street Journal*, 27 jul 2005.
3. Neal Hirschfeld, "Teaching Cops to See", *Smithsonian*, out 2009.
4. Citado em Mike Newall, "A Course Uses Art to Sharpen Police Officer's Observation", *Philadelphia Inquirer*, 18 mai 2013.
5. Elizabeth Day, "The Street Art of JR", *Guardian*, 6 mar 2010.

1. Leonardo da Vinci e perder a cabeça (p.21-40)

1. As citações de Kayongo são de entrevista com a autora, set 2014. Para saber como você pode participar, visite o Global Soap Project, em www.globalsoap.org.
2. Segundo o Projeto Sabão Global, os hotéis no Estados Unidos jogam fora cerca de 2,6 milhões de sabonetes todos os dias.
3. Ebonne Ruffins, "Recycling Hotel Soap to Save Lives", CNN, 16 jun 2011.
4. Joel Greenberg, "Coat, Backpack, Sweat: Close Call in Israeli Café", *New York Times*, 8 mar 2002, www.nytimes.com/2002/03/08/world/coat backpack-sweat-close-call-in-israeli-café.html.
5. Velcro Industries BV, "Velcro Industries History and George de Mestral", www.velcro.com/About-Us/History.aspex.
6. Lori Weiss, "One Woman's Egg-Cellent Idea Is Turning Her into a Millionaire", *Huffington Post*, 9 jan 2013, www.huffingtonpost.com/2013/01/05/one-womans-egg-cellent-id-marlo-thomas-it-aint-over_n_2412204.html.
7. Leander Kahney, "John Sculley on Steve Jobs, The Full Interview Transcript", *Cult of Mac*, 14 out 2010, www.cultofmac.com/63295/john-sculley-on-steve-jobs-the-full-interview-transcript.
8. Michael J. Gelb, *How to Think Like Leonardo da Vinci: Seven Steps to Genius Every Day*, Nova York: Delacorte Press, 1998.
9. Society for Neuroscience, *Brain Facts: A Primer on the Brain and Nervous System*, 7.ed., www.brainfacts.org.
10. Dr. Sebastian Seung, entrevista com a autora, set 2014. Um imenso agradecimento ao dr. Seung. Para um livro fantástico sobre ciência do cérebro, assegure-se de

ler seu *Connectome: How the Brain's Wiring Makes Us Who We Are*, Nova York: First Mariner Books, 2013.

11. A *Encyclopedia of Neuroscience* classifica oficialmente a retina como "uma verdadeira parte do cérebro deslocada para o olho durante o desenvolvimento". *Encyclopedia of Neuroscience*, org. Larry R. Squire, Filadélfia: Academic Press, 2009, verbete "retina".
12. Aderi à comunidade EyeWire, em www.eyewire.org em agosto de 2014; Joe Palca, "Eyewire: A Computer Game to Map the Eye", *Joe's Big Idea*, NPR, 5 mai 2014.
13. Michael Land, *Encyclopedia Britannica Online*, acesso em 11 ago 2015, www.britannica.com/science/photoperception, verbetes "photoperception; biology" e "Sensory Reception: Human Vision: Structure and Function of the Human Eye".
14. Palca, "Eyewire", op.cit.
15. Lauran Neergaard, "At Age 40, Both Brain and Body Start to Slow", *NBC News*, Associated Press, 3 nov 2008; Karlene K. Ball, Daniel L. Roenker e John R. Bruni, "Developmental Changes in Attention and Visual Search Through Adulthood", *The Development of Attention Research and Theory*, org. James T. Enns, Nova York: North-Holland, 1990, p.489-92; Meghomala Das, David M. Bennett e Gordon N. Dutton, "Visual Attention as an Important Visual Function: An Outline of Manifestations, Diagnosis and Management of Impaired Visual Attention", *British Journal of Ophthalmology*, vol.92, n.11 (nov 2007), p.1556-60.
16. Marian Cleeves Diamond, "The Brain... Use It or Lose It", *Mindshift Connection*, vol.1, n.1, reimpresso no website da Johns Hopkins School of Education, education.juh.edu/PD/newhorizons/Neurosciences/articles/The%20Brain...Use%20it%20or%20Lose%20It.
17. Jennifer L. Roberts, "The Power of Patience", *Harvard Magazine*, nov-dez 2013.
18. Melinda Beck, "Anxiety Can Bring Out the Best", *Wall Street Journal*, 18 jun 2012.
19. Alexander Graham Bell, "Discovery and Invention", *National Geographic*, vol.25 (jun 1914), p.650.
20. Yue Wang, "More People Have Cell Phones Than Toilets, U.N. Study Shows", *Time*, 25 mar 2013; e Victoria Woollaston, "How Often Do You Check Your Phone?, *Daily Mail*, 8 out 2013.
21. "E-mails 'Hurt IQ More Than Pot'", CNN, 22 abr 2005.
22. Travis Bradberry, "Multitasking Damages Your Brain and Career, New Studies Suggest", *Forbes*, 8 out 2014.
23. ABC Science, "Impacts of Multi-Tasking", Australian Broadcasting Corporation Science em conjunto com a University of Queensland's School of Psychology, o Queensland Brain Institute e o Science of Learning Centre, National Science Week 2011, www.multitaskingtest.net.au.
24. Steve Sisgold, "Is Too Much Juggling Causing Your Brain Drain?", *Psychology Today*, 26 fev 2014.
25. Regina Johnson, "The Battle at the Hilton and Beyond", *Socialist Worker*, 20 out 2010; "Creating Luxury, Enduring Pain: How Hotel Work Is Hurting Housekeepers", *Unite Here*, abr 2006.

26. Jane Levere, "America's Dirtiest Hotels", ABC News, 27 jul 2011.
27. Lawrence LeBlond, "Hotel Rooms Swarming with Nasty Bacteria", *Red Orbit*, 12 jun 2012.
28. Adam Savage, "Commencement Keynote Address", Sarah Lawrence College, 18 mai 2012, www.slc.edu/news-events/commencement/adam-savage-commencement-keynote-address.html.
29. Adam Savage, "Get Noticed. Get Promotes", discurso, Maker Fair Bay Area, San Mateo, CA, 19 mai 2013.
30. Pam A. Mueller e Daniel M. Oppenheimer, "The Pen Is Mightier Than the Keyboard", *Psychology Science*, jun 2014.
31. Justin Massoud, "Beyoncé Tells Fan 'Put That Damn Camera Down' During Show", K94-5 FM, 18 jul 2013.
32. Daphne Merkin, "All Those Phone Lights? A Don't", *Glamour*, set 2014.
33. Arvind Suresh, "Citizen Powered Neuroscience with Project EyeWire – Using Your Neurons to Map the Brain!", *Discover*, 20 mai 2014.
34. Meredith Raine-Middleton, "A Picture of Health", *University of Texas Houston Medicine*, 30 mai 2003.
35. Roberts, "Power of Patience", op.cit.
36. Isaac Newton, *The Principia: Mathematical Principles of Natural Philosophy*, Nova York: Snowball Publishing, 2010 [1687].
37. Em *The Art of Scientific Investigation*, o cientista William Ian Beardmore Beveridge escreve que habilidades de observação excepcionais são mais importantes do que "grande acúmulo de aprendizagem acadêmica" e define observação como "não assistir passivamente, mas um processo mental ativo". W.I.B. Beveridge, *The Art of Scientific Investigation*, Nova York: W.W. Norton, 1957, p.104.

2. Habilidades elementares (p.41-55)

1. Katherine Ramsland, "Observe Carefully, Deduce Shrewdly: Dr. Joseph Bell", *Forensic Examiner*, 18 ago 2009.
2. Ibid.
3. Ibid.
4. Carolyn Wells, *The Techniques of the Mystery Story*, Springfield, MA: Home Correspondence School, 1913.
5. Ibid.
6. Ibid.
7. Joseph V. Klauder, "Sherlock Holmes as a Dermatologist, with Remarks on the Life of Dr. Joseph Bell and the Sherlockian Method of Teaching", *AMA Archives of Dermatology and Syphilology*, vol.68, n.4 (out 1953), p.368-77.
8. Wells, *Techniques of the Mystery Story*, op.cit.
9. Harold Emery Jones, "The Original of Sherlock Holmes", *Conan Doyle's Best Books in Three Volumes: A Study in Scarlet and Oher Stories; The Sign of Four and Other*

Stories; The White Company and Beyond the City, Nova York: P.F. Collier & Son, 1904.

10. Ibid.
11. "Fiction Imitates Real Life in Case if True Inspiration", *Irish Examiner*, 4 nov 2011.
12. Wells, *Techniques of the Mystery Story.*
13. Arthur Conan Doyle, *The Adventures of Sherlock Holmes*, Vancouver: Engage Books, 2010, p.6 [ed. bras., *As aventuras de Sherlock Holmes*, Rio de Janeiro, Zahar, ed. bolso de luxo, 2012, p.11].
14. Daniel B. Schneider, "F.Y.I", *New York Times*, 28 jun 1998.
15. Você pode assistir a um trecho de sua palestra online no website da *Princeton Alumni Weekly*: Michael Graziano, "Video: Consciousness and the Social Brain (Excerpt)", paw.princeton.edu/issues/2014/04/23/pages/0973/index.xml.
16. A inovadora teoria do esquema de atenção proposta por Graziano apresenta uma abordagem completamente diferente para explicar a consciência, argumentando que é uma essência física. Para mais informações, recomendo intensamente a leitura de seu livro *Consciousness and the Social Brain*, Nova York: Oxford University Press, 2013 ou os seguintes artigos: Anil Ananthaswamy, "How I Conjure a Social Illusion with Ventriloquism", *New Scientist*, 9 jun 2014; e Y.T. Kelly et al., "Attributing Awareness to Oneself and to Others", *Proceedings of the National Academy of Sciences USA*, vol.111, n.13 (2014), p.5012-17.
17. Dr. Michael Graziano, entrevistas com a autora, set 2014. Um imenso agradecimento ao dr. Graziano pelas suas pacientes explicações e maravilhosa hospitalidade. Para saber mais sobre a teoria do esquema de atenção do dr. Graziano, e sobre a neurociência da consciência, confira seu livro de facílima leitura, *Consciousness and the Social Brain*, op.cit.
18. Daniel J. Simons e Christopher F. Chabris, "Gorillas in Our Midst: Sustained Inattentional Blindness for Dynamic Events", *Perception*, vol.28 (9 mai 1999), p.1059-74.
19. Alix Spiegel, "Why Even Radiologists Can Miss a Gorilla Hiding in Plain Sight", *Morning Edition*, NPR, 11 fev 2013.
20. Após dez anos recorrendo, tempo durante o qual teve a permissão de permanecer livre, a condenação de Kenneth Conley foi cancelada e ele foi inocentado e autorizado a voltar à força policial com remuneração retroativa. Entretanto, suas acusações não foram invalidadas devido a uma súbita crença da corte em cegueira de atenção, mas porque se descobriu que o promotor na época deixou de apresentar toda a evidência. Conley continua a servir no Departamento de Polícia de Boston e em 2013 esteve envolvido na captura de Dzohkar Tsarnaev, suspeito do ataque da Maratona de Boston. "Kenneth Conley", *National Registry of Exonerations*, A Joint Project of Michigan Law and Northwestern Law, www.law.umich.edu/special/exoneration/Pages/casedetai.aspx?caseid=3120; e Kathy Curran, "New Details Uncovered About Suspect's Arrest", WCVB5, ABC News, 26 abr 2013.
21. Christopher F. Chabris et al., "You Do Not Talk About Fight Club If You Do Not Notice Fight Club: Inattentional Blindness for a Simulated Real-World Assault",

Iperception, 9 jun 2011; e Alix Spiegel, "Why Seeing (the Unexpected) Is Often Not Believing", *Morning Edition*, NPR, 20 jun 2011.

22. Henry Oakley, "Other Colleges Say –", *The Technique*, jornal estudantil do George Institute of Technology, 9 dez 1949, smartech.gatech.edu/bitstream/handle/1853/19396/1949-12-09_33_43.pdf.
23. Todd W. Thompson et al., "Expanding Attentional Capacity with Adaptive Training on Multiple Object Tracking Task", *Journal of Vision*, vol.11, n.11 (23 set 2011), p.292; Hoon Choic e Takeo Watanabe, "Changes Induced by Attentional Training: Capacity Increases Vs. Allocation Changes", *Journal of Vision*, vol.10, n.7 (2 ago 2010), p.1009; e Jennifer O'Brien et al., "Effects of Cognitive Training on Attention Allocation and Speed of Processing in Older Adults: An ERP Study", *Journal of Vision*, vol.11, n.11 (23 set 2011), p.203.
24. Karen N. Peart, "Artwork Can Sharpen Medical Diagnostic Skills, Yale Researchers Report", *Yale News*, 4 set 2001.
25. O estudo descobriu que estudantes de medicina que participaram da sessão de treinamento visual no museu de arte aumentaram sua habilidade de diagnóstico relativa a lesões dermatológicas em 56%. Ver Jacqueline C. Dolev, Linda K. Friedlander e Irwin M. Braverman, "Use of Fine Art to Enhance Visual Diagnostic Skills", *Journal of the American Medical Association*, vol.286, n.9 (set 2001), p.1019-21.
26. Peart, "Artwork Can Sharpen", op.cit.
27. Dra. Allison West, entrevista com a autora, 28 jun 2014. Estou em dívida com a dra. West não só por ter partilhado comigo suas experiências, mas por trabalhar incansavelmente para garantir que o programa A Arte da Percepção continuasse na Escola de Medicina da Universidade de Nova York.
28. "The Graduates", Best Doctors, *New York*, 3 jun 2012, nymag.com/health/bestdoctors/2012/medical-school-graduates.
29. W.I.B. Beveridge, *The Art of Scientific Investigation*, Nova York: W.W. Norton, 1957, p.105.
30. "Read Any Good Records Lately?", *Time*, 4 jan 1982.

3 O ornitorrinco e o Ladrão de Casaca (p.56-79)

1. Adam Green, "A Pickpocket's Tale", *New Yorker*, 7 jan 2013.
2. Ruth Oosterman, entrevista com a autora, abr 2015. Você pode ler mais sobre Ruth no seu website, www.ruthoosterman.com, e no seu blog, *The Mischievous Mommy*, themischieviousmommy.blogspot.ca, e adquirir reproduções impressas na sua loja no Etsy, Eve's Imagination: www.etsy.com/ca/shop/EvesImagination. Outras referências para esta história: Ruth Oosterman, "Through a Child's Eyes", *The Mischievous Mommy*, 8 set 2014, themischieviousmommy.blogspot.ca/2014/09/through-a-childs-eyes.html; e Rachel Zarrell, "This Artist Turns Her 2-Year-Old's Doodles into Gorgeous Paintings", *BuzzFeed*, 7 set 2014.

3. Daniel L. Schachter, Daniel T. Gilbert e Daniel M. Wegner, *Psychology*, Nova York: Worth, 2011, p.125-71.
4. Don DeLillo, "In the Ruins of the Future: Reflections on Terror and Loss in the Shadow of September", *Harper's Magazine*, dez 2001.
5. Holland Cotter, "The Beast in the Human, and Vice Versa", *New York Times*, 25 abr 2013.
6. Allison Meier, "Apartheid Subversion in the Cathedral of St. John the Divine", *Hyperallergic*, 1º mai 2013.
7. Marion Dreyfus, "St. John and the 'Divine' Art of Jane Alexander", *American Thinker*, 2 jun 2013; e Sarah Roth, "New Installation Brings South Africa to St. John the Divine", *Columbia Daily Spectator*, 22 abr 2013.
8. Alex e Ben, "St. John the Divine", *Snap It. Taste It. Blog It.*, snaptasteblogit.com/st-john-the-divine.html.
9. Jess Bidgood, "At Wellesley, Debate over a Statue in Briefs", *New York Times*, 6 fev 2014; e Keerthi Mohan, "Near Nude Statue of Sleepwalking Man 'Freaks Out' Students; Should the Statue Be Removed?", *International Business Times India*, 8 fev 2014.
10. David A. Fahrenthold, "Sculpture of Near-Naked Man at Wellesley Has Its Critics", *Washington Post*, 5 fev 2015; Jaclyn Reiss, "Realistic Statue of Man in His Underwear at Wellesley College Sparks Controversy", *Boston Globe*, 5 fev 2014.
11. Vinoth K. Ranganathan et al., "From Mental Power to Muscle Power: Gaining Strength by Using the Mind", *Neuropsychologia*, vol.42, n.7 (jun 2004), p.944-56.
12. Tori Rodriguez, "Mental Rehearsals Strengthen Neural Circuits", *Scientific American*, 14 ago 2014, acesso em 10 ago 2015, www.scientificamerican.com/article/menta-rehearsals-strengthen-neural-circuits.
13. John F. Kihlstrom, "The Cognitive Unconscious", *Science*, vol.237 (18 set 1987), p.1445-52.
14. Daniel Reisberg, *Cognition*, 3.ed., Nova York: W.W. Norton, 2005, p.469-71.
15. Equipe da Pacific Standard, "There's a Name for That: The Baader-Meinhof Phenomenon", *Pacific Standard*, 22 jul 2013.
16. David Dunning e Emily Balcetis, "Wishful Seeing: How Preferences Shape Visual Perception", *Current Directions in Psychological Science*, vol.22, n.1 (fev 2013), p.33-37.
17. Guido M. van Konigsbruggen, Wolfgang Stroebe e Henk Aarts, "Through the Eyes of Dieters: Biased Size Perception of Food Following Tempting Food Primes", *Journal of Experimental Social Psychology*, vol.47, n.2 (mar 2011), p.293-99.
18. Emily Balcetis e David Dunning, "Wishful Seeing: More Desired Objects Are Seen as Closer", *Psychological Science*, dez 2009; Kohske Takahashi et al., "Psychological Influences on Distance Estimation in a Virtual Reality Environment", *Frontiers in Human Neurosicence*, vol.7 (18 set 2013), p.580.
19. David G. Wittels, "You're Not as Smart as You Could Be", *Saturday Evening Post*, série em três partes, 17 abr, 24 abr e 1º mai 1948.
20. Graham Davies e Sarah Hine, "Change Blindness and Eyewitness Testimony", *Journal of Psychology*, jul 2007.

21. *Brain Games*, temporada 2, episódio 11, canal National Geographic, braingames.nationalgeographic.com.
22. Natalie Angiere, "Blind to Change, Even as It Stares Us in the Face", *New York Times*, 1º abr 2008.
23. Você pode acompanhar o diário fotográfico de Mark Hirsch, *Aquela árvore*, online e adquirir impressões ou seu livro sobre o carvalho em: thattree.net; redação do Huffington Post, "'That Tree': Photographer Mark Hirsch Becomes One with an Oak Tree in Lovely Documentary Project", *Huffington Post*, 29 mai 2013, www.huffingtonpost.com/2013/05/29/that-tree-photographer-mark-hirsch-becomes-one-with-an-oak_n_3347786.html.
24. Mark Hirsch, "How a Tree Helped Heal Me", *CBS Sunday morning*, 16 set 2013.
25. Bill Weir, "Apollo Robbins: King of Thieves", *Nightline*, 12 jul 2013, ABC.

4. **Os comissários de bordo prestam atenção** (p.80-101)

1. Faith Karimi, Steve Almasy e Lillian Leposo, "Kenya Mall Attack: Military Says Most Hostages Freed, Death Toll at 68", CNN, 23 set 2013.
2. Michael Pearson e Zain Verjee, "Questions Linger After Kenya Mall Attack", CNN, 25 set 2013, e "Source: Store in Besieged Kenyan Mall run by Attackers or Associates", CNN, 27 set 2013; e Dashiell Bennett, "Tragic and Heroic Stories from Survivors of the Kenyan Mall Attack", *Atlantic Monthly*, 27 set 2013.
3. Equipe da KGW, "History of Shootings at Malls Worldwide", *KGW-NBC Portland*, 12 dez 2012; e John Swaine, "Al-Shabaab Mall Threat 'All the More Reason' to Avoid Shutdowns, Says Homeland Security Chief", *Guardian*, 22 fev 2015.
4. *Knowing the Risks, Protecting Your Business: A Global Study*, Freshfields Bruckhaus Deringer, 2012, www.freshfields.com.
5. Hannah McNeish, "Hero Helped American Family Survive Kenya Mall Terror", *USA Today*, 27 set 2013.
6. Dana Ford, "Kenya Mall Attack Survivor Plays Dead or Live", CNN, 10 out 2013.
7. Karen Allen, "Kenya's Westgate Siege: 'Militants Hired Shop to Hide Arms'", BBC News, 27 set 2013.
8. Vivian Ho, "Absorbed Device Users Oblivious to Danger", *San Francisco Chronicle*, 7 out 2013.
9. Tomika S. Harris, "Bruises in Children: Normal or Child Abuse?", *Journal of Pediatric Health Care*, vol.24, n.4 (jul 2010), p.216-21.
10. Calculado usando o levantamento feito em 2011 pela Specialty Coffee Association of America, "SCAA Quarterly Growth and Trends Survey (April – June 2011)", *Specialty Coffee Chronicle*, 7 jul 2011.
11. Jaclyn Reiss, "Realistic Statue of Man in His Underwear at Wellesley College Sparks Controversy", *Boston Globe*, 5 fev 2014.
12. Ibid.

13. Sebastian Smee, "Threshold Stares and Dark Wit in Standout Show by Tony Matelli", *Boston Globe*, 15 fev 2014.
14. Maggie Lange, "Statue of Undressed Man Terrorizes Wellesley College", *New York*, 5 fev 2014.
15. Reiss, "Realistic Statue".
16. Lemony Snicket, *The Austere Academy*, Nova York: HarperCollins, 2000 [ed. bras., *Inferno no colégio interno*, São Paulo, Companhia das Letras, 2002].
17. Bennett, "Tragic and Heroic Stories".
18. Commission on the Intelligence Capabilities of the United States Regarding Weapons of Mass Destruction, *Report to the President of the United States*, 31 mar 2005, www.fas.org./irp/offdocs/wmd_report.pdf.

5. O que se esconde bem diante dos olhos? (p.102-30)

1. *Mrs. John Winthrop*, de John Singleton Copley (americano, Boston, Massachusetts, 1738-1815, Londres), 1773, está atualmente exposto na Galeria 748 do Metropolitan Museum of Art em Nova York. Você também pode ver o quadro online na coleção do museu em www.metmuseum.org/collection/the-collection-online/search/10531.
2. Andrew J. Macnab e Mary Bennett, "Refrigerator Blindness: Selective Loss of Visual Acuity in Association with a Common Foraging Behaviour", *Canadian Medical Association Journal*, vol.173, n.12 (6 dez 2005), p.1494-95.
3. Bruce Lambert, "Real Estate Agent Found Slain in 5th Ave. Home", *New York Times*, 1º nov 2007; Max Abelson, "Remembering Linda Stein", *New York Observer*, 1º nov 2007; Robert Kolker, "Death of a Broker", *New York*, 18 nov 2007; e Laura Kusisto, "Linda Stein Murder Trial: The Photos", *New York Observer*, 17 fev 2010.
4. John Eligon, "Trial Begins for Woman Accused of Killing Linda Stein", *New York Times*, 27 jan 2010.
5. Associated Press, "Seymour Stein, Sire Records Founder, Testifies at Linda Stein's Murder Trial", *Huffington Post*, 4 fev 2010, www.huffingtonpost.com/2010/02/05/seymour-stein-sire-record_n_450475.html; e Kolker, "Death of a Broker", op.cit.
6. Patrick O'Shaughnessy, "How Personal Assistant Natavia Lowery killed Celebrity Realtor Linda Stein, Who Wouldn't Back Down", *Daily News* (Nova York), 28 fev 2010.
7. Melissa Grace, "Linda Stein Murder Trial: Suspect Natavia Lowery Sent Odd Text Messages on Day of Realtor's Slaying", *Daily News* (Nova York), 19 fev 2010.
8. Melissa Grace e Bill Hutchinson, "Jury Finds Natavia Lowery Guilty of Celebrity Realtor Linda Stein's Murder After Short Deliberation", *Daily News* (Nova York), 23 fev 2010; Lowery foi condenada a pena de 25 anos pelo assassinato em segundo grau de Linda Stein, e recebeu dois anos adicionais por furto. Ver Beth Karas, "Personal Assistant Gets 27 to Life in Celebrity Realtor's Murder", CNN, 3 mai 2010.
9. Steven B. Most et al., "What You See Is What You Set: Sustained Inattentional Blindness and the Capture of Awareness", *Psychological Review*, vol.112 (jan 2005),

p.217-42; e Ethan A. Newby e Irvin Rock, "Inattentional Blindness as a Function of Proximity to the Focus of Attention", *Perception*, vol.27, n.9 (1998), p.1025-40.

10. John Gosbee, "Handoffs and Communication: The Underappreciated Roles of Situational Awareness and Inattentional Blindness", *Clinical Obstetrics & Gynecology*, vol.53, n.3 (set 2010), p.545-58.
11. David Owen, "The Psychology of Space", *New Yorker*, 21 jan 2013.
12. Sheila M. Eldred, "How Our Brains Miss the Obvious", *Discovery News*, 22 mai 2013.
13. Arne Öhman, "Has Evolution Primed Humans to 'Beware the Beast'?", *Proceedings of the National Academy of Sciences of the United States of America*, vol.104, n.42 (16 out 2007), p.16396-97; e Gervais Tompkin, "Survival of the Focused", *GenslerOnWork*, 11 nov 2013, www.gensleron.com/work/2013/11/11/survival-of-the-focused.html.
14. Tenho uma dívida com a dra. Tversky por sua paciente explicação de como o cérebro usa memória, categorização e cognição espacial. Entrevista com a autora, 27 jun 2014.
15. Ming Meng, David A. Remus e Frank Tong, "Filling-in of Visual Phantoms in the Human Brain", *Nature Neuroscience*, vol.8, n.9 (7 ago 2005), p.1248-54; Melanie Moran, "The Brain Doesn't Like Visual Gaps and Fills Them In", *Exploration: Vanderbilt's Online Research Magazine*, Vanderbilt University, 19 ago 2007.
16. Marguerite Reardon, "American Text Mote Than They Talk", CNET, 22 set 2008; e Sherna Noah, "Texting Overtakes Talking as Most Popular Form of Communication in UK", *Independent*, 18 jul 2012.
17. Yoni Heisler, "Inside Apple's Secret Packaging Room", *Network World*, 24 jan 2012.
18. Bruce Jones, "Success Is in the Details: How Disney Overmanages the Customer experience", *Talking Point: The Disney Institute Blog*, 9 jan 2014.
19. "Virgin Atlantic Wins Top Customer Service Award", press release da Virgin Atlantic, 19 jan 2009.
20. O slogan apareceu no website da Virgin Atlantic sob o título "Virgin Experience" quando acessado em 22 jun 2014, virgin-atlantic.com/gb/en/the-virgin-atlantic-experience.html.
21. Esta citação e as seguintes são da entrevista de Marcus Sloan com a autora, 29 jun 2014. Tenho uma profunda dívida com ele por falar comigo sobre suas experiências como professor de matemática do ensino médio e pela sua dedicação exemplar a seus alunos. Sloan lecionou numa escola pública no Bronx, Nova York, de 2004 a 2007.
22. John Hildebrand, "Regent Rule Change Aids Special Education", *Newsday*, 9 out 2012. O índice de graduação na escola de Sloan foi de 75,5% em 2005 e 53,6% em 2006. "2006 Graduation Rates in New York High Schools", *New York Times*, 25 abr 2007.
23. High School State Rankings, *U.S. News & World Report*, indicadores acadêmicos 2014.
24. Ibid.
25. Exame de Matemática A da Escola de Ensino Médio Regents da Universidade do Estado de Nova York, aplicado em 15 de junho de 2006, terça-feira, das 13h15 às

16h15, "Questão 39: Uma pessoa mede o ângulo de depressão do alto de um muro até um ponto no solo. O ponto está localizado no nível do solo a 18,6 metros da base do muro e o ângulo de depressão é de 52°. Qual é a altura do muro, com precisão de centímetros?".

26. Porcentagem de alunos que atenderam ao padrão da parte de Matemática A do exame da Regents para 2006-2009 aplicado pelo Departamento de Educação da Cidade de Nova York via www.schooldigger.com/go/NY/schools/0008705181/school.aspx.

    Estaria o aumento das notas no exame da Regents diretamente relacionado com o treinamento em arte e um novo prazer pela busca de detalhes dos alunos de Sloan? Não se pode provar, mas vale a pena registrar que, no ano seguinte à saída de Sloan (e de seu estilo único de ensino) da escola, a porcentagem de alunos da escola que atendeu ao padrão de matemática da Regents caiu de volta para 44% e baixou ainda mais, para 36%, um ano depois.

27. Marc Green, "Inattentional Blindness & Conspicuity", *Human Factors*, 4 jan 2011, e "Do Mobile Phones Pose an Unacceptable Risk? A Complete Look at the Adequacy of the Evidence", *Risk Management*, 1º nov 2001.
28. State Farm Mutual Automobile Insurance Company, "Managing Blind Spots", 8 abr 2013.
29. Michael A. Cohen, George A. Alvarez e Ken Nakayama, "Natural-Scene Perception Requires Attention", *Psychological Science*, vol.22, n.9 (set 2011), p.1165-72; e L. Pessoa et al., "Neural Processing of Emotional Face Requires Attention", *Proceedings of the National Academy of Sciences of the United States of America*, vol.99, n.17 (20 ago 2002), p.11458-63.
30. Artigos acadêmicos de John e Hanna Winthrop, 1728-89, Arquivos da Universidade Harvard.
31. Jessica Keiman, "How Multitasking Hurts Your Brain (and Your Effectiveness at Work)", *Forbes*, 15 jan 2013.
32. Clara Moskowitz, "Mind's Limit Found: 4 Things at Once", *Live Science*, 27 abr 2008.
33. Leo Widrich, "What Multitasking Does to Our Brains", *Buffer*, 26 jun 2012.
34. "Interview with Clifford Nass", *Frontline*, 2 fev 2010, PBS.
35. Camille Noe Pagán, "Quit Multitasking (and Start Getting More Done)", *Forbes*, 21 jan 2010.
36. Christopher D. Wickens, "Multiple Resources and Mental Workload", *Human Factors: The Journal of the Human Factors and Ergonomics Society*, vol.50, n.3 (jun 2008), p.449-55.
37. Jenna Goudreau, "12 Ways to Eliminate Stress at Work", *Forbes*, 20 mar 2013; e Sandra Bond, "Why Single-Tasking Makes You Smarter", *Forbes*, 8 mai 2013.
38. Jon Hamilton, "Think You're Multitasking? Think Again", *Morning Edition*, NPR, 2 out 2008.
39. Geil Browning, "10 Ways to Rejuvenate Your Brain While You Work", *Inc.*, 10 set 2012.

40. Carol F. Baker, "Sensory Overload and Noise in the ICU: Sources of Environmental Stress", *Critical Care Quarterly*, vol.6 (mar 1984), p.66-80.
41. David Biello, "Fact or Fiction? Archimedes Coined the Term 'Eureka' in the Bath", *Scientific American*, 8 dez 2006.
42. Steve Connor, "The Core of Truth Behind Sir Isaac Newton's Apple", *Independent*, 18 jan 2010.
43. Henri Poincaré, "Mathematical Creation", *The Monist*, jul 1901.
44. John Eligon, "Trial Begins for a Woman Accused of Killing Linda Stein", *New York Times*, 25 jan 2010.
45. "File No.1-0016, Aircraft Accident Report, Eastern Air Lines, Inc., L-1011, N310EA, Miami, Florida, December 29, 1972", National Transportation Safety Board, Washington, DC, 14 jun 1973.
46. Transcrição de gravação de voz do voo 401 da Eastern Air Lines, 29 dez 1972, Aviation Safety Network.
47. "File No.1-0016".
48. Gravações da cabine de comando mostram que o capitão disse repetidamente ao segundo oficial para descer e olhar fisicamente o trem de pouso sob a cabine, mas suas instruções a princípio foram ignoradas. Algum tempo depois, o segundo oficial saiu e voltou queixando-se da escuridão e de sua impossibilidade de ver. Após o desastre, investigadores determinaram que tanto o indicador visual de luz para o trem dianteiro e a luz de serviço da roda dianteira estavam no lugar e operando. Ver ibid.
49. Ibid.
50. "Visual/Spacial Learning", *Study Guides and Strategies*, www.studygs.net/visual.htm, acesso em 30 jun 2014.
51. Entrevista com a autora, 2014. Joanna Longley é um pseudônimo para uma assistente social real em atividade.

6. Saiba olhar ao redor (p.133-61)

1. "Troops Held Over Rio Gang Deaths", BBC News, 17 jun 2008.
2. Um enorme "muito obrigada" a JR por me permitir usar seu trabalho. Para mais informações sobre suas exposições pelo mundo, como comprar reproduções impressas de seus trabalhos ou se engajar no seu mais recente projeto, visite seu website em www.jr-art.net.
3. Raffi Khatchadourian, "In the Picture", *New Yorker*, 28 nov 2011.
4. *Inside Out: The People's Art Project*, dirigido por Alastair Siddons (Nova York: Uma produção Social Animals em associação com Notting Hills Films, Tribeca Film Festival/HBO, 2013).
5. Lina Soualem, "JR: The Power of Paper and Glue", *Argentina Independent*, 5 mar 2013.
6. Ibid.

7. O objetivo de JR com a série Women Are Heroes era ressaltar o papel das mulheres e mostrar como elas são pilares de sustentação numa comunidade violenta. Para mais informações, visite www.jr-art.net/projects/women-are-heroes-brazil.
8. Ibid.
9. *Merriam-Webster's Collegiate Dictionary*, 11.ed., verbete "perspective".
10. Thomas Boswell, "To Bryce Harper and Davey Johnson, 'Play Me or Trade Me' Is Just a Healthy Joke", *Washington Post*, 7 jul 2013; e Wayne W. Dyer, "Success Secrets", *DrWayneDyer.com*, Hay House, www.drwaynedyer.com.
11. Ainda que a figura possa parecer alguma imagem esperta que você viu na internet, na verdade é de autoria de Giuseppe Arcimboldo, um pintor italiano do século XVI. Arcimboldo foi famoso por seus duplos sentidos visuais, criando retratos de pessoas a partir de frutas, vegetais, livros e até mesmo de outras pessoas.
12. Giorgio Vasari, *Lives of the Most Eminent Painters, Sculptors, and Architects*, Londres: Macmillan, 1912, p.352-53.
13. "Michelangelo's David", Galeria Accademia, Florença, Itália, www.accademia.org/explore-museus/artworks/michelangelos-david; e Fiachra Gibbons, "The Perfect Man's Chiseled Squint", *Guardian*, 7 jun 2000, acesso em 11 ago 2015.
14. "Michelangelo's David", www.accademia.org/explore-museum/artworks/michelangelos-david, acesso em 11 ago 2015.
15. Gibbons, "Perfect Man's Chiseled Squint".
16. Ibid.
17. John Hooper, "How David Shrank as He Faced Goliath", *Guardian*, 22 jan 2005.
18. Gibbons, "Perfect Man's Chiseled Squint".
19. Rossella Lorenzi, "Michelangelo's David is Missing a Muscle", *ABC Science*, Australian Broadcasting Corporation, 18 out 2004.
20. Saul Levine, "The Location of Michelangelo's David: The Meeting of January 25, 1504", *Art Bulletin*, vol.56, n.1 (mar 1974), p.31-49.
21. O Projeto Michelangelo Digital, dirigido por Marc Levoy, pode ser visualizado online em graphics.stanford.edu/projects/mich.
22. Graham Lawton, "Michelangelo Cheated", *New Scientist*, 10 jun 2000.
23. Tim Hindle, *The Economist Guide to Management Ideas and Gurus* (Londres: Profile Books, 2008), p.89-90.
24. Bill Wilder, "Gemba Walks", *Industry Week*, 9 jan 2014.
25. Bob Herman, "9 Ingenious Ways to Cut Costs at Your Hospital", *Becker's Hospital CFO*, 26 fev 2013.
26. Professor Yaines A. Pikoulas, "Carts-wheel Road Communication", *Kathimerini*, 4 jan 1998; Martijn P.van den Heuvel et al., "Efficiency of Functional Brain Networks and Intellectual Performance", *Journal of Neuroscience*, vol.29, n.23 (10 jun 2009), p.7619-24.
27. Jess McCann, entrevista com a autora, 18 mar 2015. Jess McCann é autora de *Was It Something I Said?* e *You Lost Him at Hello*. Para mais informações, visite www.jessmccann.com.

28. Roderick Gilkey e Clint Kilts, "Cognitive Fitness", *Harvard Business Review*, nov 2007.
29. Ibid.
30. Drew Boyd, "Fixedness: A Barrier to Creative Output", *Psychology Today*, 26 jun 2013.
31. Corey S. Powell, "Unlocking the Other Senses of Space", *Discover*, 23 out 2014.
32. Harper Lee, *To Kill a Mockingbird*, Nova York: Grand Central, 1960, p.33 [ed. bras., *O sol é para todos*, Rio de Janeiro, José Olympio, 2015].
33. Jayson M. Boyers, "Why Empathy Is the Force That Moves Business Forward", *Forbes*, 30 mai 2013.
34. Ibid.
35. Leana Greene, "Empathy: The Key to Unlocking Successful Relationships", *Kids in the House*, 4 mar 2015.
36. Dan Fastenberg, "'Undecover Boss' CEOs Tell What Really Happened After the Show", *AOL Jobs*, 10 jun 2013.
37. Dan Fastenberg, "Fast Food CEO Shuts Down Struggling Branch During 'Undercover Boss' Episode", *AOL Jobs*, 20 fev 2012.
38. Ibid.
39. Fastenberg, "'Undercover Boss' CEOs", op.cit.
40. Jennifer Miller, "The Halloween Trading Places Challenge", *Confident Parents Confident Kids*, 29 out 2014, www.confidentparentsconfidentkids.org.
41. "Hall of Fame: Shakespeare in Your Kitchen", *Five Whys*, 10 fev 2012, fivewhys.wordpress.com/2012/02/10/shakespeare-in-your-kitchen.
42. Marlene Mollan, entrevista com a autora, 3 nov 2014.
43. "Providência Gondola Finally Opens in Rio", *Rio Times*, 8 jul 2014.
44. Hilary Spurling, *Matisse the Master: A Life of Henri Matisse, the Conquest of Colour, 1909-1954*, Nova York: Alfred A. Knopf, 2005, p.161-63.
45. "Great Figures of Modern Art: Henri Matisse", Centre Pompidou, Paris, mediation.centrepompidou.fr.
46. Tali Sharot, Mauricio R. Delgado e Elizabeth A. Phelps, "How Emotion Enhances the Feeling of Remembering", *Nature Neuroscience*, 7 dez 2004.
47. Ulrike Rimmele et al., "Emotion Enhances the Subjective Feeling of Remembering, Despite Lower Accuracy for Contextual Details", *Emotion*, vol.11, n.3 (jun 2011), p.553-62; Elizabeth A. Kensinger, "Remembering the Details: Effects of Emotion", *Emotion Review*, vol.1, n.2, (abr 2009), p.99-113; Elizabeth A. Kensinger e Daniel L. Shacter, "Retrieving Accurate and Distorted Memories: Neuroimaging Evidence for Effects of Emotion", *NeuroImage*, vol.27, n.1 (1º ago 2005), p.166-77.
48. *Merrian-Webster's Collegiate Dictionary*, 11.ed., verbete "perspective".

7. Ver o que está faltando (p.162-89)

1. "Doctor Cleared in Katrina Deaths Recounts Scene", Associates Press, 20 jun 2008.
2. Sheri Fink, "The Deadly Choices at Memorial", *New York Times*, 25 ago 2009.

3. Julie Scelfo, "Vindicated Katrina Doc Tells Her Story", *Newsweek*, 24 ago 2007.
4. Janelle Burrell, "Riders Upset After Panel Finds Metro-North Didn't Prioritize Safety", *CBS New York*, 28 ago 2014.
5. Associated Press, "Report Blames Arizona Forestry Division for Firefighter Deaths", Fox News, 5 dez 2013.
6. Julianne Pepitone, "Where BlackBerry's Ousted CEO Went Wrong", CNN, 5 nov 2013.
7. Manny Fernandez, "In Texas, Another Skirmish Brews at the Alamo", *New York Times*, 30 nov 2012.
8. Scott Huddleston, "Land Office Cancels DRT Contract to run Alamo", *San Antonio Express-News*, 12 mar 2015.
9. "Interviewing the Victim", Departamento de Polícia de Baltimore, visualizável no website do National Centre for Victims of Crime, www.victimsofcrime.org/docs/dna-protocol/baltimore-interviewing-the-victim.pdf?sfvrsn=0.
10. "Improving Police Response to Sexual Assault", *Human Rights Watch*, jan 2013.
11. Richard J. Heuer, *The Psychology of Intelligence Analysis*, Washington, DC: Center for the Study of Intelligence, Central Intelligence Agency, 1999.
12. *Tempo transfixado*, de René Magritte, nos dá ainda outra razão para não ir direto à legenda: o artista nem sempre concorda com ela, e neste caso por motivos de perspectiva e percepção. Magritte, um artista belga, havia intitulado a obra originalmente *La durée poignardé*, que pode ser traduzido como *A duração apunhalada*. À primeira vista, isto não faz muito sentido – não há nenhum punhal –, porém Magritte, que recebeu a encomenda de criar a pintura para a casa londrina de um rico colecionador de arte, pretendia que o quadro fosse instalado na base da escada do seu patrono, de modo que o trem pareceria estar "apunhalando" convidados quando passassem por ele. Esta perspectiva foi inteiramente perdida quando o colecionador o pendurou ironicamente na mais irônica posição: sobre a lareira. Quando o quadro foi mais tarde exibido em galerias e museus – atualmente ele se encontra na coleção do Instituto de Arte de Chicago, bem longe de qualquer escada –, os funcionários o rebatizaram extraoficialmente de *Tempo transfixado*, e, para grande desprazer do artista, o nome pegou. Ver James N. Wood, *The Art Institute of Chicago: The Essential Guide*, Chicago: Art Institute of Chicago, 2013, p.267.
13. Informação extraída de uma entrevista com um ex-especialista de desenvolvimento para a internet da Disney, 14 jun 2014.
14. "Pertinent Negative", *Medical Terminology, Emory University Emergency Medical Services*, www.wmory.edu/EEMS/MedicalTerms.html.
15. Arthur Conan Doyle, "Silver Breze", *The Memoirs of Sherlock Holmes*, Londres: Oxford University Press, 2009, p.22 [ed. bras., *As memórias de Sherlock Holmes*, Rio de Janeiro, Zahar, ed. bolso de luxo, 2014, p.37].
16. Terry Prince, "The Importance of What's Missing", *Terry's Thinking!*, 22 mai 2009, terrysthinking.worldpress.com/author/terrysthinking/page/22.
17. Para mais informações sobre a Warm Detroit, para doações ou para começar uma coleta na sua área, ver www.warmdetroit.org.

18. Commission on the Intelligence Capabilities of the United States Regarding Weapons of Mass Destruction, *Report to the President of the United States*, 31 mar 2005.
19. Brett McKay e Kate McKay, "The Eisenhower Decision Matrix: How to Distinguish Between Urgent and Important Tasks e Make Real Progress in Your Life", *The Art of Manliness*, website, 23 out 2013, www.artofmanliness.com/2013/10/23/eisenhower-decision-matrix.
20. Jonathon Keats, "Do Not Trust This Joel Sternfeld Photograph", *Forbes*, 6 set 2012.
21. Alex Selwyn-Holmes, "Joel Sternfeld; McLean, Virginia; December 1978", *Iconic Photos*, 25 out 2012, iconicphotos,wordpress.com/2012/10.
22. Civil Aviation Forum, "Only NW for Smooth Flights?", *Airliners.net*, www.airliners.net; e Forums, "Fly Northwest Operated Flights for Smooth Rides", *Turbulent Forecast*, www.turbulentforecast.com.

8. Tornar conhecido o seu desconhecido (p.193-228)

1. Sari Horwitz, Scott Higham e Sylvia Moreno, "Who Killed Chandra Levy?", *Washington Post*, 13 jul 2008.
2. IDC, "837 Billion – US and UK Businesses Count the Cost of Employee Misunderstanding", Cognisco, 18 jun 2008, marketwired.com/press-release/37-billion-usand-uk-businesses-count-the-cost-of-employee-misunderstandig-870000.htm.
3. Brad Stone e Matt Richtel, "The Hand Thar Controls the Sock Puppet Could Get Slapped", *New York Times*, 16 jul 2007.
4. Peter Sagal, "Not My Job: Richard Prince (AKA Harry Brandt) Get Quizzed on Pseudonyms", *Wait Wait... Don't Tell Me!*, NPR, 21 mar 2015.
5. Stacy Conradt, "16 People Who Tweeted Themselves into Unemployment", *Mental Floss*, 21 dez 2013.
6. Kim Bhasin, "13 Epic Twitter Fails by Big Brands", *Business Insider*, 6 fev 2012.
7. Mike Foss, "Yankee Fire Employee Over Vulgar Tweet About Curt Schilling's Daughter", *USA Today*, 3 mar 2015.
8. Craig Bennett, "Sean MacDonald & Adam Nagel: 5 Fast Facts You Need to Know", *Heavy.com*, 3 mar 2015, heavy.com/sports/2015/03/sean-macdonald-adam-nagel-curt-schilling-daughter-twitter-trolls-college-yankees-bio-gabby.
9. Carlo Angerer, "Adolf Hitler Watercolor Set to Be Auctioned in Germany", NBC News, 19 nov 2014; e Ron Cynewulff Robbins, "Churchill as Artist – Half Passion, Half Philosophy", *Finest Hour*, Churchill Center (outono 1998), p.32.
10. Roxana Robinson, *Georgia O'Keeffe: A Life*, Hanover, NH: University Press of New England, 1989, p.256.
11. Maria Popova, "What It Really Takes to Be an Artist: MacArthur Genius Teresita Fernández's Magnificent Commencement Address", *BrainPicking.org*, 29 dez 2014, www.brainpicking.org/2014/12/29/teresita-fernandez-commencement-address.

12. "Jackson Pollock: Autumn Rhythm (Number 30)" (57.92), *Heilbrunn Timeline of Art History*, Nova York: Metropolitan Museum of Art, 2000-), www.metmuseum.org/toah/works-of-art/57.92 (jun 2007).
13. Anne Charlevoix, entrevista com a autora, 21 jan 2014.
14. Janett Williams, "Miscommunication May Have Led to Painting Over $2,500 Mural at Pasadena Business", *Pasadena Star-News*, 29 nov 2009.
15. Ibid.
16. Karin Price Mueller, "Bamboozled: What Happens When a 'Thirty-Seven-Fifty' Bottle of Wine Really Costs $3,750", *NJ.com*, 3 nov 2014, www.nj.com/bunisness/index.ssf/2014/11/bamboozled_what_happens_when_a_3750_bottle_of-wine_really_costs_3750.html.
17. Ibid.
18. Lee Moran, "Borgata Casino Diner Hit with $3,750 Bill After Server Recommended Wine for 'Thirty-Seven Fifty'", *Daily News* (Nova York), 6 nov 2014.
19. Ibid.
20. Neal Hirschfeld, "Teaching Cops to See", *Smithsonian Magazine*, out 2009.
21. Susan Ginsburg, entrevista com a autora.
22. Sara Blakely, entrevista com a autora.
23. Elise Reuter, "Colorado Distributes Cold Case Cards to Raise Clues of Unsolved Crimes", *Summit Daily* (Summit County, CO), 1º abr 2015.
24. Dani Shapiro, *Still Writing: The Perils and Pleasures of a Creative Life*, Nova York: Atlantic Monthly Press, 2014.
25. Bill Connor, "Fear Not, Introverts", *Oratorio*, 5 mar 2013.
26. Susan Cain, "10 Public Speaking Tips for Introverts", *Psychology Today*, 25 jul 2011, psychologytoday.com/blog/quiet-the-poser-introverts/201107/10-public-speaking-tips-introverts.
27. Margaret Snowling, D.V.M. Bishop e Susan E. Stothard, "Is Preschool Language Impairment a Risk Factor for Dyslexia in Adolescence?", *Journal of Child Psychology and Psychiatry*, vol.41, n.5 (jul 2000), p.587-600; Bruce A. Bracken (org.), *The Psychoeducational Assessment of Preschool Children* (Mahwah, NJ: Lawrence Erlbaum, 2004), p.181-84; e M. Perkins, "Preschool Children with Inadequate Communication: Developmental Language Disorder, Autism, Mental Deficiency", *Archives of Disease in Childhood*, vol.75, n.5 (mai 1997), p.480.
28. "Magritte: The Misery of the Ordinary, 1926-1938", Art Institute of Chicago, www.artic.edu/exhibition/magritte-mystery-ordinary-1926-1938.
29. Popova, "What It Really Takes".
30. Nicholas Forrest, "The Next Cy Twombly? First, Jan Frank Paints for Australia and Tim Olsen Gallery", *Blouin Artinfo*, 3 out 2012.
31. Ralph Steiner, *American Rural Baroque*, coleção, Museum of Modern Art, Nova York.
32. Citações de McCann a partir de entrevista com a autora, 29 abr 2015; Jess McCann, *Was It Something I Said?: The Answer to All Your Dating Dilemmas*, Guilford, CT: Skirt!, 2013, p.19.

33. Learning Network, "Nov 4, 2008: Obama Is Elected President", *New York Times*, 4 nov 2011.
34. Em 2014, um funcionário da equipe de conservação do Fitzwilliam Museum descobriu que uma baleia na praia que fazia parte do quadro original do século XVII de Hendrick Anthonissen, *Gezicht op Scheveningen*, fora cuidadosamente pintada por cima. Acredita-se que o retoque tenha sido feito para atender aos novos proprietários, que possivelmente queriam exibir a peça em sua casa, mas acharam a carcaça de baleia "desagradável". Ver "What Tale: A Dutch Seascape and Its Lost Leviathan", Universidade de Cambridge, 4 jun 2014, www.cam.ac.uk/research/news/whale-tale-a-dutch-seascape-and-its-lost-leviathan; e Emma del Valle, "Undercover Art: 6 Paintings That Were Hiding Something", *Mental Floss*, 21 ago 2014.
35. Carter Ratcliff, "The Scandalous Madame X", *Chicago Tribune*, 1º fev 1987.
36. Ibid.
37. Jason Farago, "Who Was the Mysterious Madame X in Sargent's Portrait?", BBC, 2 jan 2015; e Trevor Fairbrother, "The Shock of John Singer Sargent's 'Madame Gautreau'", *Arts Magazine* (jan 1981), p.90-97.
38. Tamara Jones e Ann Scott Tyson, "After 44 Hours, Hope Showed Its Cruel Side", *Washington Post*, 5 jan 2006.
39. James Dao, "False Report of 12 Survivors Was Result of Miscommunications", *New York Times*, 4 jan 2006.
40. Ibid.
41. Scott Baradell, "Crisis Upon a Crisis: International Coal Group's 'Miscommunication' Is a Disaster in Itself", *Idea Grove*, 4 jan 2006, ideagrove.com/blog/2006/01/crisis-upon-a-crisis-international-coal-groups-miscommunication-is-a-disaster-in-itself.html.
42. Mario Parker e Aaron Clark, "Arch to Acquire International Coal for Steelmaking Assets", *Blomberg Business*, 2 mai 2011.
43. Ibid.
44. Coleções, "Georges Seurat: *A Sunday on La Grande Jatte*", Art Institute of Chicago, www.artic.edu/aic/collections/artwork/27992.
45. Phil Daoust, "Edge Trimming", *Guardian*, 2 jan 2013.
46. Ibid.
47. Barbara Pease e Alan Pease, *The Definitive Book of Body Language*, Nova York: Bantam, 2006, p.9-10.
48. Joe Navarro, "The Art of Handshaking", *Psychology Today*, 13 jul 2013.
49. Dr. David G. Javitch, "Preventing Miscommunication in Your Business", *Entrepreneur*, 1º mar 2004.
50. Ibid.
51. John Richardson, *A Life of Picasso: The Cubist Rebel, 1907-1916*, Nova York: Alfred A. Knopf, 1991, p.325.
52. Ibid.

53. Harvey Mackay, *Pushing the Envelope All the Way to the Top*, Nova York: Ballantine Books, 2000, p.107.
54. William Shakespeare, *Romeo and Juliet*, Nova York: Simon & Schuster, 2004 [1597].
55. "From Wood to Canvas: Attached Frames and Artists' Choices", National Gallery of Art, www.nga.gov/feature/frames/canvas.shtm.

9. A grande (nua, obesa) Sue e o diretor do colégio (p.229-55)

1. Wayne Waxman e David Hume, *Hume's Theory of Consciousness*, Cambridge: Cambridge University Press, 1994, p.278.
2. Brent Gleeson, "These 7 Motivational Navy SEAL Sayings Will Kick Your Butt into Gear", *Inc.*, abr 2015.
3. Raffi Khatchadourian, "In the Picture", *New Yorker*, 28 nov 2011.
4. Dante Alighieri, *Inferno*, Nova York: Random House, 1996 [1317].
5. Margaret Heffernan, "The Wilful Blindness of Rupert Murdoch", *Huffington Post*, 14 jul 2011, www.huffingtonpost.com/margaret-heffernan-/wilful-blindness-rupert-murdoch_b_898157.html.
6. Martin Robinson, "Everyone to Blame but No One Punished: Teachers, Doctors, the Police and Social Workers Escape Justice After Missing 27 Chances to Save Tragic Daniel Pelka", *Daily Mail*, 17 set 2013.
7. Ibid.
8. Ibid.
9. Ibid.
10. Ibid.
11. Ron L. Deal, "Parenting Troubling Emotions", *Smart Stepfamilies*, www.smarts-tepfamilies.com/view/troubling-emotions.
12. Paul Ekman, "Outsmart Evolution and Master Your Emotions", vídeo, *Big Think*, 1º ago 2013, bigthink.com/big-think-tv/paul-ekman-outsmart-evolution-and-master-your-emotions.
13. Ibid.
14. Tori Rodriguez, "Negative Emotions Are Key to Well-Being", *Scientific American*, 11 abr 2013.
15. Ibid.
16. Daniel C. Dennett, *Intuition Pumps and Other Tools for Thinking*, Nova York: W.W. Norton, 2013, p.33-4.

10. Nada é preto e branco (p.259-77)

1. Lucy Agate, entrevista com a autora, 15 jul 2014.
2. Selim Algar, "Nursing Home Hired Strippers for Patients: Suit", *New York Post*, 8 abr 2014.

3. Entrevista de Agate.
4. Ibid.
5. Ibid.
6. Associated Press, "Lawsuit: Male Stripper Did Show at NY Nursing Home", *Daily Mail*, 8 abr 2014.
7. Entrevista de Agate.
8. Ibid.
9. Ibid.
10. Ibid.
11. Saundra Hybels e Richard L. Weaver II, "Self, Perception, and communication", *Communicating Effectively*, 7. ed., Nova York: McGraw-Hill, 2004, p.25-47.
12. David J. Kelly et al., "The Other-Race Effect Develops During Infancy", *Psychological Science*, dez 2007.
13. Citado em Cate Matthews, "He Dropped One Letter in His Name While Applying for Jobs, and the Responses Rolled In", *Huffington Post*, 2 set 2014, www.huffington-post.com/2014/09/02/jose-joe-job-discrimination_n_5753880.html.
14. John Silvester, "Sambo Unchained in Life's Skin Game", *The Age*, Victoria, Austrália, 2 mar 2013.
15. M.K., "Clever Hounds", *Economist*, 15 fev 2011.
16. Claude Monet, "Bridge Over a Pond of Water Lilies", *Collection Outline*, Metropolitan Museum of Art, Nova York.
17. Entrevista com a autora; Jean Harrison é um pseudônimo.
18. Siri Carpenter, "Buried Prejudice: The Bigot in Your Brain", *Scientific American*, abr-mai 2008.
19. Jennifer Raymond, "Most of Us Are Biased", *Nature*, 7 mar 2013.
20. Michelle Heron-Delaney et al., "Perceptual Training Prevents the Emergence of the Other Race Effect During Infancy", *PLoS One*, 18 mai 2011.

11. O que fazer quando as macas acabam (p.278-92)

1. Clayton Sandell, Kevin Dolak e Colleen Curry, "Colorado Movie Theater Shooting: 70 Victims the Largest Mass Shooting", *Good Morning America*, 20 jul 2012, ABC.
2. Ryan Sullivan, "Family Says Race a Factor in Charlotte Girl's Shooting Death", Fox 8 WGHP, 19 abr 2012.
3. Ibid.
4. "Columbus Co. District Attorney Statement on Jasmine Thar's Death", WSOCTV, 22 abr 2013.
5. Rick Atkinsons, "The Tylenol Nightmare: How a Corporate Giant Fought Back", *Kansas City Times*, 12 nov 1982.
6. Departamento de Defesa, "Case Study: The Johnson & Johnson Tylenol Crisis", *Crisis Communication Strategies*, curso conjunto de comunicação do Departamento de Defesa e da Universidade de Oklahoma.

7. Lawrence G. Foster, "The Johnson & Johnson Credo and the Tylenol Crisis", *New Jersey Bell Journal*, vol.6, n.1 (1983), p.57-64.
8. Lynne Duke, "Secret Service Agents Allege Racial Bias at Denny's: Six Blacks to File Lawsuit Saying They Were Denied Service at Annapolis Restaurant", *Washington Post*, 24 mai 1993.
9. Departamento de Defesa, "Case Study: Denny's Class Action Lawsuit", *Crisis Communication Strategies*.
10. Holland Cotter, "A Million Pieces of Home", *New York Times*, 8 fev 2013.
11. Roberta Smith, "The Fascination of the Unfinished", *New York Times*, 9 jan 2014.
12. Noah Schiffman e Suzanee Greist-Bousquet, "The Effect of Task Interruption and Closure on Perceived Duration", *Bulletin of the Psychonomic Society*, vol.30, n.1 (jan 1992), p.9-11; Colleen M. Seifert e Andrea L. Patalano, "Memory for Incomplete Tasks: A Re-examination of the Zeigarnik Effect", *Proceedings of the Thirteenth Annual Conference of the Cognitive Science Society*, jan 1991; e A.D. Baddeley, "A Zeigarnik-like Effect in the Recall of Anagram Solutions", *Quarterly Journal of Experimental Psychology*, vol.15, n.1 (1963), p.63-64.
13. Roy F. Baumeister e Brad Bushman, "Choices and Actions: The Self in Control", *Social Psychology and Human Nature*, Belmont, CA: Cengage Learning, 2007, p.131-35.
14. Tom Stafford, "The Psychology of the To-Do List", BBC, 29 jan 2013.
15. Tom Stafford, "The Psychology of Tetris", BBC, 23 out 2012; e Tom Stafford e Matt Webb, *Mind Hacks*, Sebastopol, CA: O'Reilly Media, 2005, p.144.
16. David Allen, *Getting Things Done*, Nova York: Penguin, 2002 [ed. bras., *A arte de fazer acontecer*, Rio de Janeiro, Sextante, 2016], p.12.
17. "2013 Turnover Trends: Part 1 – National Statistics and Top Separation Reasons", *Unemployment Services Trust (UST)*, www.chooseust.org/2014/blog/2013-turnover-trends-part-1-national-statistics-and-top-separation-reasons.
18. E. Randol Schoenberg, "London's National Gallery Hosts Klimt Portrait Seized by Nazis", *Aljazeera America*, 20 out 2013; e Anne-Marie O'Connor, "Fighting for Her Past", *Los Angeles Times*, 20 mar 2001.
19. Kevin Daum, "Want to Be Truly Productive? End Each Day Like This", *Inc.*, 27 jan 2014.
20. E.J. Masicampo e Roy F. Baumeister, "Consider It Done! Plan Making Can Eliminate the Cognitive Effects of Unfulfilled Goals", *Journal of Personality and Social Psychology*, 20 jun 2011.
21. Stafford, "Psychology of the To-Do List", op.cit.

Créditos das ilustrações

p.15: JR (nasc. 1983). *Self-Portrait in a Woman's Eye*. Série Women Are Heroes. Quênia, 2009. L'Agence VU, Paris, França.

p.17: Anna Schuleit Haber. *Bloom: A Site-Specific Installation*, 2003. © Anna Schuleit Haber (nasc. 1974). Encomendado pelo Centro Médico de Saúde Mental de Massachusetts e pela Escola de Medicina de Harvard, Boston, MA, 2009.

p.26: Neurônio retinal. Cortesia de James Tyrwhitt-Drake/EyeWire/NIH 3D Print Exchange.

p.28, acima: Jan Steen (1626-79). *As the Old Sing, So Pipe the Young* (1668-70). Mauritshuis, Haia.

p.28, abaixo: Carel Fabritius (1622-54). *O pintassilgo*, 1654. Mauritshuis, Haia.

p.31: Gerrit van Honthorst (1592-1656). *Smiling Girl, a Courtesan, Holding an Obscene Image*, 1625. Óleo sobre tela, 80 × 63 cm. Saint Louis Art Museum, Friends Fund, 63:1954.

p.38: Johannes Vermeer (1632-75). *Senhora e criada*, c. 1665. © The Frick Collection.

p.41: René Magritte (1898-1969). © ARS, NY. *O retrato*. Bruxelas, 1935. Óleo sobre tela, 73,3 × 50,2 cm. Museum of Modern Art, doação de Kay Sage Tanguy; imagem digital © The Museum of Modern Art/Licenciado por SCALA/Art Resource, NY/© 2015 C. Herscovici/Artists Rights Society (ARS), Nova York.

p.45: Grande letra *C* em Inwood. Redux Pictures/*The New York Times*/Foto de Suzanne DeChillo.

p.46: Dr. Michael Graziano. Cortesia de Anil Ananthaswamy.

p.52, 129, 169: Ícone de olho. Chrissy Kurpeski.

p.56: *A vaca de Renshaw*. Optometric Extension Program Foundation.

p.57: *A vaca de Renshaw* com o rosto delineado. Optometric Extension Program Foundation.

p.58-9: Trabalho artístico de Eve e Ruth Oosterman. Um enorme muito obrigada a Ruth Oosterman por compartilhar comigo o encantador trabalho artístico que realiza junto com Eve. Você pode ler mais sobre Ruth em seu website, www.ruthoosterman.com, e em seu blog, *The Mischevious Mommy*, themischeviousmommy.blogspot.ca, e adquirir versões impressas na sua loja no Etsy, Eve's Imagination, www.etsy.com.ca/shop/EvesImagination.

p.63: Jane Alexander (nasc. 1959). Instalação *Infantry with Beast* (2008-10) na Catedral de Saint John the Divine. Redux Pictures/*The New York Times*/Foto de Agaton Strom/Art © Jane Alexander, Dalro, Joanesburgo/Licenciado por Vaga, Nova York, NY.

p.65: Tony Matelli (nasc. 1971). *Sonâmbulo*, 2014. Foto de John Kennard. Cortesia do Davis Museum da Wellesley College, Wellesley, MA.

p.77, acima: *Aquela árvore, 14 de março de 2012.* Cortesia de Mark Hirsch.

p.77, abaixo: *Aquela árvore, dia 320: 6 de fevereiro.* Cortesia de Mark Hirsch.

p.78: *Aquela árvore, dia 51: 13 de maio.* Cortesia de Mark Hirsch.

p.80: Edward Hopper (1862-1967). *Automat*, 1927. Óleo sobre tela, 91,4 × 71,4 cm. Coleções permanentes do Des Moines Art Center; adquirido com fundos da Edmundson Art Foundation, Inc., 1958.2.

p.83, acima, à esquerda: Edward Hopper. *Automat*, 1927. Óleo sobre tela, 91,4 × 71,4 cm. Coleções permanentes do Des Moines Art Center; Adquirido com fundos da Edmundson Art Foundation, Inc., 1958.2

p.83, acima, à direita: Edward Hopper. *Quarto de hotel*, 1931. Óleo sobre tela, 152,4 × 165,7 cm. Museu Thyssen-Bornemisza, Madri, 2015/© Foto Scala, Florença.

p.83, abaixo, à esquerda: Fernand Léger (1881-1955). *Maud Dale*, 1935. Óleo sobre tela, 100,4 × 79,7 cm; emoldurado: 136,8 × 112,1 cm. National Gallery of Art, Coleção Chester Dale, 1963.10.36/© 2015 Artists Rights Society (ARS), Nova York, ADAGP, Paris.

p.83, abaixo, à direita: George Bellows (1882-1925). *Maud Dale*, 1919. National Gallery of Art. Coleção Chester Dale, 1944.15.1/Bellows Trust.

p.89: Jan Steen (1626-79). *As the Old Sing, So Pipe the Young* (1668-70). Mauritshuis, Haia.

p.102: John Singleton Copley (1738-1815). *Mrs. John Winthrop*, 1773. Óleo sobre tela, 90,2 × 73 cm. Copyright da imagem: © The Metropolitan Museum of Art, Fundo Morris K. Jesup, 1931 (31.109)/Fonte da imagem: Art Resource, NY.

p.128, à esquerda: Gilbert Stuart (1755-1828). *George Washington (Lansdowne Portrait)*, 1796. Óleo sobre tela. Local de execução: Germantown. Tela esticada: 247,6 × 158,7 cm; emoldurada: 283,5 × 194, 3 × 17, 8 cm; data de aquisição: 16/07/2001. National Portrait Gallery, Smithsonian Institution. Adquirida como presente à nação por intermédio da generosidade da Donald W. Reynolds Foundation, NPG.2001.13/Art Resource, NY.

p.128, à direita: Alexander Gardner (1821-82). *Abraham Lincoln*, 1865. Biblioteca do Congresso, Divisão de Impressões e Fotografias, Washington, DC, n. LC-B812-9773-X.

p.134: JR. *Action in the slums Morro da Providência, tree, moon, horizontal, Rio de Janeiro*, Brasil, 2008. Série Women Are Heroes. L'Agence VU, Paris, França.

p.137: Giuseppe Arcimboldo (c. 1526-93). *O verdureiro*, c. 1590, Sistema Museale dela Città di Cremona.

p.138: Giuseppe Arcimboldo. *O verdureiro*, c. 1590, Sistema Museale dela Città di Cremona.

p.139: Michelangelo (1475-1564). *Davi*, 1501-4. Fotografia de Jörg Bittner Unna, https://commons.wikipedia.org/wiki/File:Michelangelo-David_JB01.JPG.

p.141: Michelangelo. *Davi* (detalhe), 1501-4. Rachell Sanderoff/Shutterstock.

p.142: Michelangelo. *Davi*, 1501-4. Projeto Michelangelo Digital, Universidade Stanford.

p.143, acima: Michelangelo. *Davi* (detalhe), 1501-4. Fotografia de Jörg Bittner Unna, https://commons.wikipedia.org/wiki/File:%27David%27_by_Michelangelo_JBU16.JPG.

p.143, abaixo: Michelangelo. *Davi* (detalhe), 1501-4. Fotografia de Jörg Bittner Unna, https://commons.wikipedia.org/wiki/File:%27David%27_by_Michelangelo_JBU16.JPG.

p.144: Michelangelo. *Davi* (detalhe), 1501-4. Fotografia de Jörg Bittner Unna, https://commons.wikipedia.org/wiki/File:%27David%27_by_Michelangelo_JBU16.JPG.

p.149: Édouard Manet (1832-83). *Um bar no Folies-Bergère*, 1882. Óleo sobre tela, 96 × 130 cm. P.1934.SC.234. The Samuel Courtauld Trust, The Courtauld Gallery, Londres.

p.158, acima: Henri Matisse (1869-1954). *Janela aberta, Collioure*, 1905. Óleo sobre tela, 55,3 × 46 cm; emoldurado: 71,1 × 62,2 × 5,1 cm. National Gallery of Art, Coleção Sr. e sra. John Hay Whitney.

p.158, abaixo: Henri Matisse. *Janela francesa em Collioure*, 1914. Óleo sobre tela, 116,5 × 89 cm. Foto de Philippe Migeat; CNAC/MNAM/Dist. RMN: Grand Palais, Art Resource, NY/© 2015 Sucession H. Matisse/Artists Right Society (ARS), Nova York.

p.169: Joel Sternfeld (nasc. 1944). *McLean, Virgínia, dezembro de 1978*; n:1978 p:2003; impressão cromogênica em cores; edição de 10 e 2 provas do artista; tamanho da imagem: 105 × 131,5 cm. Tamanho do papel: 120 × 146,5 cm. © Joel Sternfeld. Cortesia do artista e de Luhring Augustine, Nova York.

p.172: René Magritte. *Tempo transfixado*, 1938. Óleo sobre tela, 147 × 98, 7 cm. Coleção Joseph Winterbotham, 1970.426. Fotografia © The Art Institute of Chicago/© 2015 C. Herscovici/Artists Rights Society (ARS), Nova York.

p.176: Sarah Grant. *The Furniture City Sets the Table for the World of Art*, 2009. Instalação © Sticks/Foto de Adam Bird.

p.184: Membros da igreja fundamentalista. AP Photo/Tony Gutierrez.

p.188: Philip Evergood (1901-73). © *Dowager in a Wheelchair*, 1952. Óleo sobre placa de fibra, 121,5 × 91,4 cm. Cortesia de ACA Galleries, Nova York. Crédito da foto: Smithsonian American Art Museum, Washington, DC, doação da Sara Roby Foundation, 1986.6.90/Art Resource, NY.

p.210: René Magritte. *A chave dos sonhos*, 1927. Óleo sobre tela, 38 × 53 cm. Inv. L 1953. bpk, Berlim/Art Resource, NY/© 2015, Artists Rights Society (ARS), Nova York.

p.211: Ralph Steiner (1899-1986). *American Rural Baroque*, 1930. Impressão em gelatina de prata, 18,7 × 24,7 cm. Fotografia de Ralph Steiner, acervo de cortesia/Imagem digital © The Museum of Modern Art, presente do fotógrafo (892.1965)/Licenciado por Scala/Art Resource, NY.

p.213: Primeira Igreja Batista Coríntia. Redux Pictures/*The New York Times*/Foto de David Goldman.

p.216: Adolescentes numa varanda. Redux Pictures/*The New York Times*/Foto de Hiroko Masuike.

p.219, acima: John Singer Sargent (1856-1925). Álbum de recortes de reproduções fotográficas de quadros de Sargent. Publicado/criado [SI s.n., 1893?] p.49, Madame X,

1884, impressão em albume (mostra um estado anterior da pintura: John Singer Sargent, *Madame X [Madame Pierre Gautreau]* (16.53), na coleção do Metropolitan Museum of Art). Biblioteca Thomas J. Watson, doação da sra. Francis Ormond, 1950 (192Sa78 Q). © da imagem © The Metropolitan Museum of Art/Fonte da imagem: Art Resource, NY.

p.219, abaixo: John Singer Sargent. *Madame X (Madame Pierre Gautreau)*, 1883-84. Óleo sobre tela, 208,6 × 109,9 cm. Fundo Arthur Happock Hearn, 1916 (16.53). © da imagem © The Metropolitan Museum of Art/Fonte da imagem: Art Resource, NY.

p.227, acima: Pieter Brueghel, o Velho (c. 1525-69). *O pintor e o comprador*, c. 1565. Heritage Images/Getty Images.

p.227, abaixo: Richard Diebenkorn. *Studio Wall*, 1963. Óleo sobre tela, 115,3 × 108 cm. Acervo #1395. © Fundação Richard Diebenkorn.

p.230, acima: Francisco de Goya y Lucientes (1746-1828). *A maja nua*, c. 1795-1800. © Madri, Museu Nacional do Prado.

p.230, abaixo: Lucian Freud. *Benefits Supervisor Sleeping*, 1995. Óleo sobre tela. Lucian Freud (1922-2011). © Arquivo Lucian Freud/Coleção particular. Bridgeman Art Library.

p.235, acima: Hieronymus Bosch (c. 1450-1516). *O jardim das delícias terrenas*, c. 1500-5. Universal History Archive/Getty Images.

p.235, abaixo: Hieronymus Bosch. *O jardim das delícias terrenas* (detalhe), c. 1500-5. Universal History Archive/Getty Images.

p.236: William-Adolphe Bouguereau (1825-1905). *Dante e Virgílio no inferno*, 1850. Universal History Archive/Getty Images.

p.239: Hieronymus Bosch. *O jardim das delícias terrenas* (detalhe), c. 1500-5. Universal History Archive/Getty Images.

p.245: Jacques-Louis David (1748-1825). *Portrait de la Comtesse Daru*, 1810. © Frick Collection.

p.264: Fotografia de dois policiais correndo, 1993. Don McCullin/Contact Press Images.

p.266: Babá e criança. Cortesia da autora.

p.268: Claude Monet (1840-1926). *A ponte japonesa*, 1899. ACME Imagery/Superstock.

p.269, acima: Claude Monet. *Ponte sobre lagoa de nenúfares*, 1899. ACME Imagery/Superstock.

p.269, ao centro: Claude Monet. *A ponte japonesa*, 1899. The National Gallery of Art, Washington, DC, Marco Brivio, age fotostock/Superstock.

p.269, abaixo: Claude Monet. *A ponte japonesa e a lagoa de nenúfares*, 1899. Philadelphia Museum of Art, Filadélfia, PA, Coleção Sr. e Sra. Carroll S. Tyson Jr., 1963/Bridgeman Images.

p.271: Caravaggio (1571-1610). *Vocação de São Mateus*, 1599-1600. Pii Stabilimenti dela Francia a Roma e Loreto, San Luigi dei Francesi, foto de Mauro Coen.

p.272: A Sala de Crise. Secretaria de Imprensa da Casa Branca, foto de Pete Souza, 2011.

p.284: El Anatsui (nasc. 1944). *Skylines*, 2008. Alumínio e fio de cobre, 300 × 825 cm. Cortesia do October Gallery Trust, foto Scope Basel 2013 e © Georgios Kefalas/epa/Corbis.
p.285: El Anatsui. *Oasis* (detalhe), 2008. Alumínio e fio de cobre, 269,2 × 228,6 cm. Coleção particular. Cortesia do October Gallery Trust e Bill Greene, *The Boston Globe*/Getty Images.
p.288: Gustav Klimt (1862-1918). *Amalie Zuckerkandl*, 1917-18, tela, 128 × 128 cm, inacabada. Oesterreichische Gallerie im Belvedere. Erich Lessing/Art Resource, NY.

Agradecimentos

Há tanta gente com quem tenho uma imensurável dívida de gratidão por tornar este livro possível. Em primeiro lugar estão meu pai e minha irmã, Robert Herman e Jane E. Herman, sem os quais A Arte da Percepção jamais teria acontecido. Eles, junto com minha mãe, Diana S. Herman, que faleceu em 2010, vêm me ensinando a ver o que importa desde que eu era pequena. Suas ideias, insights, disposição para abraçar novas perspectivas, bem como seu vigoroso apoio em cada aspecto do meu trabalho têm sido inestimáveis para mim e são apreciados além de qualquer medida.

Tenho uma profunda dívida com Heather Maclean, sem a qual *Inteligência visual* não existiria. Sua visão, percepção, criatividade, intelecto, espírito colaborativo e bom humor não têm comparação. Em termos simples, é uma absoluta delícia trabalhar com ela. Minha gratidão a Heather deve abarcar um agradecimento a seu marido, Calum Maclean, pela sua cooperação, incentivo e disposição de mergulhar de cabeça conosco ao longo de todo o projeto.

Minha agente na Writers House, Susan Ginsburg, tem sido a voz da razão e do apoio, reforçando meu moral desde o dia em que nos conhecemos. Foi ela quem viu o potencial deste projeto muito antes de mim, e sou eternamente grata a ela. Antes de conhecer Susan, porém, o destino conspirou para que eu cruzasse com sua colega na Writers House, Robin Rue. Nosso encontro casual e a deliciosa conversa puseram em movimento toda esta iniciativa, e tenho com Robin uma dívida pela sua incrível visão. Deixo também agradecimentos sinceros a Stacy Testa, também da Writers House, pela sua gentil assistência em cada aspecto deste livro.

Minha gratidão ao meu editor, Eamon Dolan, na Houghton Mifflin Harcourt, pelo seu olhar escrupuloso, afiado intelecto e disposição para abraçar A Arte da Percepção pelas novas e diferentes perspectivas que oferece. Sou grata, também, a Courtney Young, que viu o potencial deste livro em seus estágios iniciais e proporcionou o impulso para iniciar a jornada. Sou profundamente agradecida pela encantadora ajuda de Rosemary McGuiness, assistente editorial na Houghton Mifflin Harcourt, cuja atenção ao detalhe e atitude tranquila sustentaram este projeto, e a Naomi Gibbs por toda sua assistência. Quero expressar minha gratidão a toda a maravilhosa equipe da Houghton Mifflin Harcourt, incluindo Taryn Roeder, Ayesha Mizra e Debbie Engel. Meus agradecimentos vão também para Margaret Wimberger, por seu ágil e preciso copidesque deste livro, e para Lisa Glover, pelo seu olhar perspicaz e paciência.

A Arte da Percepção começou na Frick Collection em Nova York. Meus colegas ali foram infalivelmente generosos no seu apoio ao programa, tanto durante os meus anos como chefe de educação como depois disso. Tenho uma dívida com Peggy Iacono, Susan Galassi, Colin B. Bailey, Elaine Koss, Rebecca Brooke, Martha Hackley, Kate Gerlough e Penelope Currier. Meus sinceros agradecimentos ao saudoso Charles Ryskamp, diretor emérito da Frick Collection, cujo incentivo para a educação em museus forneceu solo fértil para o desenvolvimento da Arte da Percepção, e a Samuel Sachs II, ex-diretor da Frick cujo apoio aos meus esforços no Departamento de Educação foram de profunda valia. Duas pessoas adicionais da Frick cujo conhecimento e percepções contribuíram muito para A Arte da Percepção e cuja magnífica amizade serviu de apoio ao meu trabalho nos originais deste livro são Chari LeMasters e Serena Tattazzi.

Muitas sessões da Arte da Percepção foram conduzidas no Metropolitan Museum of Art em Nova York. Meus agradecimentos ao ex-diretor associado de educação Kent Lydecker e à ex-presidente de educação Peggy Fogelman, e a Marlene Graham, administradora sênior do Centro para Educação Ruth e Harold D. Uris, pela sua generosidade em adaptar o programa para o Departamento de Polícia da Cidade de Nova York.

A Arte da Percepção também tem sido conduzida na National Gallery of Art em Washington, DC, e meus sinceros agradecimentos a Lynn Russell, chefe de educação, e a Kimberly Hodges pela sua generosidade em tornar as coleções da National Gallery acessíveis à comunidade de serviços de inteligência. Sou grata também à diretora de educação do Smithsonian American Art Museum em Washington, DC, pela sua disposição em abrigar o programa ali em tantas ocasiões.

Acredito que A Arte da Percepção jamais teria sido criada se não fossem meus anos de experiência formativa como docente no Museu de Arte da Universidade de Princeton. A generosidade dos docentes em aguçar e transmitir seu conhecimento de educação em museus tem sido fundamental para mim no sentido de estabelecer conexão com o público de museus no mundo inteiro, e sou imensamente grata a eles.

Numa nota pessoal e profissional, tenho uma dívida de gratidão com Linda Friedlander, curadora de educação no Centro de Arte Britânica de Yale, que, junto com o dr. Irwin Braverman, professor de dermatologia da Escola de Medicina de Yale, projetou inicialmente um programa para estudantes de medicina aprimorarem suas habilidades de observação como parte do programa de Humanidades em Medicina daquela escola, e que graciosamente compartilhou comigo seu conhecimento e percepções.

Meus agradecimentos ao comissário de polícia da cidade de Nova York William Bratton, ao ex-comissário de polícia Raymond Kelly e ao Departamento de Polícia da Cidade de Nova York por lançarem A Arte da Percepção na comunidade de agentes da lei em Nova York e em comunidades por todo o país. O selo de aprovação e apoio do Departamento de Polícia para esta iniciativa de treinamento, em tantas divisões, tem servido de inspiração. Especificamente, eu gostaria de agradecer ao capitão Daniel Sosnowik, ao inspetor aposentado Timothy Hardiman, ao tenente Mark Albarano, ao detetive Ahmed Mahmoud, à policial Heather Totoro e à policial Anita Carter.

Meus colegas no FBI – e são nomes demais para serem citados – contam com a minha gratidão pela sua disposição em abraçar A Arte da Percepção, em tantas facetas, como parte do atual programa de treinamento do FBI. Aprendi muito com cada um deles.

São tantos os amigos e colegas que conheci por meio da Arte da Percepção que apoiaram inabalavelmente meus esforços para estender o alcance deste programa que não posso mencioná-los todos, mas gostaria de citar alguns: dr. Charles Bardes, Sarah Miller Beebe, Christine Butler, Ellen Byron, Monica Chandler, Jacob Eastham, Beth Farcht, Peter Forest, Elise Geltzer, Bobbi Goodman, Ed Hobson, Rachele Khadjehturian, Audrey Koota, dra. Lyuba Konopasek, Richard Korn, Marilyn Kushner, a família Lehrer, Melissa Malhame, Bob Mattison, Robin McCabe, John e Carla Murray, Sheri Mecklenberg, Anne Radice, Donna Cohen Ross e Allegra Stanek.

Meu filho, Ian, a quem este livro é dedicado, tem sido absolutamente central para todo aspecto da Arte da Percepção e deste livro. Ele viu incontáveis obras de arte comigo e me envolveu num diálogo contínuo que tem sido a luz dos meus dias. Sua disposição para partilhar comigo sua visão de mundo e seu incansável apoio me ajudaram a ver o que importa todo santo dia.

Índice remissivo

Referências de página *em itálico* referem-se a ilustrações.

1ª EDIÇÃO [2016] 4 reimpressões

ESTA OBRA FOI COMPOSTA POR MARI TABOADA EM
DANTE PRO E IMPRESSA EM OFSETE PELA GRÁFICA SANTA MARTA
SOBRE PAPEL ALTA ALVURA DA SUZANO S.A. PARA A
EDITORA SCHWARCZ EM MAIO DE 2021

A marca FSC® é a garantia de que a madeira utilizada na fabricação do papel deste livro provém de florestas que foram gerenciadas de maneira ambientalmente correta, socialmente justa e economicamente viável, além de outras fontes de origem controlada.